Termos e Condições para o Amor

LAUREN ASHER

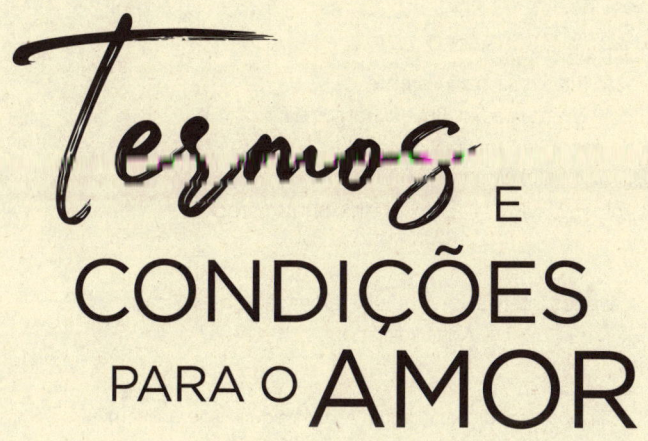

Termos e CONDIÇÕES PARA O AMOR

BILIONÁRIOS DE DREAMLAND

TRADUÇÃO:
GUILHERME MIRANDA

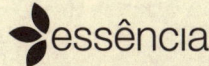

Copyright © Lauren Asher, 2022. TERMS AND CONDITIONS. Os direitos morais da autora foram garantidos.
Copyright © Editora Planeta do Brasil, 2023
Copyright da tradução © Guilherme Miranda, 2023
Todos os direitos reservados.
Título original: *Terms and conditions*

Preparação: Ligia Alves
Revisão: Renato Ritto e Bárbara Parente
Projeto gráfico e diagramação: Beatriz Borges e Anna Yue
Adaptação de capa: Renata Spolidoro
Capa: Books and Moods
Imagens de miolo: David Maier/Unsplash e Shutterstock

Dados Internacionais de Catalogação na Publicação (CIP)
Angélica Ilacqua CRB-8/7057

Asher, Lauren
   Termos e condições / Lauren Asher; tradução de Guilherme Miranda. - São Paulo: Planeta do Brasil, 2023
   400 p.

ISBN 978-85-422-2290-6
Título original: Terms and Conditions to Love

1. Ficção norte-americana I. Título II. Miranda, Guilherme

23-3336   CDD 813

Índice para catálogo sistemático:
1. Ficção norte-americana

 Ao escolher este livro, você está apoiando o manejo responsável das florestas do mundo

2023
Todos os direitos desta edição reservados à
EDITORA PLANETA DO BRASIL LTDA.
Rua Bela Cintra, 986 – 4º andar
01415-002 – Consolação – São Paulo-SP
www.planetadelivros.com.br
faleconosco@editoraplaneta.com.br

PLAYLIST

◁◁ ▷ ❙❙ ☐ ▷▷

- ♡ The Man – *The Killers*
- ♡ I am not a woman, I'm a god – *Halsey*
- ♡ If I Ever Feel Better – *Phoenix*
- ♡ Glitter – *BENEE*
- ♡ Enemy – *Imagine Dragons, J.I.D & League of Legends*
- ♡ Wicked Games – *Kiana Ledé*
- ♡ Fallen Star – *The Neighborhood*
- ♡ Altar – *Kehlani*
- ♡ Slow Dancing in a Burning Room – *John Mayer*
- ♡ Trip – *Ella Mai*
- ♡ Shivers – *Ed Sheeran*
- ♡ Angels Like You – *Miley Cyrus*
- ♡ Animal – *Neon Trees*
- ♡ Unlearn – *benny blanco & Gracie Abrams*
- ♡ Earned It – *The Weeknd*
- ♡ safety net – *Ariana Grande ft. Ty Dolla $ign*
- ♡ Iris – *The Goo Goo Dolls*
- ♡ Daylight – *Taylor Swift*
- ♡ Someone to Stay – *Vancouver Sleep Clinic*
- ♡ Great Ones – *Maren Morris*
- ♡ Marry Me – *Train*
- ♡ Paper Rings – *Taylor Swift*

*A todos que enfrentam uma batalha invisível.
Eu vejo vocês.*

CAPÍTULO UM
Iris

— É um crime celebrar um dia como hoje sozinha. — Cal, meu melhor amigo e irmão do meu chefe, me interrompe. Apesar do estado amarrotado de seu terno e de seu cabelo loiro escuro, ele chama a atenção de diversas garçonetes que passam pela nossa mesa.

Travo o celular e consigo abrir um sorriso.

— Não sou eu que estou me casando.

Os olhos dele perpassam meu rosto.

— Não, mas você foi a manipuladora de marionetes que realizou o impossível.

— Não foi tão ruim.

— Agora eu sei que tem alguma coisa errada com você. Você está… triste porque o Declan está se casando? — Sua voz fica mais baixa que o normal.

Uma risada escapa de mim.

— Quê? *Não*.

— Então qual é o problema?

Baixo a cabeça e alguns cachos espiralados caem diante dos meus olhos. Passo a mão no vestido para alisar algumas rugas inexistentes. O tecido lavanda jovial se destaca em minha pele negra, me fazendo parecer muito mais feliz do que me sinto.

— Acabei de receber um e-mail dizendo que não consegui a vaga.

— Merda. Sinto muito por isso. Sei como você se esforçou para a apresentação da entrevista.

Depois dos meses que passei trabalhando em uma apresentação para o departamento de recursos humanos da Companhia Kane, eles rejeitaram minha transferência. Isso me magoa mais do que deveria. Embora eu não estivesse exatamente sonhando alto, com um cargo iniciante no RH, eu tinha uma ideia boa para um futuro promissor. Uma ideia que poderia beneficiar inúmeros disléxicos presos na rotina corporativa. Meu plano poderia favorecer a empresa, se tivessem me dado essa chance.

Você pode tentar de novo da próxima vez.
Meu sorriso vacila.
— Acho que não era para ser.
— Isso é papo furado, na minha opinião.
Rio.
— É verdade. Pelo menos o Declan nunca descobriu. Imagina se eu tivesse contado para ele e depois não conseguisse o trabalho? Ele nunca me deixaria em paz.
— Ele tem mesmo a tendência a se gabar.
— Dá pra ver pela festa. — Aponto para o arco gigantesco de balões com um sorriso imenso.
Cal ergue uma sobrancelha para a placa de neon cintilante de *Ela disse sim*.
— Discreto. Ele vai amar.
Dou uma piscadinha, fingindo doçura.
— Só planejei uma festa como ele me pediu. Ele deveria ter especificado que tipo de evento queria.
— Me lembre de nunca irritar você.
— Tenho todo um plano para o dia em que isso acontecer.
Cal finge um calafrio.
— Cadê a noiva?
— Declan queria se encontrar com ela antes do anúncio.
Seus olhos se arregalam.
— Por que você deixou ele fazer isso?
— Hmm... por que ele ainda não a conhecia?
— Exato! É por isso que é uma ideia terrível! — Cal passa as mãos nas ondas fartas do próprio cabelo.
— Você acha que ele vai fazê-la mudar de ideia?
— Conhecendo meu irmão, ele não vai precisar de muito para convencê-la.
— Ela assinou um contrato. O negócio está fechado.
— Se você diz... — Ele dá de ombros.
— Talvez eu deva ver como eles estão. — Eu me viro na direção dos elevadores.
Cal enrosca o braço no meu.
— Não. Você vai tirar a noite de folga.

— Mas...

— Você deve estar certa. O Declan não iria correr o risco de perder tudo agora fazendo alguma idiotice. Até ele sabe quando se conter.

— Agora eu sei que você está mentindo.

Ele ri baixo.

— Vem. Vamos entrar e esperar pelo Declan. Só pense que ele vai se esforçar muito para não ficar de cara amarrada, e mesmo assim vai ficar. Nossa, acho que nunca o vi olhar na direção de alguém sem desprezo desde... — Ele se interrompe.

— *Desde?*

Ele evita me olhar nos olhos.

— Desde nunca. Tenho certeza de que o pau dele vive esfolado de tanto se masturbar.

Bato no ombro dele com uma gargalhada.

— Cala a boca! Ele é meu *chefe*.

— Não deixa de ser verdade. Estou surpreso que o negócio ainda não tenha caído depois de tanto abuso.

Dou outra risadinha.

— *Callahan.* — A voz de Declan ressoa.

Alguns retardatários entram correndo no salão de baile ao som da voz de Declan.

— Ele sabe como esvaziar um ambiente — Cal diz.

Toda alegria que eu tinha visto nos olhos de Cal desaparece no momento em que Declan para perto de nós com a cara fechada. O ar se transforma em uma coisa fria, com o olhar gélido de Declan ameaçando reverter a mudança climática. Seu corpo imenso bloqueia minha visão de todo o vestíbulo. O holofote atrás dele salienta seus traços angulosos, destacando a escuridão de seus olhos e os contornos de seu maxilar.

Comparado ao ar de menino dourado de Cal, com seu cabelo loiro e seus olhos azuis, Declan me faz lembrar da parte mais profunda do oceano – fria, escura e perturbadoramente silenciosa. Como um monstro espreitando na área de alcance, a uma respiração de fazer de alguém sua presa. Desde o cabelo escuro até a careta permanente gravada em seu rosto, ele passa a sensação de que faz todos se voltarem para a direção oposta.

Bom, todos menos eu. Há quem diga que ele conquistou minha lealdade pelo salário, mas não é verdade. Temos um respeito mútuo que resistiu ao teste do tempo. Embora nossos primeiros meses trabalhando juntos tenham sido atribulados, meu empenho para ter sucesso como sua assistente ajudou a pavimentar o caminho para o que é a nossa relação hoje.

Por algum motivo nós nos damos bem, embora sejamos o oposto um do outro em todos os sentidos possíveis. Sou uma mulher preta. Ele é um homem branco. Eu sorrio e ele fecha a cara. Ele acorda cedo toda manhã para treinar enquanto eu nunca seria vista na academia, a menos que fosse para pegar uma vitamina na lanchonete. Não teríamos como ser mais diferentes nem se tentássemos, mas fazemos dar certo. Ou pelo menos *eu* faço.

Fico entre os dois irmãos.

— Declan, o que você está fazendo aqui? Já está na hora do anúncio?

Declan tira os olhos de Cal e se volta para mim. A maioria se encolhe diante de seu olhar, mas eu endireito a coluna e olho bem na cara dele como minha vovó me ensinou a fazer.

— Ela desistiu.

Eu pestanejo.

— Quem desistiu? A organizadora do casamento?

— Não. A esposa. Belinda.

— Bethany desistiu?!

Cal tem a pachorra de fazer cara de quem tinha razão.

Declan nem se dá ao trabalho de tirar os olhos do meu rosto enquanto detona todos os meus planos cuidadosamente elaborados.

— Sim. A própria.

— Isso não pode estar acontecendo. — Eu me recuso a acreditar que ele destruiu meses de trabalho árduo. Encontrar uma mulher disposta a se casar com ele e ter um filho para que ele pudesse virar CEO e receber a herança fora quase impossível.

Recusar-se a acreditar não muda os fatos.

— Odeio ser a pessoa que diz eu avisei… — Cal diz.

— Isso é tudo culpa sua. — Olho feio para ele.

Cal ergue as duas mãos no ar.

— Não! Não é culpa minha que a arrogância do meu irmão é maior do que o pau dele.

Declan dá um tapa na parte de trás da cabeça de Cal. Ignoro a picuinha deles enquanto ando de um lado para o outro do carpete, rodeando os dois.

— Você devia ter fugido para se casar em segredo quando teve a chance. — Cal vira a taça dele antes de roubar a minha pela metade.

— Falando por experiência própria?

As narinas de Cal se alargam. Seus punhos se cerram ao lado do corpo antes de ele respirar fundo e deixar que a raiva passe. Ele volta a atenção para mim.

— Foi por isso que o meu avô criou aquela cláusula no testamento. Ele sabia que o Declan não estava pronto para virar CEO e pensou que uma família poderia suavizá-lo. Afinal, como é que alguém como ele poderia inspirar as massas se ele sempre busca destruir todos ao seu redor?

O maxilar de Declan se cerra. Cal ergue uma sobrancelha em uma provocação silenciosa.

Aponto para Cal.

— Pare de agir como uma criança e use esse seu cérebro grande para nos ajudar a escapar dessa confusão. — Os olhos de Declan já estão focados em mim quando me volto na direção dele. — E você, pare de descontar a raiva em todos os outros. Você ter estragado tudo não tem nada a ver com o Cal e tudo a ver com *você*.

Ele me encara com aquele olhar vazio que eu odeio mais do que tudo. Cal bufa.

— É claro que ele fez merda. A última atualização do software dele não incluía um manual de como ser um ser humano decente.

— Vocês dois são um caso perdido — resmungo baixo enquanto pego o celular e digito o número de Bethany. Toca duas vezes antes de ir para a caixa postal. Ligo de novo, mas dessa vez cai direto na caixa. — Merda!

— Não atende? — Cal tem a audácia de achar engraçado.

— O que você fez? — pergunto, furiosa, para Declan.

Declan tira uma bolinha de tecido invisível da manga do paletó como se essa fosse a conversa mais entediante de seu dia.

— Ela não era a pessoa certa para o trabalho.

— E o que você pretende que eu faça com essa informação, considerando que temos uma centena de pessoas esperando para ouvir sobre o seu noivado com uma mulher misteriosa? Sou toda ouvidos.

Ele me encara com os olhos estreitos e eu retribuo o olhar com as mãos no quadril.

Cal engole em seco como se tentasse nos lembrar de sua presença.

— Também estou interessado em ouvir como isso tudo vai se desenrolar. Nosso pai vai ficar emocionado quando descobrir sobre o noivado fracassado do Declan.

Ai, meu Deus. Embora o pai dele não saiba sobre a carta de Brady Kane para Declan detalhando as exigências para sua herança, ele não é nenhum idiota. Há um motivo para o cara ser um executivo de sucesso, afinal. Não tenho dúvidas de que, se notar o menor indício de que esse noivado é falso, vai correr para o advogado de Brady. E, se o advogado acreditar nele, Declan pode perder tudo.

Pense, Iris. Pense. Tento o número de Bethany mais uma vez, torcendo para agora dar certo. A caixa postal pode ser ouvida em alto e bom som pelo celular.

Cal assobia antes de fazer um barulho de explosão.

— Esse é o som do futuro do Declan morrendo.

— Você não tem algum lugar para ir? Algum boteco sujo, talvez? — Declan retruca.

— Por que pagar pela bebida se eu posso ter de graça por sua conta? — Cal sorri enquanto ergue sua taça de champanhe no ar.

Tento ignorá-los enquanto considero minhas opções.

O que eu posso fazer? Desistir de uma vez por todas?

Não. Eu me recuso a desistir agora. Não quando estou tão perto de ajudar Declan a atingir seu objetivo.

Você pode chamar a opção reserva, mas Declan a fez chorar...

— Sabe, a Iris está solteira. — O sorriso de Cal fica sinistro. — Ela poderia assumir o papel como ninguém, já que ninguém conhece você melhor do que ela.

— Não — Declan retruca.

Espera.

Sim.

Eu!

Não que eu tenha muita coisa me impedindo de entrar como substituta. Sem ter namorado nem ter tido compromissos anteriores, eu poderia facilmente substituir Bethany.

Só porque você pode não significa que deva.

Bom, se não eu, então quem? Estamos ficando sem tempo e sem noivas adequadas.

Abro a boca, mas sou interrompida por um grito agudo de Tati, a organizadora de casamento de Declan.

— Aí está você! Eu estava querendo saber onde o futuro marido se escondeu. — A voz aguda de Tati ecoa.

— Esse tipo de entretenimento não tem preço. — Cal vira minha taça antes de se apoiar na mesa com um sorriso.

— Cadê a noiva, sobre quem ouvi tão pouco? — Tati balança sua prancheta como se fosse uma varinha de condão.

Que bom que escondi a identidade de Bethany para o caso de algo assim acontecer.

Você não pode estar pensando seriamente em se casar com ele. Você nem o ama.

Não preciso amá-lo. É um contrato, não uma união por amor.

Declan interrompe meus pensamentos:

— Beatr...

— O nome dela é *Tati*, querido. — Aperto a mão em seu peito. Seu corpo fica rígido, e dou mais um tapinha como quem diz *aja naturalmente*.

Suas sobrancelhas escuras se franzem enquanto ele encara minha mão como se quisesse arrancá-la dedo por dedo.

— O que você está fazendo? — Suas palavras saem tão penetrantes que trespassam meu exterior trabalhado com perfeição.

— Livrando você do trabalho de ter que me apresentar e explicar sua história. — Dirijo a ele o sorriso mais doce que consigo tendo em conta as circunstâncias.

Você vai mesmo fazer isso, Iris?, a voz da razão quer saber.

Não vejo muitas opções aqui.

Isso é um casamento! Não é uma coisa de que você possa desistir quando ficar com medo.

Calo todos os pensamentos que falam contra meu plano. São só alguns anos da minha vida.

E ter um filho?!

Bom, eu sempre quis ser mãe.

Sim. Daqui a cinco anos!

Pelo menos posso começar meu plano de cinco anos um pouco antes do planejado.

Engulo o nó na garganta e volto a atenção para Tati. Saio do abraço duro de Declan antes de pegar sua mão. Os músculos sob o terno dele se apertam, tensionando visivelmente o material de seu paletó.

Ótimo. Vamos ter que trabalhar na aversão dele a seu toque depois.

— Tati, não fui completamente honesta com você quando nos falamos ao telefone.

O sorriso dela diminuiu.

— Ah.

— Eu estava um pouco hesitante sobre me apresentar como algo além da assistente de Declan antes de conhecer você pessoalmente. Sabe, eu trabalho na Companhia Kane faz um tempo, e você sabe como a fofoca se espalha com a maior facilidade.

Ela balança a cabeça enquanto aperta a prancheta junto ao peito.

— Claro. Eu entendo.

— Eu estava com tanto medo do que as pessoas iriam pensar sobre eu namorar meu chefe, mas não conseguimos mais esconder. Não *queremos* esconder. — Minha voz embarga sem que eu nem tente.

O único sinal de desconforto de Declan é a maneira como ele pisca para mim duas vezes. Eu *nunca* o vi piscar. Nem quando um negócio em que ele vinha trabalhando fazia dois anos foi pelos ares e definitivamente não quando seu avô morreu.

Isso me deixa... *perturbada.*

Eu endireito a espinha e me viro na direção de Tati.

— Estamos prontos para seguir em frente com o nosso futuro. Não há mais motivo para manter o nosso amor em segredo.

Cal me dá dois joinhas atrás das costas de Tati. *Merece um Oscar*, ele faz com a boca antes de fazer sinal para Declan sorrir com os dois dedos do meio.

O rosto todo de Tati se ilumina quando ela vê nossas mãos.

— Uau! Esta deve ser uma noite muito importante para vocês, então, por vários motivos. — Seus olhos descem para meu dedo anelar vazio.

— Ah, certo. O anel! — Volto os olhos para o rosto de Declan.

O tique no maxilar dele está presente para todos verem.

Desculpa, Declan, estou salvando você de estragar todo o seu futuro, embora possa não parecer agora.

Declan livra a mão da minha. Ele tira do bolso uma aliança de platina com um único lindo diamante solitário. Estou um tanto surpresa pelo anel elegante. Não é nada parecido com a monstruosidade indecente que escolhi para sua futura esposa, o que apenas me confunde. Será que ele pegou o anel errado na loja? Eu sabia que não deveria ter confiado algo tão importante a ele, mas ele insistiu.

Tati ergue uma sobrancelha em uma pergunta silenciosa, me trazendo de volta ao momento.

— Pedi para o Declan guardar, já que precisamos mandar ajustar. A porcaria saiu voando do meu dedo assim que o abracei depois do pedido de casamento.

— Ah, não! — Tati faz beicinho.

Cal entra no campo de visão de Tati.

— Falei para o meu irmão que era má ideia fazer o pedido no meio de uma tempestade, mas ele insistiu que era o momento perfeito porque a Iris ama tempestades.

— Nunca vi alguém se ajoelhar mais rápido do que ele. — Dou uma piscadinha para Tati e as bochechas dela coram.

A testa de Declan se franze ainda mais, o que só me faz rir.

— Ele quase rasgou no meio a calça Tom Ford enquanto corria atrás dessa aliança. Meu irmão nunca ficou tão em pânico como naquele dia, então é uma coisa boa que ele tenha achado o anel antes de cair em um bueiro. — Cal coloca um braço ao redor dos ombros de Declan, e Declan o empurra imediatamente.

— Vocês filmaram isso? Eu adoraria mostrar para os convidados! — Tati sorri.

Minha nuca se aquece.

— Ah, não. O pedido do Declan foi no calor do momento. Foi *tão* romântico... — Inspiro quando o dito-cujo pega minha mão esquerda, e arrepios brotam na minha pele. Ele percorre minha mão enquanto o anel sobe pelo meu dedo.

— Ah, olha! Serviu, afinal! — Tati bate palmas. Juro que ela só tem duas configurações de volume: alto e ensurdecedor.

— Ele deve ter encontrado um tempo na agenda lotada para finalmente mandar ajustar. — Minhas bochechas coram.

Declan puxa a aliança uma vez, testando se está apertada, antes de colocar a mão no bolso.

Traço o diamante com um dedo antes de dar uma puxadinha no anel. A aliança não cede nem um pouco. Limpo a garganta e forço um sorriso.

— Acho que ficou presa.

Vai entender como a Bethany tinha um dedo menor do que o meu. Será que vou ter alguma folga hoje?

— Em mais de um sentido. — A voz dele fica baixa o bastante para que só eu escute. Algo no tom grave de sua voz faz outro calafrio perpassar meu corpo. Ele sai de tão perto, e respiro fundo.

Ele reajusta o paletó.

— Hora de continuar com o show.

Um show. Nada mais nada menos. Um casamento falso significa impedir que meu chefe perca tudo pelo que trabalhou a vida toda.

O pensamento faz uma nova onda de pânico me perpassar, muito mais forte do que antes. Tento dizer a mim mesma que é um casamento apenas no papel, mas nada parece aliviar a batida rápida do meu coração.

O olhar de Declan encontra o meu como se ele conseguisse sentir minha ansiedade crescente. A realidade cai sobre mim com uma sensação ardente e sinto minha capacidade de respirar ficar cada vez mais difícil a cada segundo que passa.

Acabei de me oferecer para ajudar Declan – por bem ou por mal.

Até que a morte nos separe.

CAPÍTULO DOIS
Declan

— Gostaria de um momento para falar com minha noiva em particular. — As palavras arranham minha língua feito uma lixa.

Os olhos de Iris encontram os meus. Eles se arregalam antes de se voltarem para Cal em um pedido silencioso de ajuda. Embora a capacidade dela de me interpretar como um polígrafo a torne eficiente em seu trabalho, agora isso não passa de um inconveniente.

Cal abre a boca. Seja lá qual for o olhar que lanço na direção dele o faz recuar devagar.

— Vejo vocês lá dentro. — Ele presta continência para Iris antes de entrar no salão de baile. A organizadora de casamentos olha a hora no relógio.

— Volto daqui a cinco minutos para buscar vocês dois. Não desapareçam de novo. — Ela pisca antes de entrar na cozinha.

Meu coração bate rapidamente no peito, e tento fazer três respirações profundas para controlar o ritmo.

Você pediu para ela encontrar alguém com dois cromossomos X e capacidade de procriar. Você é o único culpado aqui.

É um caminho sem volta. Nunca pensei que Iris recorreria a esse tipo de plano sem nem me perguntar se eu concordaria. É uma ideia terrível, que coloca em risco tudo o que construímos juntos ao longo dos anos.

Calma.

Um... dois...

Foda-se.

— O que é que você tinha na cabeça?

Iris mal reage a meu tom de voz, embora sugue os lábios fartos com aversão.

— Estou salvando a sua pele, isso sim.

— Não estou conseguindo enxergar isso.

— Quer que eu agende um exame oftalmológico? Ouvi dizer que a visão piora com a idade. — Sua piada de sempre sobre eu ser doze anos mais velho que ela não tem graça.

Meus olhos se estreitam.

— Não me teste.

— E você não ouse me olhar desse jeito. — Ela coloca a mão negra no quadril em uma postura de batalha. O diamante em sua aliança se destaca contra a pele escura, chamando minha atenção para ele. — Se eu não tivesse intervindo, você teria que explicar para um salão com cem convidados por que não tem uma futura noiva. O que você diria para eles? Que ela extraviou no correio?

— Não. — Ranjo os dentes. — Embora uma noiva por encomenda pareça uma alternativa melhor no momento.

Os olhos escuros dela quase *brilham*.

— Admita. Seu tempo e suas opções acabaram.

— Claramente. — Olho para ela de cima a baixo.

Algo cintila por trás dos olhos dela antes de desaparecer. Ela ergue o queixo bem de leve em um gesto de desafio enquanto olha no fundo dos meus olhos.

— Você sabe fazer uma mulher se sentir especial.

— Especial é a última palavra que eu usaria para descrever você. — Parece uma palavra genérica demais para alguém como ela.

Ela solta um resmungo enquanto ergue as mãos no ar.

— Não sei por que pensei que essa seria uma boa ideia.

— Somos dois. Qual exatamente é sua motivação aqui?

— Gosto o suficiente de você para salvar você de si mesmo. Tenho certeza de que deve ser algum tipo de desequilíbrio químico, então meu terapeuta vai ouvir muito sobre isso na segunda.

Eu a encaro.

— Não me diga que você vai se casar por bondade no coração.

Suas sobrancelhas escuras se franzem e ela se empertiga.

— E se eu estiver?

— Pare de fingir. Essas ideias só existem em filmes da Dreamland.

Seus lábios se entreabrem.

— Não estou fingindo, mas sua reação me faz querer que eu estivesse.

Algo nisso tudo não me cai bem. Por que de repente Iris se voluntariaria para ser minha esposa depois de meses procurando uma candidata perfeita?

Porque ela não queria que você se casasse com mais ninguém, a vozinha na minha cabeça diz.

Não pode ser... não. De jeito nenhum.

Ou pode?

Isso poderia explicar o comportamento errático dela. Sigo seu olhar, vendo-a contemplar o anel de noivado. Ela traça a borda arredondada do diamante devagar. Ouso dizer *com reverência*.

Ai, merda.

Atração é uma coisa. Paixão é um jogo mortal completamente diferente que não tenho interesse em jogar tão cedo.

Meus molares rangem.

— Você está fazendo isso tudo porque no fundo é apaixonada por mim? — As palavras saem da minha boca às pressas. Meu coração bate forte contra a caixa torácica, lutando para sair.

Ela ter sentimentos fortes além de indiferença por mim é uma coisa que nunca considerei. Caramba, eu *nunca* nem quis pensar nisso por uma centena de motivos, mas sobretudo porque ela é a melhor assistente que já tive. Perdê-la não é uma opção. Ainda mais quando ela é parte essencial do meu plano para assumir o cargo do meu pai.

A ideia é estilhaçada em mil pedaços enquanto Iris se curva e solta a gargalhada mais odiosa que já ouvi. Nos três anos que passei na presença dela, nunca vi nenhuma rachadura em sua sanidade. Quem imaginaria que bastava uma aliança em seu dedo para provocar um colapso total?

Ela estende a mão para se estabilizar, pegando a primeira coisa que encontra, o que por acaso sou eu. Todos os músculos no meu corpo se tensionam, e um calor sobe pelo meu braço como se estivesse sendo consumido por chamas. Fico completamente duro enquanto sua risada se transforma em um chiado asmático.

Em vez de me sentir aliviado, fico um tanto perturbado pela reação dela. Meu estômago revira com o desdém que ela sente em relação a me amar.

Você sempre vai ser indigno de amor. A voz do meu pai entra na minha cabeça nos momentos mais inconvenientes, fazendo um calafrio perpassar minha pele.

Tiro seus dedos do meu bíceps um a um.

— Você está passando por algum tipo de crise?

— Não, seu tonto. E não estou apaixonada por você. — Ela ri de novo, soltando um chiado horroroso toda vez que inspira. — Só estou fazendo isso porque somos amigos.

— Nunca vou ser seu amigo. — *E nunca quero ser.*
Os lábios dela se curvam em uma careta.
— Mentiroso. Amigos ajudam amigos quando eles ficam doentes.
— Não faço ideia do que você está falando.
— Lembra-se de quando fiquei gripada?
Cruzo os braços.
— Ainda não estou totalmente convencido de que era verdade.
— Então você se lembra, *sim*!
— Só porque tive que contratar uma equipe de limpeza para garantir que todo o lugar fosse desinfectado.
— Tá. E quando eu te ajudei naquela vez em que você ficou bêbado em uma viagem de negócios?
— Nunca precisei do seu auxílio.
— Você estava tropeçando nos próprios pés e me pedindo para te apresentar para minha irmã gêmea que você nem sabia que existia.

Minha tolerância a vodca é exatamente igual à minha tolerância a pessoas: inexistente.

— Você bêbado é muito melhor. Você me pediu para te colocar na cama e cantar uma música de ninar.
— Agora eu sei que você está mentindo. Você é uma das piores cantoras que conheço. — Meus lábios ameaçam se curvar em um sorriso, mas fecho a cara em vez disso.

Ela ergue as mãos no ar.

— Tá, tudo bem. Eu menti. Mas não teria negado se você tivesse pedido! Porque amigos ajudam outros amigos.

Fico tentado a pagar qualquer preço para mandar apagar a palavra *amigos* dos dicionários de todos os lugares. Não tenho amigos. Não quero ter amigos. E não quero ser um amigo, muito menos dela.

Sua risada rouca se transforma em um ataque de tosse. Antes que eu consiga me conter, pego a bolsinha dela da mesa e a coloco em suas mãos.

— Pare com esse barulho horrendo.

Ela revira a bolsa para encontrar seu inalador.

— Preocupado com meu bem-estar?
— Só por um objetivo egoísta.
— Claro. Como eu poderia esquecer. — Ela sorri com a boca na abertura antes de inspirar o medicamento.

— Vamos deixar algumas coisas claras.

Suas sobrancelhas se franzem, e sua boca se abre, mas eu a silencio.

— Qualquer gentileza que eu tenha demonstrado a você no passado foi exclusivamente por respeito a você como minha assistente. Não perco meu tempo com uma coisa tão inútil quanto amizades, então, se você acredita que existiu algo platônico entre nós, o erro é seu, não meu.

Ao contrário da maioria das mulheres que choramingam em minha presença, Iris simplesmente ignora minha rispidez.

— Que tolice a minha acreditar que você realmente poderia ter algum sentimento além de desdém por outra pessoa. Posso garantir que não vai acontecer de novo.

— Não sinto nada além de uma vontade enorme de atingir meu objetivo final.

Ela suspira.

— A vida não se resume a destruir o seu pai.

Eu a ignoro enquanto olho para o relógio, notando que nosso tempo está acabando.

— Preciso definir algumas regras básicas agora.

— Regras. — Seus olhos se arregalam até o limite.

— Todos os olhares. — A batida instável do meu coração enche meus ouvidos. A respiração dela se prende na garganta quando coloco a mão em sua bochecha. Meu polegar acaricia sua pele delicada, passando de um lado a outro como se eu pudesse gravar meu nome apenas com o toque. — Todos os toques.

Seus olhos se fecham. Todas as células do meu corpo ardem para que eu me retraia. Para que crie certa distância entre nós porque eu não deveria tocá-la assim. Isso confunde demais os limites. Mas fico imprestável quando inspiro seu aroma de coco, e meus pulmões protestam contra a invasão.

— Todos os beijos... não passam de uma mentira. — Meus lábios roçam no canto de sua boca, e parece que meu corpo foi atingido por cabos de bateria.

Os olhos dela se abrem de repente quando recuo, uma tempestade claramente se formando na cabeça dela. Coloco as mãos nos bolsos, parecendo imperturbável enquanto seu peito se ergue e se abaixa a cada respiração irregular dela.

— Você... eu... que... — Sua fala está tão embaralhada quanto seus pensamentos. Eu deveria me sentir lisonjeado pela capacidade que tenho de incapacitá-la, mas isso me confunde mais do que tudo. Meu toque não deveria causar esse tipo de reação. Não se ela foi honesta quando disse que só estava fazendo isso porque me considera um *amigo*.

Procuro recuperar o controle da situação. Criar algum tipo de barreira ao meu redor.

— Não há nada que eu não faria para ganhar a minha herança. Lembre-se disso quando se esquecer de que essa história não passa de um jogo para mim.

Sua boca se abre, mas ela é interrompida pela voz aguda que vai me assombrar para sempre.

— Muito bem, pombinhos. Os convidados estão ficando ansiosos para ver os noivos — a organizadora de casamentos nos interrompe. Ela aponta a prancheta para a entrada do salão como uma comandante militar.

— Pronto? — Iris pega minha mão. Seu sorriso é uma versão mais fraca do que ela abriu para Cal antes.

Continuo em silêncio, sabendo que tudo que sair da minha boca não vai passar de uma mentira.

CAPÍTULO TRÊS
Iris

— Uma salva de palmas para os futuros sr. e sra. Kane.

Meus olhos se arregalam com o anúncio do DJ.

Então é assim que vamos fazer isso? Desse jeito?

Foi você quem planejou assim. Eu me repreendo mentalmente pela festa de noivado odiosa. Se eu soubesse que seria eu no centro das atenções de todos, teria escolhido um simples anúncio nas redes sociais.

Meus joelhos vacilam enquanto observo a plateia. Endireito as pernas para não cair. O número de roupas de grife reunidas em um só lugar chega a ser indecente, e o sorriso falso no rosto de todos faz minha pele coçar.

Os olhos de Declan colidem com os meus. É reflexivo a essa altura, um último olhar transmitindo centenas de palavras.

— Respire fundo. — Ele pega minha mão esquerda, e o calor de sua palma se infiltra em minha pele. É inquietante como ele sabe que estou ansiosa sem que eu nem expresse isso.

Faz três anos que você trabalha para ele. É claro que ele sabe quando você está nervosa.

— Iris e eu vamos nos casar no fim do mês.

No fim do mês? Isso é daqui a duas semanas!

A música para. Alguém tosse. Um garçom derruba a bandeja.

Estamos cercados por uma variedade de reações, uma mais chocada que a outra. Eu até entendo. Pensei que Declan e eu tivéssemos um mês para resolver nosso noivado, mas agora temos apenas duas semanas.

O silêncio é ensurdecedor. Meu estômago ameaça botar tudo para fora sobre o piso de mármore reluzente, mas, de algum modo, engulo em seco o ácido que sobe pela minha garganta.

Você consegue.

— Surpresa! — Sorrio, torcendo para equilibrar a expressão não muito emocionada de Declan. Tiro a mão da sua e a ergo para que todos possam ver meu anel de noivado. Um milhão de cores rebrilham do diamante, atraindo a atenção de todos para o símbolo de minha desgraça iminente.

— Bem-vinda à família, Iris. — Rowan, o irmão caçula de Declan, sai do meio da multidão. Embora a maioria o ache parecido com Declan, com seu cabelo castanho e seu olhar escuro, eu os acho completamente diferentes. Porque, enquanto Rowan tem alguns indícios de humanidade visíveis, Declan não tem a mesma compaixão.

Cal sai do meio da multidão e ergue sua bebida no ar.

— A terapia familiar é na quinta à noite. Não se atrase!

Algumas pessoas riem, e, de algum modo, a tensão alivia o suficiente para tornar suportável respirar de novo.

— Uma hora e a gente cai fora — Declan murmura baixo para que apenas eu escute.

— Eu ia sugerir trinta minutos, mas, se você insiste.

Ele não sorri, mas seus olhos se iluminam quando pousam em mim. Seu bufo de ar é praticamente uma gargalhada. Nós dois sabemos que não vamos conseguir sair daqui em meia hora. Não quando Declan é o primeiro Kane a se casar desde Seth, há mais de trinta anos. Esse tipo de anúncio está no mesmo nível do príncipe da Inglaterra tendo um filho, e todos vão querer alguns minutos com ele.

Qualquer que seja a resposta que Declan tem, ela é abafada quando seu pai, Seth Kane, abre a multidão como Moisés. A intensidade de seu desagrado poderia fazer um homem mais fraco cair de joelhos.

Meus joelhos travam. Já passei tempo suficiente com ele para aprender que ele se alimenta da fraqueza das pessoas.

Declan finge indiferença exceto pelo tique minúsculo no maxilar. Ele é um mestre em esconder suas emoções, mas, de tempos em tempos, uma delas transparece. Um leve cerrar do maxilar. A flexão rápida da mão. Um estreitamento dos olhos antes de voltar a seu olhar frio.

— Relaxe. — Eu me aproximo dele e passo a mão sobre seu coração acelerado.

Você não é a única que está nervosa. Parece que Declan é mais humano do que pensei.

— Filho. — Seth nem se digna a reconhecer minha presença, como de hábito. Como não sirvo de nada para ele, deixo de existir. Simples assim.

— Pai. — Declan inclina o queixo.

Os dois são muito parecidos, com o cabelo castanho e os olhares vazios e sombrios. Mas é aí que a semelhança termina. Tenho certeza de que

Seth já foi bonito em algum momento da vida, mas o abuso de álcool o envelheceu de um jeito que nem o botox conseguia consertar.

— Creio que devo lhe dar os parabéns. — Seth sorri para mim pela primeira vez na vida. A falsidade que emana dele me deixa nauseada. — Meu filho tem sorte de ter você na vida dele.

Ah, claro. O homem não sabe nada sobre mim. Mesmo depois de três anos, ele ainda me chama de Irene sempre que precisa pedir para ser transferido para a linha de Declan.

— Guarde a atuação para as câmeras. — Declan coloca o braço ao meu redor. Embora o gesto pareça robótico, agradeço sua capacidade de tentar fazer parecer legítimo. *Tentar* parece ser a palavra-chave. Seu braço está mais pesado que os coquetéis da minha vó, e aqueles sacaninhas conseguem deixar qualquer um bêbado num único gole.

— Um belo conselho de alguém que está dando o maior show exatamente agora.

A mão de Declan aperta minha cintura com uma força agressiva.

— Só porque você é amargurado em relação ao amor não significa que o resto de nós sinta o mesmo.

Ele zomba:

— Você não sabe nada sobre o amor.

— Dizem que é possível aprender com os erros dos outros, então obrigado por isso.

Há uma rachadura no sorriso voraz de Seth. É tão breve que quase não vejo, mas a dor gravada em seus olhos me confunde.

Não caia nessa. Não é real.

— Você não sabe nada sobre o que sua mãe e eu vivemos, e torço para que nunca passe por alguma coisa assim no seu casamento. — Seth dá meia-volta e sai do salão de baile sem dar atenção a ninguém ao redor.

Lá se foi a aparência de uma família unida e feliz para o público.

Não são muitas as coisas que conseguem irritar Seth, mas a menção a sua esposa sempre consegue. É difícil não sentir pena do homem que perdeu a mulher para o câncer. Mas então me lembro de que ele foi um babaca com os filhos, e toda a minha piedade se extermina.

Alguém novo se aproxima de nós e chama o nome de Declan.

— Vamos acabar logo com isso — Declan murmura baixo.

— Nunca pensei que veria o dia em que Declan Kane ficaria noivo. — O homem me ignora completamente enquanto dá um tapinha no ombro de Declan e sussurra em seu ouvido.

Um convidado após o outro vem até nós para nos dar os parabéns. Todos me ignoram enquanto puxam o saco de Declan, o que aumenta o ácido que cresce no fundo do meu estômago. Minha única fonte de entretenimento esta noite é observar Declan agir com falsidade a cada encontro, mas até isso perde a graça depois de uma hora.

É como se você fosse invisível.

* * *

O DJ pede a todos para liberarem a pista de dança quando uma melodia lenta começa a tocar nos alto-falantes. Sei no mesmo instante que estou encrencada.

Declan deve notar também, porque nossos olhares se encontram do outro lado do salão. Normalmente eu daria risada do pequeno tique em seu maxilar, mas, ao ver que sou parte dessa tortura, mal tenho forças para sorrir. Ele atravessa o salão e pega minha mão.

— Você sabe dançar? — pergunto baixo para que só ele escute.

— É claro que eu sei dançar. — Embora o rosto de Declan permaneça vazio como uma tela em branco, o jeito como sua mão sufoca a minha revela exatamente como ele se sente em relação a isso tudo.

Ele odeia a atenção tanto quanto você.

Sinto como se meu corpo todo estivesse em chamas. Cem pares de olhos trespassam minha aparência cuidadosamente trabalhada, e minha ansiedade só aumenta quando Declan me puxa em direção a seu corpo. Uma de suas mãos rodeia minhas costas enquanto a outra pega minha mão trêmula com tanta força que interrompe minha circulação.

As pontas de seus dedos deslizam sobre a parte de cima da minha bunda. Faíscas disparam na minha pele pelo contato, e eu inspiro fundo.

— Pare de fazer isso — digo com meu sorriso forçado.

— Fazer o quê?

— Me tocar *assim*.

— Você é minha noiva — ele responde, como se isso explicasse tudo.

Sua mão se retrai e solto um suspiro, mas logo me assusto quando ele me puxa para a frente de modo que não sobra nem um centímetro de espaço entre nós. Respirar é oficialmente opcional a esta altura.

— Que tipo de dança lenta é essa?

— O tipo que tem todo mundo nos filmando.

Meu rosto todo parece derreter quando olho ao redor do salão.

— Ai, Deus.

Seu rosto se aconchega no alto da minha cabeça, e juro que estou praticamente levitando a esta altura. Para alguém que não tem interesse em estar num relacionamento, ele está fazendo um ótimo trabalho em fingir. Isso me faz questionar tudo sobre nós até este momento, porque onde esse homem estava? E, mais importante, por que ele o mantém escondido?

Por que isso importa? Isso nem é de verdade.

O pensamento é como um balde de água fria, e meu coração se aperta de decepção. Isso não passa de fingimento para todos os outros. Posso ter me deixado levar por um momento, mas preciso me lembrar do motivo de ter aceitado isso tudo. Não é um relacionamento de verdade. Não há beijos na testa ou toques íntimos que mudem isso.

Siga a programação e ninguém se machuca.

Repito o lema vezes e mais vezes enquanto Declan nos move ao som da música. Ao fim de nossa dança, eu me sinto mais forte do que antes e pronta para separar fatos de ficção.

Pode mandar ver.

* * *

Levo mais trinta minutos parada em silêncio ao lado de Declan até finalmente conseguir ir ao banheiro.

Pego um pouco de água fria da torneira nas mãos e a jogo nas bochechas.

— Você consegue, Iris. Não deixe que eles te atinjam.

Mais fácil falar do que fazer. Embora ninguém tivesse falado comigo para além de um cumprimento breve, não demoraram para me avaliar como se eu fosse um rato de laboratório. O número de mulheres olhando qual drinque eu estava tomando e se minha barriga inchada era por causa de gravidez ou macarrão era surpreendente. Nunca fui insegura em relação a meu corpo, mas o jeito como estavam me analisando fez minha pele aquecer sob o lenço de seda.

Não estou nem aí pra eles. Jogo os ombros para trás e retoco o batom antes de sair do banheiro.

Dou um passo na direção do salão antes de perder o equilíbrio quando alguém pega meu cotovelo.

— Quanto ele está te pagando? — O pai de Declan me vira para que eu o encare.

Livro meu braço de sua mão.

— Não faço ideia de quem ou do que você está falando.

— Estou disposto a pagar o dobro do que ele ofereceu para fazer esse noivado deixar de existir.

Meus olhos se arregalam.

— Como é que é?

— Você não pode ser tão estúpida.

— Trate de falar em termos simples, porque tenho dificuldade para entender conceitos complexos.

— Está na cara que o Declan deve estar desesperado se foi escolher logo você.

A audácia desse homem.

— Sou uma mulher de sorte. Me casar com seu filho é como uma história de Dreamland transformada em realidade.

Ele solta um barulho do fundo da garganta.

— Não fique se achando. O Declan só está se casando com você por causa da herança.

— Ele o quê? — Minha voz fica aguda no momento perfeito.

— Você não sabia. — As sobrancelhas dele se franzem.

Ele caiu como um patinho.

— Do que está falando? Ele nunca mencionou nada sobre herança. — Faço meu lábio inferior estremecer, e os resultados são milagrosos.

— O único motivo de ter colocado um anel no seu dedo é porque ele quer o meu cargo. Sem você, ele não tem a mínima chance de virar CEO.

Pisco duas vezes.

— Como assim?

Sua risada ácida me faz recuar.

— Você não pode acreditar de verdade que ele quer se casar com você por amor.

— Se não é por amor, então por quê? — Levo a mão ao peito, apertando o tecido de meu vestido como se quisesse arrancar o coração. Se Cal estivesse aqui, imagino que ele me daria um troféu de ouro pela atuação. Talvez Declan até me desse um aumento.

— Que mais? Uma herança. Sem uma esposa e um filho, ele não tem como se tornar CEO.

— Está falando sério? O que há de errado com vocês? — Meu tom se eleva como se eu pudesse desatar a chorar a qualquer momento.

Ele coloca as mãos nos bolsos.

— Infelizmente.

— Como você descobriu isso tudo?

Suas sobrancelhas se franzem.

— Não importa como eu descobri.

Contenho o impulso físico de revirar os olhos.

— Você tem provas? Não deve acreditar que sou idiota a ponto de acreditar na sua palavra em vez da palavra do meu noivo.

Seus olhos se estreitam bem de leve como se dissessem *sim*, ele achou que eu fosse tão idiota assim. Ao menos suas suposições sobre mim tornam essa conversa toda muito mais vitoriosa.

— Eu e ele tivemos uma conversa sobre isso tudo quando ele pediu meu conselho. Tentei alertá-lo para não levar isso adiante, mas ele não me deu ouvidos.

Boom. Ele cai direitinho. Duvido que Declan falasse com o pai a respeito da herança, o que significa que todas as suposições de Seth Kane se baseiam unicamente em especulações. Quase dou risada com minha descoberta, mas ainda não estou pronta para sair da personagem. Estou me divertindo demais brincando com o maior cretino de Chicago.

Seco o canto dos olhos.

— Com licença. Estou me sentindo sufocada demais de repente.

O sr. Kane balança a cabeça como se realmente estivesse indignado com as escolhas de vida de Declan. Ele não tem moral para criticar, considerando sua própria história, mas finge bem. Quase melhor do que eu.

— Meu filho deveria saber que não pode brincar com os sentimentos de uma jovem inocente. Pensei que o tivesse criado melhor.

Nem sei por onde começar ao ouvir esse comentário.

Não deixe que ele a atinja. Ele só está tentando fazer você se assustar para cancelar o casamento.

Endireito a coluna.

— Só tem um homem brincando com meus sentimentos, e estou olhando diretamente para ele. Mas obrigada por todas as informações. Tenho certeza de que o Declan vai ficar interessado em ouvir tudo sobre a sua tentativa de estragar o nosso noivado.

Seu rosto se transforma em algo saído diretamente de um pesadelo infantil.

— Você se acha esperta?

— Ah, eu sei que sou.

— Eu estava tentando salvar você de um casamento sem amor, mas parece que vocês dois se merecem.

— Espero mesmo que sim, já que vamos nos casar.

— Ele nunca vai te amar. Ele é incapaz disso.

— Se eu quisesse algum conselho paternal de um pai fracassado, chamaria o meu próprio pai. — Minha farpa é direcionada a ele e a todas as merdas pelas quais fez os filhos passarem.

Seu maxilar se cerra.

— Isso ainda não acabou.

Abro um sorriso radiante para ele quando alguns convidados passam.

— Espero mesmo que não. Gosto muito de ver você fazendo papel de palhaço.

Deixo o pai de Declan para trás fumegando de raiva na confusão que ele mesmo criou.

** * ***

— Seu pai sabe — é a primeira coisa que digo quando Declan entra no carro. Harrison, o chofer, fecha a porta antes de entrar na cabine de motorista particular.

Ele inclina a cabeça.

— Como assim "sabe"?

— Digamos apenas que eu e ele tivemos uma conversinha depois que ele me encurralou perto do banheiro.

Seu olhar de indignação reflete o meu.

— Conte exatamente o que aconteceu.

Reconto a conversa inteira, desde as suposições que seu pai fez até o fato de ele ter me oferecido o dobro para cancelar o noivado. Declan mantém os lábios fechados durante toda a história até eu terminar.

— Ele não tem provas.

Torço as mãos no colo.

— Não significa que não vá descansar até encontrar alguma.

— Então vamos dar a todo mundo o show que tanto querem.

— Mas você não tem medo que ele faça alguma coisa irracional?

Os olhos dele se iluminam pelo desafio.

— Gostaria de vê-lo tentar. Não há nada que gostaria mais do que derrubar meu pai de uma vez por todas.

Um calafrio desce pela minha espinha.

— Então qual é o nosso plano?

— *Nosso* plano?

Mostro meu anelar para ele.

— Isso automaticamente me torna parte da equipe.

Os músculos no seu maxilar se cerram.

— Você não sabe no que está se metendo.

— Se as histórias do Cal valem de alguma coisa, acho que tenho uma boa noção.

— Seja lá o que o Cal tenha te contado, não passa de uma versão atenuada da verdade.

Minhas sobrancelhas se cerram.

— O que você quer dizer?

Os lábios de Declan se apertam, e o silêncio cresce entre nós.

Reviro os olhos.

— Bom, então. Embora eu agradeça sua preocupação, seu pai não me assusta, por isso seus alertas não adiantam de nada.

— Você deve ter algum desejo suicida. Não existe outra explicação para o seu comportamento irracional.

Dou risada.

— Óbvio, senão eu nunca teria aceitado me casar com você.

CAPÍTULO QUATRO
Iris

— Você o quê? — Os olhos escuros de minha mãe se arregalam. Ela aperta uma mão na outra para não as passar em seus cachos espiralados.

— Ela disse que está noiva — vovó responde alto antes de tomar seu café ruidosamente. Suas tranças senegalesas se agitam enquanto ela reajusta a postura na cadeira de vime à minha frente.

— Como? Onde? Com *quem*? Até onde eu sabia, você estava solteira! — A pele negra ao redor dos olhos de minha mãe se enruga.

— É complicado. — *Bom, não deixa de ser verdade.*

Talvez eu não estivesse preparada, afinal, para esse tipo de conversa um dia depois de minha festa de noivado dos infernos.

— Bom, não nos deixe aqui esperando. Não sei quanto tempo vou ter nesta terra, e, pelo jeito como você está gaguejando, vai organizar um funeral antes de um casamento — vovó acrescenta, com o rosto sério. Ela provavelmente é o motivo pelo qual consegui fingir um noivado na frente de um salão cheio de estranhos por todo aquele tempo.

— Não tem muita coisa para planejar, já que só vou me casar no cartório.

— Como é que é?! — A respiração arfada de minha mãe faz meu sorriso fraquejar. — Não, não vai. Você é minha filhinha única e eu me recuso a deixar que você tenha um casamento numa salinha nos fundos de um cartório.

— Qual é o problema disso? Foi assim que eu me casei. — Vovó parece ofendida de verdade.

— É exatamente disso que estou falando, mãe — minha mãe diz.

— O lugar era conveniente. Recém-casadinha eu fui para a Bourbon Street, e seu pai e eu nos divertimos a noite toda.

— Sei bem do dia em que fui concebida. Não precisa repetir essa história.

Não sei direito como essas duas vivem embaixo do mesmo teto sem mim para separar as brigas.

— Vocês querem ouvir minha história ou estão mais interessadas em me traumatizar para sempre?

— A história — as duas respondem.

Começo a falar, contando que Declan e eu percebemos nossos verdadeiros sentimentos durante um voo perigosamente turbulento para Tóquio. Que eu estava chorando de medo de morrer num acidente de avião e que Declan me beijou para que passasse. A parte mais difícil da mentira foi dizer que mantive nosso relacionamento em segredo por um ano porque não sabia como as coisas iriam se desenrolar.

É engraçado que essa mentira é a mais convincente de todas, considerando meu histórico com homens.

— Você está tentando me dizer que está noiva de Declan Kane? *Por livre e espontânea vontade?* — Minha mãe arfa.

— É tão difícil assim de acreditar?

Minha mãe para de andar de um lado para o outro e olha para mim.

— Não. Para ser bem sincera, não.

Meu queixo cai.

— Como assim?

Minha avó ri.

— Ah, convenhamos. Você não veio para o Natal do ano passado para ficar com ele em Tóquio.

— Eu estava *trabalhando.*

Vovó ri.

— *Ah, tá.* Todos nós gostamos de trabalhar, querida. Alguns mais do que os outros. E de preferência mais de uma vez por dia.

Engasgo com o café.

— Pensei que a libido diminuísse com a idade.

— Tenho lembranças para uma vida inteira.

Minha mãe resmunga.

— Por favor, fique à vontade para levá-las em segredo para a cova.

Vovó morre de rir.

Minha mãe se senta ao meu lado e coloca minha mão esquerda na dela. Ela avalia meu anel de todos os ângulos.

— Tem certeza de que está bem com isso?

— Sim — respondo. — Claro.

Você vai para o inferno por mentir para a sua mãe.

Pelo menos você e Declan podem continuar juntos no além.

— Parece tão... — Minha mãe se perde.

— Repentino?

— *Sim.*

— É... especial. Eu o amo muito, de verdade. — Preciso de toda a minha força de vontade para manter o rosto sério.

Ela inclina a cabeça. Minha mãe sempre arrancou a verdade de mim, de um jeito ou de outro. Mordo o lábio para não dizer alguma idiotice.

Tipo a verdade?

Ah, cala a boca. Forço minha consciência culpada a ficar em segundo plano.

— Ele é seu chefe.

— Eu sei.

— Ele é muito mais velho do que você.

— Você fala isso como se fosse uma coisa ruim? — minha avó pergunta. — Porque eu só vejo pontos positivos.

Não perco tempo.

— Não dá pra evitar se apaixonar por quem você se apaixona.

Minha mãe suspira.

— Não. Não dá mesmo.

Uma pontada de culpa aperta meu coração como um laço. Ela é o exemplo perfeito de se apaixonar por alguém por quem não deveria, e eu fui o resultado inesperado.

Ela dá um aperto tranquilizador na minha mão.

— Se você estiver feliz, fico feliz por você.

Faço que sim com a cabeça porque tenho medo do que poderia sair pela minha boca. Se minha mãe soubesse a verdade por trás do noivado, não sei se ela me apoiaria tanto assim. Ela é ansiosa. Não tenho dúvidas de que ficaria preocupada por eu me amarrar a um homem que mal gosta de mim e a um bebê que ele não quer. Ela não iria querer que eu seguisse os passos dela.

Meus pensamentos ansiosos se intensificam quando vovó abre a boca e pergunta:

— Então, quando vamos conhecê-lo?

***

Abro a porta e encontro Cal recostado no batente.

— Você andou me evitando — ele diz.

— Andei mais lidando com as consequências dos meus atos. — Dou espaço para Cal entrar em meu apartamento. Ele instantaneamente faz o espaço parecer dez vezes menor. Embora meu apartamento não seja muita coisa, é todo meu, depois de anos de trabalho árduo e de pessoas duvidando de mim.

Ele atravessa o campo minado de vasos de planta antes de afundar em meu sofá de couro desgastado.

— Por que você fez isso?

Eu me sento à frente dele e abraço os joelhos junto ao peito.

— Porque sou idiota.

— Como você evoluiu de terminar com todos os seus namorados antes que as coisas ficassem "sérias demais" para aceitar se casar com o *meu irmão*?

— Quando você coloca nesses termos, parece não ter muito a ver comigo.

Ele ri.

— O que aconteceu com "juro nunca mais me envolver com homem nenhum"?

— Bom, "nunca mais" parece muito tempo se você parar para pensar...

— Diz a mulher que achou que um ex-namorado comprar uma escova de dente reserva para ela era "ir rápido demais".

— É diferente. — Claro, meu histórico de relacionamentos não é muito bonito. Sou sempre eu que me afasto antes de as coisas ficarem sérias porque o medo me faz agir primeiro e me arrepender depois. Meus padrões de comportamento não são os mais saudáveis, mas me salvaram de me transformar em minha mãe. Porque, embora eu a ame, crescer presenciando seu casamento abusivo com meu pai evitou que eu me colocasse na mesma posição em algum momento. Amar significa perder mais do que estou disposta a ceder.

Cal me tira de dentro da minha cabeça.

— Ah, é diferente mesmo. Você vai se casar. E ter um *bebê*. No sentido de que vai me deixar pra titio.

Meu estômago revira.

— Eu sei que parece loucura...

— Talvez seja *mesmo* loucura.

Ergo as mãos.

— Então por que você incentivou?

— Porque não achei que fosse realmente seguir em frente!

Meu queixo cai, mas não sai palavra alguma.

Ele suspira.

— Meu irmão é o último homem com quem você deveria se casar.

Um aperto cresce no meu peito.

— Por quê?

— Porque ele vai magoar você. É da natureza dele, e é questão de tempo até você se deixar apanhar pelo redemoinho.

— É fofo da sua parte se preocupar, mas nossa relação não passa de um acordo contratual. Não haverá uma oportunidade para ele me ferir.

Foi por isso que concordei com essa ideia toda, aliás. Se eu estivesse com receio de colocar meu coração em risco, nunca teria dito sim. Mas, com o desinteresse de Declan por relacionamentos e meu medo de compromisso, somos uma combinação perfeita.

— *Você* poderia se apaixonar por *ele*.

Rio até as lágrimas brotarem nos meus olhos.

— Declan e eu podemos ser as últimas pessoas da face da Terra e ainda vou escolher meu vibrador.

Os lábios de Cal se curvam com repulsa.

— Informação desnecessária.

— É verdade!

— Então como é que vocês planejam ter um filho juntos?

— Com a ajuda de uma pessoa de jaleco branco. — Embora eu não tenha analisado o contrato que Declan desenvolveu, conheço bem suas expectativas de fertilização *in vitro*.

— Ter um filho juntos cria uma conexão entre duas pessoas que nunca pode ser desfeita. — Uma expressão sombria perpassa seu rosto, e a dor no meu peito se intensifica.

Engulo o nó na garganta.

— Eu sei disso.

— Espero que você saiba o que está fazendo.

Não sei. Não faço a mínima ideia. Mas, em vez de me deixar dominar pela ansiedade, jogo os ombros para trás e encaro minha realidade.

— O casamento pode ser difícil, mas estou disposta a dar tudo de mim. Só me resta torcer para não me lembrar deste momento e me arrepender de todas as minhas escolhas.

CAPÍTULO CINCO
Declan

Passei o fim de semana depois de nossa festa de noivado elaborando a documentação, garantindo que não houvesse como Iris desistir de nosso acordo.

Jogo o contrato recém-impresso em minha mesa de madeira. As páginas cor-de-rosa pastel parecem deslocadas em meio aos outros documentos espalhados na superfície.

Iris ergue os olhos para mim.

— O que é isso?

— Nosso contrato de casamento.

— Por que é rosa?

Pela sua expressão facial, parece que pedi para ela sacrificar sua preciosa coleção de sapatos.

— Alguém deixou o papel na copiadora e eu não sabia trocar.

Um riso escapa dela.

— Não sei o que seria de você sem mim.

— Sua autoestima exagerada é preocupante.

— Não precisa fingir que me detesta tanto.

— Seu primeiro erro é pensar que estou fingindo.

Ela sorri com a farpa.

— Dizem que existe uma linha tênue entre o amor e o ódio.

— Não tão tênue assim — resmungo baixo.

Ela ri mais um pouco enquanto pega o contrato cor-de-rosa.

— Rubrique embaixo de cada página depois que tiver terminado de ler. — Passo uma caneta para ela.

— Este contrato é da grossura da Bíblia. — Ela encara a pilha de páginas com uma expressão contorcida.

Continuo em silêncio enquanto me recosto na cadeira e cruzo os braços.

— Isso é um problema?

Suas sobrancelhas se unem por um brevíssimo momento até ela se recuperar.

— Não, mas vou precisar passar meu horário de almoço lendo isso.

— Leve o tempo que for preciso, mas esse contrato não vai sair desta sala. — Eu é que não vou correr o risco de deixar alguém botar o olho no nosso acordo.

Ela traça a primeira página com um dedo.

— Tá. Mas eu planejo reler cada página três vezes só para garantir que você não está tramando nada de suspeito, então não se irrite porque eu vou consumir seu precioso tempo solitário. — A resposta passa por seus lábios sem nem um pouquinho de hesitação.

Ela está te acusando de mentir.

— Me poupe dos joguinhos e ande logo com isso. Tenho mais o que fazer. — Eu me sento em minha cadeira, que range sob meu peso.

— Se você ganhar mais músculos, esse negócio vai quebrar no meio qualquer dia.

Meus músculos se flexionam sob o terno enquanto desabotoo a parte da frente do paletó.

— Tenho certeza de que você ia adorar.

— Só se eu pudesse filmar.

Eu a ignoro e desbloqueio o computador. Demora apenas algumas respostas de e-mail até Iris soltar um barulho de protesto.

— Isso é uma piada de mau gosto? — Sua voz embarga.

— Quê?

Seus olhos se arregalam em um grau preocupante.

— Você pretende me dar a guarda total do nosso filho?

— Isso é um problema?

— Sim! Um grande problema.

— Acho que agora é o momento de mencionar que o contrato não é negociável.

O queixo dela se ergue em sinal de desafio.

— Então faça ele ser negociável.

— Não.

— Então vou desistir.

Não tiro os olhos da tela enquanto respondo:

— Gostaria de ver você tentar.

Ela se levanta, joga o contrato na minha mesa e pega a bolsa no chão.

— Se não puder ser um pai responsável, não tenho mais interesse em te ajudar.

— Você não pode estar falando sério.

— Quer testar essa teoria?

Merda. As regras do jogo não param de mudar sem meu consentimento, tudo porque Iris não quer jogar limpo.

Ela nunca jogou.

— Você vai desistir de cem milhões de dólares por causa de um acordo de guarda?

— Dinheiro não é problema. Sua decisão, sim. — Ela se vira e me dá as costas.

Meu controle escapa a cada passo que ela dá para longe de mim.

— Vou te dar duzentos milhões.

Ela continua andando em direção à porta, me ignorando completamente. O balanço do seu quadril é uma provocação silenciosa para que eu a agarre. Que eu faça *alguma coisa* além de deixar que ela desista de mim e do nosso acordo.

— Trezentos milhões. — Seu passo vacila, mas ela só para quando sua mão pega a maçaneta. Aperto o botão redondo embaixo da mesa e o mecanismo de fechamento se trava.

Ela resmunga baixo.

— Abre essa maldita porta.

— Só quando você sentar e assinar o contrato.

— *Não.* — Ela chacoalha a maçaneta, mas é um esforço em vão. Embora as travas semelhantes às de um cofre sejam feitas para manter pessoas inoportunas fora, elas estão se revelando muito convenientes para manter minha assistente *dentro.*

Fico sentado e espero que ela se canse. Embora Iris tenha uma grande força de vontade, a minha é ferrenha. E, com tanta coisa em jogo, a desistência dela não é uma opção, ainda que ela possa me odiar por isso.

Ela apoia a testa na porta.

— E quando vai levar em conta o que eu quero?

— Você abriu mão dos seus direitos no momento em que se tornou minha noiva.

— Cuidado, Declan. Sua misoginia está aparecendo.

O canto do meu lábio se ergue.

— Você não tem como barganhar aqui.

— Considere isto meu poder de barganha. — Ela me mostra o anelar.

— *Gracinha* — respondo com frieza.

— Ou você escuta minhas condições ou eu ligo para o primeiro repórter da minha lista e anuncio o nosso término.

Meus olhos se estreitam.

— Você está me ameaçando?

— Eu? *Jamais*. — Ela bate os cílios. — Prefiro o termo *motivando*.

Seu tipo de loucura acaba por botar o meu para fora.

— Você é um pé no saco.

— Não. É você que é sempre um pau no cu.

E pensar que pago mais para ela do que para qualquer assistente neste prédio para receber esse tipo de tratamento.

Porque vocês dois sabem o valor dela.

Solto um suspiro desinteressado.

— Vá em frente e liste as suas condições.

Os calcanhares dela se arrastam sobre o carpete antes de ela voltar a se sentar em sua cadeira habitual. O couro está descolorido depois de todos os anos de abuso.

— Quero guarda compartilhada; é pegar ou largar. Você vai ser pai por cinquenta por cento do tempo, quer queira, quer não.

— Se essa for sua tentativa de tentar usar o nosso filho para tirar mais de mim, não vai dar certo.

Suas narinas se alargam.

— Eu sei que esse é um conceito difícil para você entender, considerando tudo que as pessoas fazem para te agradar, mas o mundo não gira em torno do seu umbigo.

— Agora só falta você me dizer que a Terra não é plana.

Seu nariz se franze.

— Odeio quando você tenta ser engraçado.

— Por quê?

— Porque eu gosto mais de você sem personalidade. — Seus olhos são brilhantes, sempre agindo como um espelho do seu coração.

Aquele maldito coração mole.

— Isso é importante para mim. Tipo, *muito* importante. — Sua voz baixa tanto que preciso me inclinar para a frente para ouvir suas palavras seguintes. — Não quero que nenhuma criança cresça pensando que seus pais não a amam.

Meu punho se cerra sobre a coxa. *Você tinha que se amarrar a alguém que tinha mais daddy issues do que você.*

Ela tira os olhos de mim e fica olhando para longe como se uma lembrança tomasse conta dela.

— Eu sei como é não ser querido pelo pai. É uma sensação que não desejo nem ao meu pior inimigo, que dirá ao meu filho.

Como se eu fosse capaz de ser um inútil como ele. Cal já me contou o suficiente sobre o pai de Iris para eu saber que não sou nem um pouco parecido com ele, mas o jeito como ela olha para mim ameaça meus planos perfeitamente elaborados. Não nasci para disputar o título de pai do ano. Aprendi por experiência própria que os executivos não são bons homens de família, por mais que finjam por razões publicitárias.

Qual é a pior coisa que pode acontecer se você concordar? Contratar uma babá para ajudar a criar seu filho?

Meu pescoço fica úmido enquanto considero as consequências de ceder à exigência de Iris. Sei como isso funciona. Uma contingência se transforma em duas e, quando dou por mim, ela só vai precisar ameaçar sair para conseguir o que quer. Espero isso de qualquer pessoa menos dela, mas não estou chocado por sua capacidade de usar minha fraqueza contra mim.

Decepcionante para dizer o mínimo.

— Um fim de semana por mês — digo, antes que consiga me conter.

Ela limpa a garganta.

— É um bom começo...

— Resolvido, então...

— Só que não.

— Puta que pariu.

Seus olhos se arregalam diante da minha explosão.

Controle-se.

Ela age como se eu não tivesse demonstrado um raro rompante de emoção.

— Não quero ficar sobrecarregada com as coisas chatas tipo lição de casa e afazeres domésticos.

— Então contrate uma governanta e um tutor. Você pode pagar.

Ela faz que não.

— Não é essa a questão. Nós precisamos alternar entre uma semana e outra para poder oferecer um lar mais sólido e estável. Assim nós dois vamos poder ser os pais divertidos.

— Eu garanto que nunca vou ser descrito como o "pai divertido".

Ela revira os olhos.

— Crianças são simples. Desde que você dê comida, brinque com elas e decore todos os personagens de desenho favoritos delas, você automaticamente é a pessoa mais legal que existe.

— Parece um verdadeiro inferno.

— Pelo menos você vai se sentir em casa.

Volto o olhar para o computador.

— Tá. Vamos alternar a criança toda semana.

— Viu? Eu sabia que você ia conseguir ceder se tivesse chance.

— A chantagem opera milagres.

Ela sorri.

— Você sabe bem. É sua tática favorita.

Se ela soubesse. Embora Iris saiba da minha capacidade de conseguir informações sobre pessoas, ela não sabe o que sou capaz de fazer para manipular situações a meu favor. Sempre consigo o que quero. O fato de Iris comandar essa negociação vai ser melhor para mim no fim das contas, por mais que ela tenha a vantagem agora.

Ela ergue um dedo.

— Mais uma coisa.

Não tenho chance de contestar antes que ela continue.

— Minha mãe quer um casamento tradicional na igreja.

— Não.

— Mas...

Eu a interrompo.

— Vamos nos casar no cartório.

— Não, não vamos. Pelo menos não mais.

— Me deixe adivinhar. Você vai desistir do nosso acordo se eu não seguir seu plano. — Previsível, mas capaz de me fazer ceder.

— Quê? Não. Mas eu gostaria muito se você trabalhasse comigo nisso. *Por favor.* — O jeito como seu lábio inferior treme me faz me arrepender de ter embarcado na sua ideia maluca de ficarmos noivos.

Escondo minha surpresa.

— Então isso é um pedido.

— Um pedido grande, considerando suas opiniões sobre cerimônias de casamento, mas eu não pediria se não fosse absolutamente necessário.

— Você me deve uma.

Seus olhos cintilam enquanto ela ergue seu anel na minha cara.

— Estamos quites.

Um barulho de repulsa escapa da minha garganta.

— Assine o contrato e saia daqui antes que eu mude de ideia.

Ela empurra os papéis na minha direção.

— Claro. Assim que você fizer as mudanças adequadas, incluindo aumentar o pagamento inicial para trezentos milhões de dólares, daí eu assino.

Sua...

— Você se acha esperta.

Seu sorriso só aumenta diante do calor que sobe pelas minhas veias.

— Nunca pedi um reajuste salarial, mas como você foi tão generoso em oferecer...

Saco. Escondo meu pequeno sorriso com a parte de trás do punho.

— Boa jogada.

Ela pisca.

— Obrigada. O senhor me ensinou tudo que eu sei.

E me arrependo disso todos os dias.

CAPÍTULO SEIS
Iris

Se eu achava que minhas responsabilidades diminuiriam porque preciso planejar toda uma cerimônia de casamento em duas semanas, eu estava errada. Basicamente o trabalho continua como sempre, o que é exatamente meu problema. Estou atolada. De trabalho. De expectativas. E de um monte de perguntas inúteis, tipo qual a cor dos guardanapos que quero e qual estilo de letra cursiva é melhor para os marcadores de lugar.

Nem sei ler letra cursiva.

— Preciso que você revise este relatório para Yakura. — Declan para perto da minha mesa.

— De novo? — resmungo. — Essa é a terceira vez em seis meses.

Ele deixa uma pilha de papéis laranja pastel em minha mesa.

— Você ainda está sofrendo com a impressora? Posso te mostrar como funciona, se você tiver um segundo.

Ele nem se dá ao trabalho de considerar minha pergunta.

— Espero seus comentários até o fim do dia.

— De hoje?

— Algum problema?

— Não. Só preciso encaixar entre planejar nossa cerimônia, escolher um vestido e ir a uma degustação de bolos à noite. — Abro um sorriso tenso para ele.

— Perfeito. Quero na minha mesa antes das nove da noite. — Ele passa por mim na direção da porta de sua sala.

Quero na minha mesa antes das nove da noite. Bato os dedos no teclado enquanto digito minha senha.

Você consegue, Iris. Há um motivo para você ter durado tanto tempo nesse emprego.

Meu celular se ilumina com uma mensagem de Tati confirmando nossa primeira sessão de dança coreografada para amanhã à tarde.

Que fantástico. Tem mais alguma coisa que o universo queira jogar em cima de mim?

— Iris?

Um suspiro irritado escapa de mim antes que eu tenha a chance de conter.

— Pois não?

Nossos olhos se encontram. As terminações nervosas na minha nuca formigam. Quebro o contato primeiro, acabando com a sensação estranha antes que ela tenha tempo de se espalhar.

— Obrigado por tudo.

Meus olhos se voltam aos dele.

Obrigado por tudo?! Nunca ouvi Declan expressar nenhuma gratidão sem uma pitada de sarcasmo.

Luto para encontrar as palavras certas. Meu silêncio só aumenta a estranha tensão que cresce entre nós. Felizmente, Declan dá um fim a ela entrando em sua sala e fechando a porta.

Saio de meu estupor e mando uma mensagem para a única pessoa capaz de me ajudar a processar o que quer que esteja acontecendo na cabeça de Declan.

Eu: Seu irmão acabou de me agradecer.

Cal: Rowan? Pelo quê?

Eu: Não. DECLAN!

Cal: O que você fez de errado?

Eu: Nada.

Cal: Então ele realmente falou "obrigado" e foi sincero?

Eu: Sim!!

Cal: Você apontou uma arma para ele?

Rio enquanto digito minha resposta.

Eu: Não.

Cal: Adaga na garganta?

Eu: Embora o abridor de cartas que você comprou para mim seja tentador às vezes, não.

Cal: Porra.

Cal: Talvez ele esteja de bom humor.

Eu: Teve alguma tragédia global que deixou ele feliz hoje de manhã?

Cal: Segundo o jornal, tem uma escassez de camarão deixando as pessoas malucas, mas só.

Declan odeia frutos do mar, então não pode ser isso. Na verdade, não consigo pensar em nada capaz de explicar seu comportamento irracional.

Nada além de uma ideia que parece tão ridícula que faz meu estômago revirar.

Ele realmente falou sério.

* * *

— Sua fada madrinha chegou com reforços. — Cal deixa um saco de comida na minha mesa.

— Ai, Deus. Sim. — Abro o saco e tiro um sanduíche. — Eu te amo.

— Eu sei.

— Dá licença? Estou tendo uma conversinha em particular aqui. — Aponto para meu almoço.

Cal ri enquanto se senta.

— Como estão as revisões?

— Terríveis. Não sei direito o que o sr. Yakura quer de nós. Essa é a centésima vez que envia de volta nossa proposta de Dreamland Tóquio, agora com um único comentário.

Cal se inclina.

— Qual?

— *Falta alguma coisa.*

Suas sobrancelhas se erguem.

— Sério? Só isso?

— Sim! Mas não faço ideia do que está faltando.

— Você conversou com o Rowan? Ele poderia dar uma olhada nas suas últimas ideias.

Balanço a cabeça.

— O Declan e eu nos reunimos com ele há um mês, mas não acabou muito bem.

— O Declan ainda está puto sobre todo o lance de Dreamland?

Desde que Rowan decidiu permanecer como diretor do parque temático original na Flórida, Declan passou a ser frio com ele. Está na cara que Declan ficou ofendido por Rowan dar as costas para as expectativas da família em troca da mulher que ele ama. Mas, com Declan tentando desenvolver seu próprio parque Dreamland em Tóquio, podemos tentar mais uma vez.

Suspiro.

— Sim. Acho que a pressão do sr. Yakura está pesando em cima dele. Já faz meses que estamos trabalhando nesse acordo sem resultado algum.

— Você pode encontrar outro patrocinador disposto a vender o terreno. Muita gente daria tudo por uma fração dos lucros de Dreamland.

Faço que não com a cabeça.

— O Declan insistiu que fosse essa propriedade. Tenho quase certeza de que Yakura consegue sentir o quanto Declan a quer, então é por isso que está dificultando tudo. Vai ver ele quer um pagamento maior.

— Ou isso ou ele gosta de ser uma das poucas pessoas que conseguem tirar o Declan do sério.

Dou risada.

— Pode ser. Mas não torna a rejeição mais fácil de lidar.

— Não leve para o lado pessoal. Suas ideias são ótimas, então é questão de tempo até ele ceder.

— Mais fácil falar do que fazer. — Minha síndrome de impostora sempre surge quando recebemos mais um e-mail de rejeição de Yakura.

Como se sentisse minha mudança de humor, Cal se empertiga.

— Quer que eu te ajude?

— Não, não queremos. — A voz de Declan intervém. Ele se apoia no batente com os braços cruzados e o maxilar cerrado.

Cal inclina o queixo na direção de Declan.

— Oi, irmão. Como vai a sua tarde? Já fez alguém chorar?

— Não, mas ainda é meio-dia.

Cal volta a atenção para mim.

— Não sei por que você aceitou se casar com ele. Ele é insuportável.

Encolho os ombros.

— Até que eu gosto da personalidade dele.

— Juro que você está sofrendo de algum tipo de síndrome de Estocolmo profissional. Não tem outra explicação.

Declan arranca Cal da cadeira à frente da minha mesa.

— Some daqui. Alguns de nós têm trabalho a fazer aqui.

— Ser a decepção da família Kane é um trabalho em tempo integral, muito obrigado. Mas os benefícios são uma bosta.

Minha risada faz Cal sorrir.

— Juro que você só foi colocado nesta terra para fazer da minha vida um inferno. — Declan aperta o botão do elevador.

Cal finge fungar.

— Finalmente encontrei meu propósito na vida graças a você.

Declan praticamente empurra Cal para dentro do elevador quando as portas se abrem.

— Tchau, Iris! Te vejo na degustação de bolo hoje à noite. — Cal acena para mim enquanto mostra o dedo do meio para Declan. Declan só sai da frente do elevador quando as portas se fecham.

Ele dá meia-volta e me encara.

— Do que ele está falando?

Volto a atenção para a tela do meu computador para escapar de seu olhar sombrio.

— Convidei o Cal para me acompanhar na experimentação de bolos de casamento.

— Você não pensou em me convidar?

Minhas sobrancelhas se erguem.

— Hm... não. Você não pareceu interessado quando mencionei hoje cedo.

— Não achei que convidaria meu irmão.

Ai, meu Deus. Ele está com ciúme?

Não. Não tem como. *Não pode ser.* Inclusive, parece tão errado quanto a pontada de entusiasmo que sinto com a ideia de Declan sentindo ciúme dessa forma do irmão.

O que está acontecendo com você?

Limpo a garganta.

— Ele se convidou quando falei que iria sozinha depois do trabalho.

O peito de Declan se ergue enquanto ele solta um suspiro pesado.

— Diga ao Cal que ele não é mais necessário.

Balanço a cabeça em sinal de recusa.

— Não.

— A que horas é a degustação de bolo? — Ele não olha para mim enquanto tira o celular do bolso.

— Por quê?

— Eu vou. Mande o endereço para o Harrison. — Ele não deixa espaço nenhum para eu discordar enquanto volta para sua sala. A porta se fecha e ele me deixa questionando coisas para as quais nunca vou ter resposta.

** *

— Iris. — Alguém cutuca meu ombro.

— Vá embora. Estou dormindo. — Estendo a mão para empurrar o barulho.

— Precisamos ir.

— *Argh.* Agora você está me incomodando nos meus sonhos também? Nunca vou ter paz?

Um riso grave no meu ouvido me faz erguer a cabeça de repente. Minha visão turva se aguça para encontrar Declan ao lado de minha mesa abrindo o menor sorriso do mundo.

— Estamos atrasados. — Ele estende a mão e descola um post-it da minha testa.

— Atrasados? Pra quê? — pergunto, com a voz rouca.

— A degustação de bolo.

— Ah, não! — Eu me levanto com as pernas trêmulas. — Que horas são? — Abro a gaveta de baixo e tiro a bolsa. Calço os sapatos de salto rapidamente, apesar do protesto dos meus dedos inchados.

— Dez horas.

— Dez?! Era para estarmos lá às nove!

Ele dá de ombros.

— Liguei e avisei que íamos chegar mais tarde.

Eu congelo.

— *Você* ligou?

— Levei dois segundos.

— Por que não me acordou?

Silêncio.

— Quanto tempo eu dormi?

— Duas horas.

— Duas horas!

Ah, não. As revisões.

— Declan, me des...

Ele ergue a mão.

— Pode entregar amanhã cedo.

Fico boquiaberta.

— Eu não queria pegar no sono...

— Deixa pra lá.

— Mas...

— Quer que eu fique bravo? — Sua voz soa muito mais agitada agora.

— Sinceramente? Sim.

— Não sou um completo imbecil. Sei que você está com a cabeça cheia — ele retruca.

— Pare.

— Quê?

— Pare de ser tão... compreensivo. Está me assustando. — Com um Declan irritado eu consigo lidar. Um Declan gentil que não liga se eu pegar no sono no trabalho e perder prazos? Esse tipo de imprevisibilidade me dá uma ansiedade enorme.

Seu maxilar se cerra.

— Vamos. Não tenho tempo para suas baboseiras.

Agora essa resposta me faz sorrir.

— Ah. Esse é o homão mal-humorado que eu conheço e gosto.

Sua voz fica mais baixa.

— Um dia essa sua boca ainda vai te dar problemas.

Não sei o que é mais perigoso: sua ameaça tácita ou a maneira como algo ganha vida dentro de mim apenas com essa frase.

***

— Estou no paraíso. — Suspiro antes de inspirar fundo mais uma vez. Os diferentes aromas ao nosso redor me deixam com água na boca.

Um sino toca quando Declan entra atrás de mim na confeitaria mal iluminada.

Uma porta nos fundos se abre, lançando uma luz forte enquanto uma mulher loira mais ou menos da minha idade sai.

— Bem-vindos! Que bom que conseguiram vir!

— Desculpe pelo atraso. — Eu me crispo.

— Ah, imagina! Não tem problema nenhum. Por que não se senta aí e eu vou buscar algumas amostras para vocês? — Ela aponta para uma mesinha para dois à luz de velas antes de voltar a desaparecer na cozinha.

— Não é aconchegante? — Tento quebrar o silêncio constrangedor, mas sou interrompida pela música romântica que começa a tocar baixinho em caixas de som invisíveis.

Declan puxa uma das cadeiras para mim. Essa troca entre nós é fluida, praticada centenas de vezes. Algo a que percebo não ter dado o menor valor ao longo dos anos.

— Obrigada.

A cadeira range sob o aperto da mão dele.

— Pelo quê?

— Por sempre fazer isso. Sabe... com minha cadeira. — Eu me embanano com as palavras.

Ele não diz nada enquanto se senta à minha frente.

... E agora me lembro por que parei de dizer *obrigada* quando ele faz alguma gentileza.

— Lá vamos nós! — A confeiteira traz uma bandeja coberta por minibolos. — Vou deixar vocês experimentarem tudo com calma. Se precisarem de alguma coisa, é só dar um grito. — Ela sai correndo de novo.

Fico com a boca cheia d'água enquanto observo a bandeja.

— Tem preferência por algum tipo de bolo que queira experimentar primeiro?

— Pode ser qual você quiser. — Ele tira o celular do bolso e começa a navegar pelos e-mails.

— Sério? Você nunca tira a noite de folga?

— Não.

— Então por que se deu ao trabalho de vir?

Mais silêncio. Estou começando a odiar o jeito como ele se fecha toda vez que faço uma pergunta que exija mais que uma resposta simples.

Em vez de recuar, insisto.

— Sabe o que eu acho?

— Tenho certeza de que você pretende me dizer independentemente do que eu responder.

Chuto a perna da cadeira. Embora ela não se mova nem um centímetro, isso atrai a atenção dele de volta para o meu rosto.

— Acho que você não queria que o Cal viesse hoje porque está com ciúme.

Ele bufa.

— Não tenho por que ter ciúme do meu irmão.

— Sério? Motivo nenhum? — Ergo a sobrancelha em uma provocação silenciosa enquanto mostro minha notificação de ligação perdida na cara dele.

— Nenhum. — Ele pega um minibolo da bandeja e o perfura com a colher.

— Ótimo. Então me deixe fazer um FaceTime com o Cal para ele decidir esse debate. Se você queria ser nosso amigo, era só pedir...

Ele rouba o celular da minha mão.

— Já falei que não quero ser seu amigo. — Seu olho direito se contrai, revelando nervosismo.

— Ai, meu Deus. Você superquer!

— Pare de falar.

Mas não consigo. Não com essa informação preciosa à minha disposição.

— O Cal pode se opor a receber você na nossa dupla, mas tenho certeza de que ele estaria disposto a ceder se...

Meus olhos se arregalam enquanto ele enfia uma colherada de bolo na minha boca aberta.

— Finalmente encontrei o jeito perfeito de calar sua boca.

Olho feio para ele enquanto sinto o gosto do doce mais delicioso que já comi na vida.

Seu olhar permanece grudado em meus lábios enquanto ele puxa a colher através deles.

— Só preciso manter sua boca ocupada pra sempre.

Eu graciosamente engasgo na sequência.

CAPÍTULO SETE
Declan

Pode ser que eu tenha me precipitado quando anunciei que Iris e eu nos casaríamos em duas semanas em vez de um mês. Queria garantir que ela não aproveitasse a primeira oportunidade para desistir do nosso acordo. Mas agora tenho que enfrentar as consequências dos meus atos.

— Espero que você já tenha se mudado para a minha casa antes do fim de semana acabar. — Passo pela mesa de Iris na direção da porta do meu escritório particular.

Ela tira os olhos da tela do computador.

— Quê?

— Pode pagar a empresa de mudança com meu cartão.

— Você quer que eu me mude *neste* fim de semana?

— Sim.

— Mas amanhã é sábado.

Respiro fundo enquanto me apoio no batente.

— E?

Ela passa as mãos no rosto e resmunga.

— Nenhuma empresa de mudança vai estar disponível assim, de última hora.

— Pelo preço certo, sim.

— Mas eu teria que quebrar meu contrato de aluguel antes.

— Eu pago a multa.

— Ou posso manter o apartamento, por via das dúvidas...

Eu a interrompo.

— Que imagem você acha que passaria para o público se descobrissem que você manteve seu apartamento "por via das dúvidas"?

O lábio inferior dela estremecia.

— Mas eu amo meu apartamento.

— Tenho certeza de que há um certo charme em morar perto de cenas de crime, mas você vai superar.

— Eu moro em Hyde Park, não em uma zona de guerra.

— Você *morava* em Hyde Park. No sentido de que você não vai ser mais moradora desse bairro a partir de amanhã.

Os olhos dela se estreitam.

— Então é isso? Você estala os dedos e eu tenho que fazer o que você diz como uma esposa obediente, sem questionar?

— Você já tem anos de prática, então não deve ser muito difícil aprender.

Meu comentário faz um grande estresse surgir em minha mente e uma risada chiada que consigo ouvir mesmo através da porta fechada da minha sala.

* * *

Pense no seu futuro. Meu olho direito se contrai enquanto Iris puxa mais um vaso de planta para dentro de minha casa. Nesse ritmo, minha casa vai se transformar em um viveiro de plantas. Terra espalhada marca os assoalhos de madeira para me lembrar de como minha vida perfeitamente organizada está sendo virada de cabeça para baixo.

Dou a volta em três plantas do tamanho de pequenas árvores para chegar à porta de entrada. Iris fala com uma das plantas com a voz sussurrada, acariciando uma de suas folhas enquanto pede desculpas por desenraizar sua vida. Ela é doida. Não existe outra maneira de descrever alguém que faz vozinha com plantas como se fossem crianças.

Pelo menos ela vai ser uma boa mãe.

Coloco o celular no mudo para a chefe de nosso departamento de auditoria não me escutar.

— Já acabou? Você está deixando todo o calor escapar de dentro da casa. — Aponto para a porta aberta. Bem nesse momento, uma rajada de vento me atinge.

Iris esfrega uma mão na outra antes de soprar nelas.

— Sabe, tudo isso seria muito mais fácil se você me ajudasse.

— Não faço trabalho braçal.

— Graças a Deus, então, que não vamos ter um filho à moda antiga, senão eu teria que fazer todo o trabalho sozinha.

Toda e qualquer resposta fica presa na minha garganta, o que só a faz rir mais.

— Você se acha engraçada?

— Melhor ser engraçada do que ser preguiçosa. — Ela sai correndo pela porta, obviamente satisfeita consigo mesma por me deixar sem palavras.

Só me lembro da pessoa do outro lado da linha quando ela volta a falar. A presença caótica de Iris já está fazendo estrago na minha vida, e não sei como vou sobreviver a três anos com ela morando aqui. Todo o meu espaço está contaminado pelas coisas dela, desde as mantas coloridas sobre meu sofá impecável até alguns porta-retratos de duas mulheres que ainda nem conheci.

Eu me esforço ao máximo para me concentrar na conversa, mas mal estou prestando atenção ao que é falado. Minha capacidade de me concentrar ficou gravemente comprometida desde que o caminhão de mudança de Iris apareceu em minha garagem.

Vinte minutos depois, Iris se joga no chão.

— Pronto! — Suas duas tranças se abrem ao redor dela, cobertas de flocos de neve. Alguns cachos espiralados escaparam das tranças durante o processo e grudaram no seu rosto. Sua jaqueta de inverno rosa-bebê parece deslocada – um completo contraste com meu terno, sapatos e alma escuros.

Observo o perímetro, notando menos de dez caixas.

— Você tem mais plantas do que coisas.

Ela ergue a cabeça e ri.

— Sou a louca das plantas. O que mais posso dizer?

— De preferência nada.

Seu corpo treme com uma risada silenciosa enquanto ela se levanta.

— Como é ter uma pessoa no seu espaço?

— Barulhento.

— Imagine como vai ser ter uma criança correndo e gritando por aqui.

— Vou investir em uma coleira antilatido.

Ela pestaneja.

— Por favor, diga que está brincando.

Aperto a ponte do nariz.

— Porra. É óbvio que estou brincando.

Ela solta um suspiro.

— Mas um quarto à prova de som não parece uma ideia ruim.

Suas sobrancelhas se erguem.

— Para a criança ou para você?

— Para a criança. O meu foi reformado há anos.

Ela instantaneamente se torna interessada em olhar para tudo menos para meu rosto. O que eu não pagaria para ouvir um segundo de seus pensamentos.

Milhões. Talvez até *bilhões*.

— Então... — Ela balança sobre as botas enquanto avalia seus pertences. — Como exatamente nós vamos lidar com essa situação?

Certo. Siga o plano.

Gemo enquanto pego uma caixa pesada do topo de uma pilha.

— O que você tem aqui dentro?

Ela espia a anotação na lateral da caixa.

— Meus sapatos de salto.

— Eles vão ficar ótimos na lareira.

Ela dá um pulo e tenta roubar sua carga preciosa das minhas mãos.

— Não se atreva.

Destruir sua coleção de sapatos valeria sua raiva. Eles estão na minha lista desde que Iris encontrou uma brecha em seu contrato de trabalho em relação ao vestuário. Em vez de seguir o código de vestimenta do escritório de cores exclusivamente neutras, ela testa minha paciência com sapatos altos chamativos e acessórios da cor do arco-íris.

Pelo menos ela honra o nome.

— Você deveria saber que não deve me subestimar depois de todo esse tempo.

Ela coloca a mão no quadril.

— Declan Lancelot Kane. Juro que, se um sapato desaparecer, eu vou...

— Não me chame assim — retruco.

Ela sorri.

— Prefere que eu use o termo mais formal, *Sir* Lancelot?

— O que eu prefiro é seu silêncio.

Ela revira os olhos.

— Você é sem graça.

— Não é pra ter graça. — Mas não chega a ser exatamente trabalhoso.

Exatamente o motivo por que isso tudo é uma péssima ideia.

É fácil entrar em um ritmo confortável com Iris. Quase fácil *demais*.

— Juro, você vai morrer de ataque cardíaco qualquer dia de tanta raiva acumulada. Não é bom para a sua pressão arterial.

Eu a ignoro enquanto caminho na direção da escada.

— Vou te mostrar o nosso quarto.

— *Nosso* quarto? — Ela tropeça nas próprias botas.

— Não vou permitir que a governanta ateste contra a legitimidade do nosso acordo.

— Certo. Claro. — Ela arregala os olhos, em uma expressão muito diferente de suas respostas rápidas.

Ela ficou nervosa. Viro as costas para ela, escondendo meu pequeno sorriso enquanto guio Iris pela escada grandiosa na direção do meu quarto. Ela me ajuda com a porta, que se abre para revelar meu espaço favorito na casa toda. As paredes azul-claras e os móveis brancos se destacam contra o piso de madeira escura.

— Uau. É muito mais iluminado do que eu imaginava.

— Ao contrário do que se pensa, os caixões não são muito confortáveis para dormir.

Sua gargalhada faz meus lábios se contraírem em resposta.

Deixo a caixa perto da entrada de seu closet vazio.

— Você vai guardar suas roupas aqui.

— Mas eu não... nós não... você não espera que eu... — Os olhos dela rodeiam o espaço sem parar em nenhum lugar específico.

Minha capacidade de ser a única pessoa capaz de deixá-la sem ação me enche com uma sensação ardente de satisfação.

— ... durma na mesma cama que eu? — completo para ela.

Ela engole em seco enquanto faz que sim.

— Exato. Isso.

— Não.

Ela morde o lábio inferior.

— Graças a Deus. Seria constrangedor.

— Certo. — Os pelos na minha nuca se arrepiam. — Em casa, nós podemos agir como quisermos. Mas em público eu espero que você pareça carinhosa comigo.

— Tem certeza de que consegue suportar meu toque por longos períodos de tempo?

— Vai forçar meus limites, mas eu dou um jeito. — Entro em seu closet e abro a porta na outra ponta.

Ela para.

— Você construiu uma porta escondida para outro cômodo? Em um closet?!

— Sim.

— Mas por quê?

— Porque eu estava me preparando para uma situação como essa. — As palavras saem da minha boca com facilidade.

— Espera. — Ela ergue a mão. — As pessoas se preparam para casamentos de mentira?

— É uma coisa natural quando se atinge certa faixa de imposto.

Seu nariz se franze.

— Isso é repulsivo.

— Não. É a vida.

Ela me encara com os lábios entreabertos. Dou meia-volta e entro no segundo quarto. As cores complementam minha suíte máster, mas, em vez de azuis, as paredes estão cobertas por um tom amarelo-claro.

— Que bonito. — Uma das mãos dela traça a colcha rendada. O quarto é grande, com sua própria área de estar, banheiro e janelas com vista para o quintal amplo.

— Você pode decorar como quiser. Só peço que cuide da limpeza, já que a governanta não vai ter permissão para entrar.

Ela ergue os olhos para mim.

— Você realmente pensou em tudo, hein?

— Tudo menos você.

* * *

— Parece que Iris está bem à vontade. Tenho certeza de que você adora isso. — Cal avalia uma das plantas que ela acrescentou ao canto da nossa sala. Minha casa está aos poucos se transformando em um viveiro, com plantas novas chegando a cada dia para preencher todos os nichos e paredes vazios.

Eu o ignoro enquanto tomo um gole da minha bebida.

— Como está o progresso na sua parte do testamento do vovô?

Ele encolhe os ombros.

— Pra que a pressa? Você não vai se tornar CEO amanhã.
— Não, mas, se tudo der certo, vai ser antes do fim do ano.

Suas sobrancelhas se erguem.

— A Iris sabe desse seu cronograma acelerado?
— Ela sabia do acordo quando assinou o contrato.

Suas sobrancelhas se erguem.

— Não quer dizer que ela esteja pronta para ter um filho agora.
— Que bom que ela tem mais nove meses para se acostumar com a ideia, então.

Um barulho se prende no fundo da garganta dele.

— E a gente aqui pensando que se casar com ela humanizaria você um pouco.
— Por que vocês pensariam isso?
— Porque você a respeita.
— Eu respeito. — A capacidade dela de trabalhar ao meu lado como um recurso em vez de um obstáculo já a coloca passos largos à frente de qualquer outra pessoa. Ela é proativa e disposta a fazer de tudo para garantir que eu seja bem-sucedido, mesmo que isso signifique se casar comigo e ter um filho meu. Não daria para pagar por esse tipo de lealdade. Eu tentei, mas, depois de afugentar diversas noivas, sei bem o quanto preciso de Iris. Se ela acha que vamos nos tornar melhores amigos por causa disso, então que seja.
— E nós sabemos que você sente atração por ela.

Isso é novo.

— Quem é esse *nós* de quem você está falando?
— Rowan e eu.
— Vocês não têm nada melhor para fazer do que fofocar sobre mim pelas costas? Por exemplo, ah, sei lá, encontrar a Alana e fazer seja lá o que o vovô pediu para você fazer? — Cal não pode evitar sua ex-namorada para sempre, ainda mais porque vovô colocou um limite de tempo em sua cláusula de herança. Ele precisa entrar em contato com ela até o fim do ano se planeja obter sua parte das ações da empresa. Depois de todos os sermões que me deu sobre minha parte, o mínimo que posso fazer é lembrá-lo de sua própria falta de iniciativa.

O maxilar dele se cerra.

— Você não vai conseguir.

— O quê?

— Tentar me tirar do sério porque está na defensiva em relação à Iris.

— Por que eu sentiria a necessidade de ficar na defensiva?

— Me diga você, já que foi você quem disse que não se importava com quem se casaria, desde que fosse uma pessoa… como você definiu? — Ele inclina o queixo. — Ah, sim. "Prática, fértil e com um rosto considerado proporcional o bastante para ser julgada atraente."

Meus dedos se tensionam no copo.

— Eu sei o que disse.

— Não soa mais tão bem, né?

Meu maxilar se tensiona.

— De que adianta trazer isso tudo à tona?

— Estou mencionando como um alerta.

Não falo, decidindo em vez disso tomar um longo gole da minha bebida.

— Você pode ser meu irmão, mas a Iris é minha melhor amiga. E, embora eu queira que você tenha sucesso e se torne CEO, não vou permitir que a destrua em sua busca por aquilo que acha que pode te fazer feliz.

Lanço um olhar entediado para ele.

— Se a Iris estiver preocupada, ela pode falar diretamente comigo. Não precisa mandar o cão de guarda atrás de mim.

— Ela não está preocupada, mas eu estou.

— Se isso está incluído na amizade, dá para entender por que estou melhor sem.

Seus lábios se apertam em uma linha fina.

— Não a magoe.

Um riso baixo escapa de mim.

— Essa deve ser a menor das suas preocupações.

— É claro que eu me preocupo. Você é um insensível sem coração que não sabe nada sobre cuidar de alguém.

— Ajudei a criar vocês e até que vocês se saíram bem.

Seu maxilar se cerra.

— Nós somos sangue do seu sangue. Você é obrigado a gostar de nós, quer queira quer não.

— Sangue não significa porra nenhuma pra mim. Você mais do que ninguém deveria saber disso.

Cuidar dos meus irmãos não teve nada a ver com nosso DNA em comum. Prometi à minha mãe antes de ela morrer que ficaria com eles e cumpri minha parte desse acordo, independentemente das consequências pessoais.

Ele desvia os olhos com um suspiro.

— Só cuide dela.

Meu coração bate mais forte contra o peito enquanto reavalio essa conversa inteira. Um calafrio desce pela minha espinha.

— Você está apaixonado por ela? — A pergunta sai mais agitada do que eu gostaria.

Os olhos dele se iluminam enquanto ele ri.

— Não.

— Por algum motivo, estou achando difícil acreditar nisso. — Pela maneira como ele fala dela, seria idiotice minha pensar que o relacionamento entre eles é unicamente platônico.

— Nós nos beijamos uma vez.

O sangue corre para meus ouvidos, e consigo sentir as pontas ficando vermelhas.

— Vocês o quê? — A letalidade em minha voz faz os olhos de Cal se voltarem para os meus.

— Foi um erro.

— É bom mesmo que tenha sido. — O copo de vidro sob minha mão treme de tão forte que aperto o cilindro.

Seus lábios se curvam nos cantos.

— Eu sabia que você estava com ciúme.

— Como se eu pudesse ter ciúme de alguém como você.

Ele dá uma piscadinha.

— A cara que você está de quem quer me matar diz outra coisa.

— Tortura é meu método preferido de vingança, só para você ficar sabendo.

Ele abre um grande sorriso.

— Se faz você se sentir melhor, o beijo foi terrível.

Como é que essa merda me faria me sentir melhor? Não consigo tirar a imagem dos dois se beijando de dentro do meu maldito cérebro, por mais que tente apagar da cabeça os últimos cinco minutos dessa conversa.

Por que é que isso incomoda você?

Porque ela me falou que eles eram apenas amigos.

Certo. Continue dizendo isso a si mesmo.

— Você está realmente me convencendo da ideia de me casar com ela — respondo com a voz seca, apesar da raiva que arde dentro de mim.

Seu peito treme com uma gargalhada silenciosa.

— Não tinha nada a ver com ela. Eu estava bêbado e ela estava solitária. O resultado foi constrangedor, para dizer o mínimo.

— Ela estava solitária?

— É claro que ela é solitária. Ela ser minha amiga deveria ter sido a primeira dica.

— Não sabia que ela se sentia assim.

— Por quê? Você acha que ela vai falar com você sobre isso? Ao contrário do restante da população humana, você *gosta* de ficar sozinho.

Mordo a língua para não falar demais. Me acostumar a uma coisa não quer dizer que eu *goste* dela. Só aprendi a preferir isso à alternativa, que inclui deixar as pessoas se aproximarem demais. Qual é a utilidade se elas sempre vão embora de um jeito ou de outro?

Tomo um gole da bebida para tirar da boca o gosto amargo da fraqueza.

— Se você a beijar de novo, vou ter o maior prazer em arrancar a língua da sua garganta.

Ele ergue as mãos.

— O único motivo de eu ter contado sobre o nosso beijo é você parar de pensar que eu quero dar em cima dela. Não tenho interesse nela nesse sentido. *Confie em mim.*

— Porque o beijo foi terrível — repito, com a voz desprovida de emoção.

— Porque não era pra ser.

Com certeza não. Casamento falso ou não, Iris está destinada a ficar com um homem e um homem apenas.

Eu.

CAPÍTULO OITO
Iris

— Ah, puta que pariu. Não acredito que acordei cedo para essa merda!

Eu me sento na cama com tudo. Meu cérebro desorientado leva alguns segundos para entender que estou dormindo na casa de Declan.

Minha casa.

Passo a mão nos lençóis amarrotados, tentando alisar as evidências de que fiquei virando de um lado para o outro a noite toda. Dormir em um lugar novo é sempre estranho, mas dormir na mesma casa que o chefe? Ainda não processei direito essa ideia. Talvez porque ainda esteja tentando lidar com o fato de que minha vida toda está sendo virada de cabeça para baixo.

— Mais um atraso por conta da chuva?! Desde quando comissários têm medo de uma chuvinha de verão? — A voz retumbante de Declan me faz pular para fora da cama.

Olho a hora no celular e resmungo.

— Seis horas? — Deveria ser um crime grave acordar qualquer pessoa tão cedo no seu dia de folga.

Declan é cheio de regras, então talvez seja hora de impor algumas regras minhas, a começar por um horário de silêncio das onze às sete. Não demoro para tirar a touca, ajeitar o cabelo e trocar o short do pijama por uma legging antes de sair às pressas pela porta.

A casa de Declan é um labirinto de corredores compridos e quartos vazios sem propósito. O único motivo pelo qual consigo encontrá-lo rapidamente é porque sigo o som de sua voz até uma sala de entretenimento masculina.

Uma televisão imensa ocupa a maior parte de uma parede, instalada para oferecer a visão perfeita de um sofá baixo em que quero mergulhar. Declan caminha pelo espaço entre a TV, que passa algum tipo de evento esportivo, e uma mesa de centro coberta de comida.

— Isso é uma *mimosa*? — Não tenho como controlar o horror na voz.

Tudo que consigo fazer é ficar boquiaberta. Não consigo encontrar palavras para descrever a cena na minha frente além de *surreal*. Mimosas.

Donuts. Um charuto apagado perto de uma taça de champanhe pela metade.

O que é que está acontecendo?

Declan para de andar, e seus olhos se voltam para os meus. Mordo a língua para confirmar que não estou sonhando. A dor é instantânea, tornando esse momento incrivelmente real.

Quem quer que seja, esse homem deve ser fruto da minha imaginação. Não há outra explicação para o boné virado para trás, a calça esportiva e a camiseta polvilhada de açúcar de confeiteiro.

Nunca vi Declan usando nada além de um terno. *Nunca.* Quer tenhamos um voo de vinte horas ou trabalhemos até tarde no escritório, ele nunca seria pego em algo que não seja Tom Ford. Fico tentada a cobrir os olhos porque o homem está praticamente nu com a quantidade de antebraço que está exibindo.

— O que você está vestindo? — Seu olhar se endurece quando seus olhos passam pelo meu corpo, me fazendo me sentir indecente de suéter e legging.

Eu? Mas e *ele*?

— Olha quem fala. Os donuts deviam estar na sua boca, não na camiseta.

O canto de seus lábios se ergue enquanto ele limpa os farelos do peito. Não consigo não me concentrar na maneira como os contornos de seus músculos se mexem com o movimento. Seus braços se flexionam, atraindo minha atenção para as veias que cobrem os antebraços...

Chega! O que deu em você?

— Esqueceu uma parte. — Aponto para minha boca, mostrando onde ainda tem um pouco de açúcar.

Bom trabalho. Use sua vergonha para alimentar a dele.

Se bem que Declan não se deixa perturbar. Ele meramente caminha até mim, deixando apenas alguns centímetros entre nossos rostos.

— Seja uma boa noiva e me ajude.

Meus lábios se apertam. Eu poderia sair andando e falar para ele ir procurar um espelho, mas isso mostraria que fico perturbada por sua presença.

O que deixaria tudo estranho.

Como se já não fosse.

Ergo a mão para o rosto dele e uso o polegar para limpar o canto da sua boca. Os olhos dele acompanham todos os meus movimentos. Três segundos parecem três minutos pela maneira como ele me encara. Apesar de meus esforços para evitar seus lábios, meu polegar roça no seu lábio inferior carnudo. Ele inspira fundo e nossos olhares se encontram.

Os olhos dele se estreitam.

Ele está irritado.

Então não deveria ter pedido sua ajuda!

Ele provavelmente não achou que você o apalparia.

Apalpá-lo?

Ah. Paro de apertar o braço de Declan como se ele tivesse me queimado.

Você precisou usá-lo para se equilibrar enquanto ficava na ponta dos pés. Só isso.

— Prontinho! — Minha voz sai como um rangido.

Qualquer que fosse a expressão que Declan tinha um momento antes desaparece, substituída por seus lábios pressionados e seu olhar vazio.

Eu me distraio limpando a bagunça na mesa de centro.

— Por que você acordaria de livre e espontânea vontade tão cedo em um fim de semana?

— É domingo.

— Não estou nem aí se você é Jesus em pessoa, ninguém deveria estar gritando às seis da manhã.

Alguma coisa na tela da TV chama sua atenção. Ele faz um barulho indignado enquanto ergue as mãos no ar.

— Vai se foder, Cruz. Ninguém liga para a sua merda de posição inicial.

Não consigo conciliar essa versão de Declan com sua versão habitual fria e retraída.

— Não estou reconhecendo você neste momento.

— Não sei se isso é uma coisa boa ou ruim.

Dou risada.

— É uma coisa estranha.

Há uma pequena rachadura na fachada fria de Declan quando ele abre um sorriso minúsculo. Quando pisco, seu sorriso se fechou.

É como se vestir roupas normais e comer porcaria o lembrasse de que existe um ser humano de verdade dentro dele que precisa ser botado para fora de tempos em tempos.

— O que você está assistindo? — Eu me sento no sofá e pego um donut.

— Fórmula 1.

— Eles não têm uma corrida em Indiana ou coisa assim?

Seu suspiro pesado de decepção pode ser ouvido a um quilômetro de distância.

— Você tinha razão. Esse casamento nunca vai dar certo.

— Cala a boca.

— Mimosa? — ele oferece.

Pisco devagar mais uma vez antes de fazer que sim com a cabeça.

— Quem poderia imaginar que um esnobe que só bebe uísque como você gosta de um drinque tão afrescalhado?

— Minha mãe gostava de beber em dias de corrida. — Ele diz isso de um jeito tão casual, como se não tivesse acabado de falar da mãe pela primeira vez na vida.

Ele toma mimosas porque o fazem se lembrar da mãe. Em todos os anos desde que conheço Declan, ele nunca falou de livre e espontânea vontade sobre a mãe. O fato de tê-la perdido tão jovem é devastador. Não consigo imaginar não ter uma mãe por perto, me repreendendo ou fazendo piadas comigo sobre a vida. Meus olhos me entregam, e eu pisco repetidas vezes até as lágrimas desaparecerem.

Engulo em seco o nó na garganta.

— Ela foi o motivo de você se interessar por corridas?

— Não. Meu avô é, quer dizer, foi o culpado por isso. — Seus olhos se afastam de mim e voltam à TV.

— Me deixe adivinhar: ele convenceu sua mãe com os drinques.

— Bem-vindo ao lado sombrio... temos bebida. — Ele me passa uma taça cheia.

Meu peito treme de tanto rir.

— Então o que exatamente está acontecendo que deixa você gritando com a TV como uma criancinha?

— Imagino que você nunca tenha visto uma corrida.

— Não, mas aquele cara me faz querer ver. — Quem quer que esteja sendo entrevistado chama minha atenção. Algo sobre seus olhos castanhos e seu uniforme de corrida vermelho me deixa *definitivamente* interessada em aprender tudo sobre Fórmula 1.

— Ele é casado.

— Você acha que ele pode estar interessado em poligamia? Sempre fui boa em dividir.

— Vou pegar isso de volta. — Declan tenta tirar a mimosa da minha mão, mas eu a seguro com força junto ao peito.

— Não!

— Pare de babar por causa do Alatorre. Isso é repugnante.

— Uhum. — Pego meu celular e pesquiso *Alatorre Fórmula 1*. Os resultados são promissores.

Muito promissores.

— Você está pesquisando o nome dele no Google, não está?

Não preciso erguer os olhos para saber que Declan está sorrindo. Tenho certeza de que, se eu o pegar no flagra, seu sorriso vai desaparecer antes que eu tenha a chance de comentar.

Os perfis das redes sociais de Santiago Alatorre são tão interessantes quanto sua pesquisa no Google.

— Quer saber? Acho que de repente fiquei interessada em aprender tudo sobre Fórmula 1.

Declan revira os olhos da maneira menos Declan possível.

— É claro que ficou.

* * *

Não entendi absolutamente nada da corrida exceto pela onda de adrenalina que me atinge quando Santiago Alatorre atravessa a linha de chegada em primeiro lugar, para grande decepção de Declan.

— Você só está bravo porque o meu carinha ganhou.

— O *seu carinha* sempre ganha. É chato pra cacete vê-lo ser tão perfeito o tempo todo.

— Ah. Mais sorte da próxima vez. Quem sabe o seu carinha ganhe na próxima, se conseguir não sair da pista na primeira volta. — Dou um tapinha na mão dele com uma solidariedade irônica.

— Tomara, pelo menos pra tirar esse sorrisinho bobo do seu rosto toda vez que mencionam o nome do Santi.

— Eita, Declan Kane. Você está com ciúme do meu pequeno crush?

— *Pequeno?* Você passou duas horas babando na minha almofada enquanto stalkeava as redes sociais dele.

Solto a tal almofada e a avalio em busca de alguma evidência.
— Mentira.
— Você é repugnante.
Sorrio.
— Mesmo horário na semana que vem?
— Não.
Meu sorriso se fecha.
— Ah. — *Que belo jeito de entrar nos planos dele.*
Eu só pensei que...
O quê? Que ele poderia estar interessado em fazer alguma coisa a dois no único dia de folga dele?
Talvez...
Iris, sua bobinha. Não é assim que esse relacionamento vai funcionar.
Ele limpa a garganta.
— Não tem corrida na semana que vem, mas, como você não é a pior companhia do mundo, pode me acompanhar para ver a da outra semana.
Meu peito se acende com uma faísca de alguma coisa que deveria me alertar para não passar mais tempo com Declan. Eu deveria tomar isso como um sinal para manter minha vida pessoal e a profissional separadas, mas não tomo.
Faço que sim com a cabeça e confirmo nossa nova tradição.

* * *

— Estou decepcionado com você. — Cal se senta no sofá da sala.
— O que eu fiz agora? — Ergo os olhos para ele de onde estou sentada perto da mesa de centro. Depois que Declan liberou o espaço de seus lanchinhos proibidos, decidi ficar à vontade e começar a trabalhar. Entre planejar um casamento e fazer horas extras, não consigo encontrar horas suficientes no dia para deixar tudo pronto.
Pelo menos não com nosso casamento chegando no sábado.
Cal observa a pilha de papéis espalhados sobre a mesa antes de fazer uma careta.
— Então é isso? Voltamos à mesma posição em que estávamos antes de você se candidatar para a transferência?

Meu coração para no peito enquanto saio correndo da área do tapete para avaliar o perímetro. Os corredores estão vazios, e não escuto Declan se movendo no andar de cima, então ele não deve conseguir ouvir.

Depois de nossa sessão matinal de amizade, a última coisa que quero que ele saiba é do meu segredinho.

Aquele que arquivei na gaveta de *não vai rolar* do meu cérebro.

— Ele saiu.

— Saiu de casa? — Eu afundo no sofá à frente dele.

— Ele estava saindo pela porta quando cheguei.

— Ah. — Não sei por que a ideia de Declan sair sem me avisar deixa meu peito todo tenso e desconfortável. Não que eu achasse que ele dividiria tudo comigo, mas um aviso de "vou sair" por cortesia seria gentil. Ainda mais porque, na minha opinião, tivemos um momento divertido de manhã.

— Imagino que, com base no estado deste lugar, você não vá se demitir, vai?

— Não.

— Por que não?

— Porque eu não passei.

Ele abana a cabeça.

— Não quer dizer que você não possa tentar de novo em algum outro lugar. Qualquer lugar na verdade, desde que valorizem você.

— O Declan me valoriza.

— Desde que você faça tudo o que ele quer.

Meus olhos se estreitam.

— Não é verdade e você sabe disso. — Não faço *tudo* o que ele quer. Ele pode ser o chefe, mas não tenho dificuldade para enfrentá-lo e apresentar minhas ideias. Gosto de pensar que isso é parte do motivo para eu ter durado mais do que meus antecessores.

— O que ele valoriza tem a ver com as contingências, como tudo mais sobre ele.

— O que você quer que eu faça? Nós vamos nos casar.

Nossos olhares se voltam para meu anel de noivado.

— Você pode contar para ele sobre as suas ideias.

Minha cabeça desce contra o sofá enquanto rio alto.

Cal franze a testa.

— Que foi?

— Existe um motivo para eu não ter contado para ele sobre o meu pedido de transferência.

— Eu sei. Mas as coisas vão ser diferentes agora. Tenho certeza.

— Porque eu vou me casar com ele.

Ele faz que sim, o que me faz rir ainda mais.

Ele me lança um olhar sério.

— Você tem uma coisa que Rowan não tem.

— Se você disser vagina, vou fazer você se arrepender de não ter uma.

Ele se crispa.

— Jesus. Eu ia dizer um contrato de casamento.

Rio.

— Como se isso significasse alguma coisa.

— Talvez ainda não, mas dê tempo ao tempo. Se tem alguém por quem o Declan tem um fraco, é você.

— Você considera isso ter um fraco? — Aponto a mão para a mesa toda coberta de papéis.

— Você pode se demitir. Levar suas ideias e começar em um lugar novo.

— Não posso deixá-lo agora. Nossa relação complica as coisas.

Cal balança a cabeça.

— Não, não complica. Na verdade, pelo contrário, faz ainda mais sentido que você saia. É um conflito de interesses trabalhar para o marido.

Suspiro.

— Ele precisa de mim.

— Ele não precisa de ninguém. Ele deixa isso bem claro toda vez que alguém diz que ele precisa. — Cal fala em um tom um pouco mais agitado do que aquele com que estou acostumada.

— Ele não sabe nem fazer uma impressora funcionar sozinho.

— Ele não *quer* saber.

— Por quê?

— Que outra utilidade você teria? — Ele sorri.

Pego uma almofada e a jogo na cara idiota de Cal.

— Fique você sabendo que acabei de pegar um erro no relatório trimestral do Declan. — Aponto para uma palavra com um erro ortográfico.

— Crianças com dislexia do mundo todo estão comemorando sua história de sucesso.

Mostro o dedo para ele com um sorriso.

— Não sei por que admiti a verdade para você.

— Porque você precisava de um ombro para chorar depois que o Declan quase acabou com você depois de um erro de digitação imperdoável.

Minhas mãos cobrindo o rosto abafam meu gemido.

— Você prometeu que nunca mais traria isso à tona. — Era meu primeiro mês como assistente de Declan e ele quase me demitiu por um erro. Eu poderia ter confessado a verdade para ele, mas admitir minha fraqueza parecia uma traição a mim mesma. Como se eu não pudesse dar conta do ambiente de trabalho intenso por causa de uma dificuldade de aprendizagem que passei a vida toda enfrentando. Então, em vez de pedir adaptações a Declan, eu me esforço mais para atingir seus padrões.

Por exemplo, revisando relatórios em um domingo.

Por que tentar o equilíbrio entre trabalho e vida quando posso transformar toda a minha vida em trabalho?

— Você chegou longe desde então. Declan até respeita você o bastante para deixar que você lidere algumas das apresentações dele. — As palavras sinceras de Cal aquecem meu coração. — Mas isso não significa que você deva desistir do seu sonho porque acha o do meu irmão mais importante.

Meu sorriso vacila.

— Agora não é o momento certo.

— Nunca há um momento certo para fazer uma escolha difícil.

— Quanta maconha você fumou hoje?

— Não o suficiente para ser a voz da razão nesta conversa.

Olho feio para ele.

— Não vou largar agora, então desencana.

— Não vai largar o quê? — A voz de Declan intervém.

Meu pulso acelera com seu tom baixo e autoritário. Preciso de toda a minha força para voltar os olhos na direção de Declan.

— Sim, Iris, de onde exatamente você está pensando em sair? — Cal ergue uma sobrancelha, sem se dar ao trabalho de esconder sua expressão presunçosa. — Bom ver você de volta tão cedo, irmão. Esqueceu alguma coisa?

Declan não responde, mas os dois trocam um olhar antes de os olhos de meu noivo encontrarem os meus.

— Hmm… sabe… — Olho ao redor da sala, tentando ter uma ideia. Um comercial mudo de um abrigo animal passa na tela.

— Ela não quer te contar a verdade… — Cal começa.

Eu me levanto de um salto e entro na frente dele.

— Não vou largar mão até adotarmos um cachorro.

Ai, Deus. Você acabou de falar isso mesmo? Você nunca nem considerou ter um cachorro em toda a sua vida!

A cara que Declan faz me diz que eu falei isso mesmo.

— Um cachorro — ele repete.

— Ah, sim. A Iris *ama* cachorros — Cal fala, sem conseguir esconder o sorriso em sua voz.

Se olhares pudessem matar, Cal estaria engasgando com a própria língua agora.

— Minha mãe nunca me deixou ter um animal de estimação, então agora pode ser a chance perfeita para eu ter um. — Na verdade, ter um cachorro poderia não ser a pior coisa do mundo. Poderia me fazer companhia nessa grande casa vazia.

— Você quer um cachorro — Declan afirma, com uma expressão estranha no rosto.

Tenho uma ideia de como sair dessa confusão.

— Sim. Um cachorro grande e peludo que me siga por todo lado.

— Não.

Seja convincente. Não o deixe desconfiado concordando fácil demais.

— Mas eu vou fazer tudo sozinha. Eu sei que treinar um cachorro para ficar trancado pode ser irritante, mas duvido que você escute os uivos dele de tanto que ronca.

— Não tem a mínima chance de eu deixar isso acontecer.

— Mas pense em toda a serotonina que nós vamos aumentar se tivermos um.

— Minha decisão é definitiva. — Ele dá meia-volta e sai da sala.

— *Minha decisão é definitiva.* Que babaca pretensioso. — Cal revira os olhos.

Eu afundo no sofá, aliviada.

— Seu filho da mãe. Por que foi fazer aquilo?

— Você poderia ter contado a verdade para ele.

— *Jamais*.

— Então não fique brava quando voltar para casa um dia e encontrar um cachorrinho fofo precisando de um lar amoroso.

Dou um empurrão no ombro dele.

— Não se atreva! Ele me mataria se você fizesse isso.

— Você precisa admitir que seria um pouco engraçado se você adotasse um cachorro se odeia esse bicho.

— Não odeio cachorros! Que tipo de monstro você pensa que eu sou?

— O tipo que gosta de trabalhar para o meu irmão.

CAPÍTULO NOVE
Iris

— Tem certeza disso? — Espio por sobre o ombro de Declan, que segura o gargalo da garrafa de vinho com o punho firme.

— Minha resposta não mudou desde que você me perguntou há três minutos. — Ele ergue os olhos estreitos para o prédio da minha família.

Nunca tive vergonha do bairro em que cresci. Podia ser muito diferente do estilo de vida luxuoso de meu pai, mas eu tinha a sorte de dormir sabendo que minha mãe e eu estávamos seguras e felizes sem ele. Crescer com o salário de uma professora de artes em Chicago me ensinou a ser grata pelo que tenho porque há muitas crianças que sofrem mais.

— Bom, é melhor acabarmos logo com isso. — Guio Declan pelas luzes tremulantes do hall de entrada em direção à escada.

— Não tem elevador?

— Só se você quiser que o corpo de bombeiros resgate você.

Em comparação com minha respiração ofegante, ele não parece nem um pouco cansado depois de três lances de escada.

— Lugar encantador. — Ele observa o papel de parede descascado e o carpete manchado com um olhar crítico.

— Não julgue até ver o lado de dentro.

— Mal me aguento de ansiedade — ele responde, com a voz monótona.

— Babaca. — Não sei por que sua opinião me incomoda tanto. Não que ele vá medir as palavras, mas será que custava ser gentil de vez em quando?

Provavelmente. Ele mal aguentou cinco minutos antes de afugentar a pobre Bethany.

Pego a aldrava e bato na porta com um pouco mais de força que o normal. Ficamos lado a lado, dois corpos rígidos desacostumados à proximidade um do outro. Passo as mãos úmidas nas laterais do vestido. Meu nervosismo parece deslocado comparado à indiferença fria de Declan.

Vovó abre a porta. Ela observa Declan dos pés à cabeça antes de voltar o olhar para mim.

— Agora entendo por que você vive disposta a trabalhar de fim de semana e feriado para esse homem. Se o meu chefe fosse tão bonito quanto ele, eu nunca teria me demitido.

Quero encontrar o buraco mais próximo para me enfiar. O olhar normalmente vazio de Declan desaparece, substituído por um brilho tão raro que pisco para confirmar se não estou vendo coisas.

Ele está achando... graça?

Só porque ele se alimenta da vergonha das pessoas.

— Sou Declan. É um prazer te conhecer. — Ele estende a mão.

— Um prazer conhecer você também. — Vovó se dirige à garrafa cara de vinho. Declan a estende para ela, que desaparece na cozinha.

Desvio os olhos. Meu peito treme enquanto seguro uma gargalhada.

— Entendi de quem você herdou sua personalidade radiante. — O calor do corpo de Declan se pressiona em mim quando ele coloca o braço ao redor da minha cintura. Todo humor que senti sobre nossa situação logo se evapora, substituído pela batida irregular do meu coração.

Acho que vamos fingir mais do que nunca hoje.

Entramos juntos no apartamento. A mão dele vai do meu quadril à minha lombar. O jeito como meu corpo arde pelo seu toque faz o gesto parecer inapropriado. Em nenhum momento ao longo dos anos Declan fez menção de tocar em mim. Na verdade, é quase como se ele evitasse todas as situações possíveis que nos levassem a ficar próximos o suficiente para ter contato de pele com pele. Talvez seja por isso que me sinto surpreendida pelo simples toque de sua mão.

... ou talvez eu esteja sofrendo pelos efeitos colaterais da seca mais longa da história de Chicago. Só o tempo vai dizer.

Minha mãe coloca a cabeça para fora da cozinha.

— Vou sair daqui a alguns minutos! Fique à vontade, Declan. — A comida da minha mãe deixa o apartamento com um cheiro divino.

Declan olha ao redor pelo meu apartamento de infância como analisaria uma exposição de museu. Tenho certeza de que ele está se coçando para encontrar a saída mais próxima. Comparada à sua casa, a nossa é uma explosão de cores, tecidos e fotografias.

— Foi aqui que você foi criada? — Ele para diante de cada desenho emoldurado que fiz para minha mãe quando era criança.

— Passei a maior parte da vida aqui.

Ele parece um tanto horrorizado por esse fato enquanto passa os olhos por uma mancha de umidade.

Eu digo:

— Mas o carpete estava em melhores condições naquela época.

— Assim espero.

Ele pega um porta-retrato com uma foto de minha mãe, minha avó e eu na minha formatura do ensino médio. Lágrimas escorrem pelo rosto de minha mãe apesar de seu sorriso largo. Não tínhamos certeza se um dia eu subiria naquele palco, mas superei os desafios e perseverei. Levou apenas um ano repetido e centenas de sessões de reforço para chegar lá.

Ele observa a foto de um jeito que me faz sentir como algum tipo de experimento científico. Minha pele coça de ansiedade enquanto espero que ele diga alguma coisa. Qualquer coisa bastaria em comparação com seu silêncio.

— Imagino que vocês três sejam próximas.

— Depende do dia e de a vovó ter tomado os remédios dela de manhã.

— Eu ouvi isso! — vovó grita em resposta.

Os olhos de Declan parecem mais calorosos que o normal.

— Consigo imaginar que crescer em uma casa assim tenha suas... *vantagens*.

A maneira como ele diz isso com o nariz franzido me faz rir.

— Nunca pensei que veria o dia em que a minha filha iria se apaixonar. — Minha mãe interrompe nossa conversa.

Declan solta um barulho que pode ser classificado como uma risada.

Olho feio para minha mãe.

— Você adora me fazer passar vergonha, né?

— Você acha isso vergonhoso? Ainda nem perguntei se o Declan quer ver o seu álbum de bebê.

— Você não ousaria.

Minha mãe apenas ri. Ela seca as palmas no avental antes de estender a mão para Declan.

— É um prazer conhecê-lo, Declan. Ouvi muitas coisas boas sobre você.

Aponto para minha mãe.

— Não minta. Isso faz coisas medonhas com o ego dele.

O olhar de Declan alterna entre mim e minha mãe antes de pegar a mão dela. Ele dá um aperto firme.

— O prazer é todo meu.

É como se os resmungos dele no carro a caminho daqui nunca tivessem acontecido. *Babaca*.

— Por favor, sentem-se. Querem beber alguma coisa?

Nós dois nos sentamos no sofá retrô da minha mãe. A estampa floral é muito fora de moda e o completo oposto da casa elegante de Declan, mas me lembra de noites de filme às sextas-feiras e de vovó dormindo enquanto assistia a seus dramas coreanos.

— Água seria ótimo.

Minha mãe parece envergonhada.

— Claro! Vou pegar um copo para você. Peço desculpas pela falta de educação da minha mãe. Ela não é muito de sair de casa.

— Só porque você escondeu minha carteira de motorista — vovó responde da cozinha.

— Não ligue para elas. Elas devem estar sofrendo por um vazamento de monóxido de carbono ou coisa assim. Não são assim normalmente.

Vovó põe a cabeça para fora da cozinha.

— Por que mentir para ele? Nós somos *sempre* assim.

Dou um tapinha tranquilizador na coxa de Declan.

— Bem-vindo à família.

Tiro a mão, mas Declan estende o braço e a aperta. O calor da palma de sua mão faz a minha *arder*.

Minha mãe balança um dedo para ele.

— Ainda não. Ele precisa passar no teste Landry antes de ser oficialmente aceito.

Declan ergue a sobrancelha.

— Espero que você goste de comida apimentada. — Minha avó aparece, tomando um gole de seu vinho.

Nós três gargalhamos da expressão confusa de Declan.

Talvez a noite não seja tão ruim, afinal.

* * *

— Você está bem? — Encho o copo d'água de Declan pela terceira vez em vinte minutos. Uma camada úmida de suor cobre sua testa, e seu cabelo normalmente penteado para trás está arrepiado em tudo quanto é direção. Ele até tirou o paletó.

Esse homem *nunca* tira o paletó, que dirá arregaçar as mangas. Eu me esforço ao máximo para manter os olhos focados em tudo acima de seu pescoço, mas a quantidade de pornografia de veias acontecendo deixa meus olhos cravados em seu antebraço como um sinalizador.

Deveria ser ilegal esconder braços como aqueles embaixo de ternos. Nossa, deveria ser ilegal ter braços como aqueles. Eles causam distrações para o público em geral.

O risco do garfo de Declan em seu prato preenche o silêncio. Ele encara o pedaço de frango apimentado como se desejasse poder voltar no tempo e torcer o pescoço do animal com as próprias mãos.

— Então, Declan, quando você se deu conta de que estava apaixonado pela minha filha?

Declan solta a faca, que cai com estardalhaço no chão.

— Ah. Você o está deixando nervoso. — Vovó toma um gole de seu vinho para esconder o sorriso.

Essas duas e suas técnicas de interrogatório. Tenho sorte que Declan entende as pessoas de um ponto de vista científico, porque nunca suportei as inquisições de minha família enquanto crescia.

— Acho que parte de mim sempre soube que ela era a pessoa certa. Só levou um tempo para o resto do meu cérebro entender. — Seus olhos não encontram os meus.

Mordo a língua para não rir. Eu admiro o jeito como ele mente para conseguir qualquer coisa. Embora saia um pouco dissonante, parece funcionar. O corpo todo de minha mãe derrete diante de sua afirmação.

— Por que você se conteve por tanto tempo? — minha avó pergunta, sem parecer tão encantada quanto minha mãe.

— Não era o momento certo.

Evasivo como sempre. Isso vai ajudá-lo a manter sua rede de mentiras. Minha mãe sorri.

— Bom, estou surpresa que ela tenha dado uma chance para você. Eu vivia tentando fazer ela conhecer um dos professores da minha escola, mas ela sempre recusava...

— Porque eu não estava interessada, óbvio. — Aponto a cabeça na direção de Declan.

Ele mal olha para mim. Vamos precisar praticar mais essas interações depois, porque sua atuação poderia ser melhor.

— Iris deixa um rastro de corações partidos aonde quer que vá. — Vovó ergue a taça na minha direção como se eu tivesse conquistado alguma medalha.

— Não é verdade. — Ranjo os dentes.

Minha avó saboreia meu constrangimento.

— Sabia que o último namorado dela a pediu em casamento e ela o rejeitou?

— Vovó!

— O quê? Só acho interessante que você finalmente esteja disposta a se casar. Você não tinha jurado nunca mais se envolver com homem nenhum?

— Seu ex pediu você em casamento? — O olhar de Declan é mais leve que o comum.

Nunca admiti para ele por que terminei com meu ex um ano atrás. Declan deve ter pensado que nos separamos de maneira amigável, mas a verdade é que Richard me pediu em casamento.

Eu recusei.

Ele *chorou*.

Pensei que estivéssemos na mesma página em relação a tudo. Foi culpa minha não notar os sinais logo. A chave da casa dele. Uma escova de dente reserva que deixou no meu apartamento. A maneira como parecia entusiasmado demais ao me oferecer metade de sua cômoda *e* de seu closet – um espaço valioso em Chicago.

Depois que o magoei, parei de conhecer pessoas. Não era justo levar os homens a acreditar que eu estava pronta para me comprometer.

Mas você vai se casar com seu chefe, a vozinha em minha cabeça sussurra.

É diferente. Não existem noções preconcebidas nem expectativas. Estou fazendo isso só para ajudar Declan a atingir sua meta, e, quando ele conseguir, posso passar para a minha.

É o que você diz há anos.

— O coitado reservou um restaurante caro e tudo para a ocasião — minha mãe acrescenta.

— Anel na taça de champanhe? — Declan pergunta.

Minha mãe faz que sim.

— Ah, sim. A Iris quase engasgou com ele.

Lanço um olhar fulminante para ela.

— Pétalas de rosa na mesa?

— Sim! — vovó grita. — Vermelhas. As *favoritas* dela.

Eu *odeio* flores cortadas porque as acho um desperdício de uma planta saudável.

— Parece tudo que você ama. — O olhar de Declan encontra o meu. *Que babaca.* — Não sei o que deu errado. — Seus olhos se voltam para minha mãe e minha avó.

Detesto o fato de ele saber tudo que eu odeio.

— Acho que não foi bom o suficiente porque a Iris o rejeitou na cara dura — vovó responde.

— Que pena. — O tom seco de Declan diz tudo que suas palavras não conseguem dizer.

Ele está desfrutando de cada segundo disso.

Não era para o jantar ser assim. Era para minha família deixar Declan desconfortável, não *eu*.

— Pena mesmo. — Minha avó ergue a taça na direção de Declan. — Imagine se ela tivesse dito sim.

— Com esse tipo de pedido genérico, é um choque que ela não tenha dito. — Ele toma um gole de água.

Ele nem se crispa quando piso no seu sapato social. Mudo de tática subindo o salto por sua panturrilha musculosa, e sou recompensada por sua inspiração súbita. Um calor sobe pela minha barriga, tornando-se flamejante quando Declan aperta minha coxa.

Pare, seu punho diz.

Só se você mudar de assunto, meu sorriso inocente responde.

Ele dá um último aperto em minha coxa antes de soltar. A memória da palma de sua mão continua pressionada em minha pele, e sou atingida por um ligeiro calafrio em sua ausência.

— Será que agora é um bom momento para contar da vez em que a Iris colocou fogo em uma igreja? — Minha mãe sorri.

— Não vejo a hora de ouvir essa história. — Declan nem tenta esconder o divertimento na voz.

Juro que, pela maneira como minha mãe e minha avó estão agindo, é como se nunca tivessem conversado com outro ser humano antes.

Suspiro. *Vai ser uma noite longa.*

* * *

— Eu aprovo. — Minha mãe tira meu casaco do closet. Felizmente ela guardou para si esse comentário até Declan pedir licença para usar o banheiro antes de sairmos.

— Acho bom, depois de todo o trauma emocional que você me fez passar.

Ela ri baixo.

— Tomara que ele possa me perdoar pelo frango. Era para ele comer só algumas garfadas, mas o homem limpou o prato. Tenho quase certeza de que usei um frasco inteiro de pimenta-de-caiena dessa vez.

— Ainda estou revoltada por ele ter batido o recorde do seu avô. Aquele homem perdeu metade das papilas gustativas depois que fiz o frango para ele.

— Você acha que ele sabia que era um teste? — pergunto.

— Agora ele sabe. — Declan vem em minha direção com o olhar sombrio. Minha mãe pressiona os lábios para esconder seu sorriso.

— Para ser justa, é *mesmo* uma tradição familiar. — Ergo as duas mãos em rendição.

— Mais alguma tradição familiar que eu deva conhecer?

— Não — nós três respondemos ao mesmo tempo.

Os olhos de Declan se estreitam.

— Estou achando difícil acreditar em vocês três.

— Pelo menos nada perigoso demais — vovó oferece.

O olhar dele faz minha avó e minha mãe terem ataques de riso.

— Vamos embora. — Ele tira meu casaco da mão da minha mãe. — Obrigado pela refeição interessante. Eu diria que foi um prazer, mas não consigo sentir metade da minha língua.

Minha avó ri enquanto minha mãe se inclina para trás sobre os calcanhares com um sorriso. Ela quase desmaia quando Declan me ajuda a vestir o casaco antes de tirar meu cabelo de debaixo da gola.

Quase caio para o lado, incrédula, quando Declan se demora fechando cada botão por mim. O cheiro de sua colônia permeia meus pulmões, gravando-se em minha memória. Uma tentação estranha de chegar mais perto e dar mais uma fungada me consome.

Ele está fazendo um trabalho tão bom em convencer todos ao nosso redor de que se importa que até eu acredito por um segundo. Ele desvia um passo, e o calor de seu corpo é substituído por uma realidade fria.

Eu *gostei* dele cuidando de mim.

Os temperos do frango devem ter destruído parte do meu lóbulo frontal, porque *é impossível que eu tenha gostado disso.*

Não é?

***

— E aí, foi tão ruim quanto você pensou que seria? — Demoro cinco minutos depois de entrarmos no carro dele para criar coragem de quebrar o silêncio.

— A comida estava horrível.

Olho pela janela para evitar mostrar meu sorriso para ele.

— *E?*

— E a companhia não foi *tão ruim assim.* Se bem que eu teria ficado bem sem ser encurralado perto do banheiro.

Mordo a bochecha.

— O que a minha avó disse para você em particular? — Ela praticamente saltou da mesa quando Declan se levantou para usar o banheiro.

— Ela me ameaçou.

— Não. — Abafo o riso com a mão.

— Com detalhes escabrosos.

— O que você respondeu?

— Qual exatamente é a resposta apropriada quando se ouve que seus intestinos dariam um belo cachecol?

— Ela anda assistindo a muitas coisas da máfia.

— Isso explica o quanto ela sabia sobre ácido sulfúrico e os diferentes modos de se desfazer de um corpo.

— Tentei alertar você sobre a minha família. Elas são um pouco...

— Superprotetoras?

— Sim — concordo. — Elas se preocupam comigo.

— Elas têm um bom motivo.

— Por quê?

— Você ficou noiva de repente de alguém que não é exatamente conhecido como o homem mais gentil de Chicago.

— Ei. Pelo menos você não é o pior.

— Tenho certeza de que isso as ajuda a dormir à noite.

A maneira autodepreciativa como ele fala de si mesmo me entristece.

— O grande Declan Kane se preocupa com o que a minha família pensa dele?

Seus olhos reviram.

— Não. Não seja ridícula.

— Talvez só um pouquinho? — Ergo dois dedos na cara dele, deixando um espacinho pequeno.

Ele dá um tapinha na minha mão.

— Parei de me importar com as opiniões dos outros sobre mim há muito tempo.

Quero perguntar por quê. Caramba, quero fazer um monte de perguntas depois desta noite, a começar sobre o motivo de ele ter parado de se importar com o que os outros pensam dele. Mas fazer perguntas pessoais faz parecer que estou dando permissão tácita para ele fazer o mesmo comigo.

Seguro a língua e fico em silêncio pelo resto da viagem. Ter curiosidade sobre Declan só complicaria as coisas, por isso é melhor manter certa distância. Morar junto é uma coisa, mas compartilhar detalhes íntimos é completamente diferente. Não que ele queira que eu o conheça em um nível pessoal. Ele deixou sua posição bem clara sobre o assunto, e eu seria idiota de achar que esse casamento é mais que uma conveniência para ele.

CAPÍTULO DEZ
Declan

Se o único motivo de o meu avô me fazer me casar era me levar à beira da loucura, ele atingiu seu objetivo. Cheguei oficialmente ao meu limite, e bastou Iris planejar um jantar de ensaio para me fazer chegar lá. Isso e ela sentada ao meu lado em um vestido branco apertado e a multidão de gente esperando dentro do melhor restaurante especializado em carnes de Chicago.

— Não é tarde demais para pedir para o Harrison retornar com o carro. — Faço um último esforço para cancelar o jantar desta noite. Se dependesse de mim, teríamos nos casado em um cartório e pulado todas essas *obrigações*.

Ela cutuca as unhas impecáveis.

— Também não estou a fim de entrar lá.

— Isso é você tentando me fazer sentir melhor? — Um esforço gentil, mas inútil.

— Dizem que a tristeza adora companhia. — Ela ri, e o som me atrai para ela como o canto de uma sereia.

Meus olhos descem à sua boca enquanto contemplo seu sorriso. O bom humor dela se desfaz com os lábios entreabertos, e eu ergo os olhos para ver o que mudou. Nossos olhos se encontram, me fazendo sentir como se tivesse sido atingido no peito por um raio. O choque deve ter aniquilado meu bom senso, porque nada mais explica eu ter estendido o braço e pegado a mão dela.

Ela inspira fundo.

— Está pronto?

Qualquer descarga de energia que eu tenha sentido com nosso contato visual se desfaz com sua confusão. Solto a mão dela, e ela entrelaça as duas no colo.

— O mais pronto que se pode estar para um evento como esse.

— Só se lembre de que, daqui a dois dias, você nunca mais vai ter que pensar em dar uma festa.

— Muita coisa pode acontecer em quarenta e oito horas.

— Está amarelando? — Seus olhos se iluminam.

— Faz mais de três dias que estou amarelo, mas vou subir ao altar nem que seja rastejando.

Ela ri de novo, e sou atingido por mais uma onda de calor que me assusta tanto que abro a porta do carro para encarar o menor dos dois males. Qualquer coisa parece melhor do que analisar a sensação estranha de atração que sinto pela mulher que não posso ter.

Futura esposa ou não, Iris é a última pessoa em quem vou dar em cima. Ela é parte do meu plano de virar CEO, e me recuso a perder minha peça mais valiosa por algo *tão* fugaz quanto uma atração. Nada bom pode vir de um lance temporário, então *é melhor eu ficar sozinho.*

* * *

Iris e eu vamos passando por uma série de conversas inúteis. Ao contrário de nossa festa de noivado, somos separados por nossas famílias. Há um motivo para eu sempre ter arrastado Iris para qualquer evento a que eu era obrigado a comparecer. Enquanto ela se dá bem respondendo às perguntas das pessoas e fingindo interesse, eu sofro. Tudo nesta noite é pura tortura. Com a quantidade infinita de conversa fiada e minha incapacidade de me embebedar em meu próprio jantar de ensaio, não tenho como sair daqui tão cedo.

Para piorar as coisas, meu pai apareceu para representar seu papel de pai amoroso. Seu sorriso falso está totalmente aberto enquanto ele manipula a multidão com o charme de um líder de seita. Chega a ser repulsivo como tanta gente come na palma da mão dele, quase salivando com a ideia de receber cinco minutos de sua atenção.

Encontro o canto mais escuro do restaurante, observando meu pai de longe. Não sei quanto tempo se passa. A sensação latejante no fundo da minha cabeça parece ter se aliviado durante esse descanso, e por isso sou grato.

Dou um passo em direção à luz antes de ser interrompido por Iris colocando a mão na minha bochecha.

— Procurei você em tudo quanto é lugar. Eu sabia que devia ter olhado nos lugares escuros e desagradáveis primeiro. — Sua mão se demora, esquentando a barba rala no meu queixo quando baixo os olhos para ela.

— E pensar que você me conhece melhor do que ninguém.

Ela ri, e o som parece apagar o último resquício de irritação desta noite.

— Como você está? — Ela tira a mão, mas eu a seguro e a aperto junto ao peito.

Uma ruga surge entre suas sobrancelhas.

— As pessoas estão olhando — digo baixo.

Ela olha em volta, encontrando diversos olhares cravados em nós.

Seus lábios se curvam em um pequeno sorriso.

— Não é de admirar que você odeie sair. Isso é exaustivo.

— Finalmente ela entendeu — digo, sério.

Ela abre outro sorriso em minha direção.

— Nunca entendi por que você odiava falar com as pessoas, mas agora superentendo. Quem gostaria, com uma família como a sua?

— Se o inferno fosse um parque temático, eles teriam ingressos vitalícios. — Meu comentário provoca um riso chiado.

— Como você sobreviveu na infância a tantos alpinistas sociais?

— Fácil. Se você parar de ser sociável, não tem escada para eles subirem.

Seus olhos se iluminam.

— Bom, é melhor eu voltar a ser a bem-humorada da relação. Com você escondido, um de nós precisa estar presente. — Ela tenta se libertar da minha mão, mas mantenho o aperto firme.

— Não vá.

O que você está fazendo?

— Por que não? — Sua sobrancelha se arqueia.

Uma pergunta sensata como qualquer outra. Tê-la a meu lado parece a única coisa natural nesta noite, com ou sem casamento falso. Ela consegue tornar tudo tolerável.

— Você deixa esta noite um pouco mais suportável.

E aquela história de não precisar de ninguém além de si mesmo?

Vou voltar a me sentir assim amanhã. Hoje eu aceito que estou mais fraco que o normal, com horas de conversa fiada extrapolando meus limites.

Ela baixa os olhos para nossas mãos juntas com a expressão tensa.

— Que elogio maravilhoso.

Meu polegar acaricia o lado de dentro de seu punho.

— Quer ouvir outro?

— Não.

Um sorrisinho se forma antes que eu tenha a chance de impedir.

— Por que não?

— Prefiro você rabugento e previsível.

— Você não pode estar falando sério.

Está flertando com ela?

Merda. Quanto, exatamente, eu bebi hoje? Dou uma olhada em meu único copo, descobrindo que ele ainda está quase cheio.

Deve ser um lapso de bom senso temporário, considerando o estresse da situação.

Sim. Um pequeno deslize que não tem nada a ver com Iris e tudo a ver com minha paciência limitada com pessoas tentando puxar meu saco a noite toda.

— Cuidado, sr. Kane. Continue sendo gentil comigo e posso começar a me acostumar. — Ela abre um sorriso largo e uma onda de calor, que não tem nada a ver com o uísque, se espalha pelo meu peito.

Você odeia quando as pessoas sorriem.

Mas fazer Iris sorrir é uma vitória pessoal.

Você não deve ficar cobiçando os sorrisos da sua esposa de aluguel.

Eu me liberto de quaisquer que sejam os sentimentos que me dominaram.

— Você vai ficar comigo pelo resto da noite. — Não deixo espaço para perguntas.

Ela parece intensificar a voltagem de seu sorriso.

— Você fica fofo quando está sem graça.

— Não estou sem graça.

Ela coloca os dois braços ao redor da minha cintura, me puxando na direção dela. Nossos corpos se encaixam como peças de um quebra-cabeça. Retribuir o abraço dela é um reflexo, embora o sentimento que acontece dentro de mim não seja. Só existe uma palavra em que consigo pensar para descrever o contentamento que se envolve no meu coração como uma videira sufocante.

Hygge.[1]

---

1. *Substantivo, dinamarquês*: qualidade aconchegante que faz uma pessoa se sentir contente e confortável.

— O que você acabou de dizer? — Iris ergue os olhos para mim com a expressão contorcida.

Merda. Você disse isso em voz alta?

Tenho duas opções aqui: admitir a verdade ou negar que alguma coisa tenha acontecido.

Negue.

— Nada.

Mas não parece não ter sido nada. Meu coração bate forte no peito, e só me resta torcer para Iris continuar ignorando esse órgão traiçoeiro. Uma sensação desagradável toma conta de mim enquanto considero meu ato falho. Parei de usar palavras como essa há séculos, depois que minha mãe faleceu. Não havia mais motivo, já que a única pessoa que me entendia dessa forma morreu, me deixando com o coração vazio e o cérebro cheio de palavras inúteis.

Mas aqui está você, usando-a para descrevê-la.

Merda.

Passo os dedos pelo cabelo, dando a minhas mãos algo para fazer além de tocar em Iris. Nada bom parece vir disso.

Os braços de Iris se apertam ao meu redor, atraindo meu olhar para ela.

— Está tudo bem?

— Claro. — Contenho o impulso de me soltar de seu abraço. Ela está se tornando confortável demais para o meu gosto.

— Ótimo, porque o seu pai está vindo para cá e o sorriso dele é absolutamente maldoso. — Iris sai de nosso abraço, mas eu a puxo para ficar ao meu lado. Minha mão aperta seu quadril como se esse fosse o lugar dela.

Meu pai se aproxima de nós.

— Exatamente o casal que eu estava procurando.

Iris murmura algo baixinho antes de abrir seu sorriso mais falso.

— Sr. Kane. Que gentil da sua parte vir hoje.

Bufo diante da falsa gentileza dela.

O olho direito dele se estreita apesar do sorriso simpático em seu rosto.

— Por favor, me chame de Seth. Somos praticamente família agora.

— Você nem sabe o significado dessa palavra — ironizo.

— Pagar para ter uma família não torna você um especialista no assunto.

— Ser um alcoólatra ausente que odeia os filhos também não.

Iris inspira fundo.

O rosto de meu pai fica vermelho, e o rubor se espalha de suas bochechas para o pescoço.

— Você se atreve a falar comigo dessa forma?

— Considerando que acabei de falar, sim.

Seu sorriso é forçado, nunca chegando aos olhos sem emoção.

— Estou fazendo um esforço para ser educado e solidário.

— Para o público.

— Aparência é tudo na vida.

Meus dentes rangem. Aprendi essa lição vezes demais ao longo dos anos depois da morte da minha mãe. Porque, embora nossa casa não fosse nada além de um caos na intimidade, para o resto do mundo éramos a perfeita família americana. Os professores de minha escola particular nunca questionaram os olhos roxos aleatórios nem os hematomas na minha pele. Eles eram facilmente comprados como todos os outros, alimentando o ciclo vicioso da minha infância. Aquele do qual eu fazia todo o possível para proteger Cal e Rowan, mesmo que isso significasse enfrentar meu pai sozinho.

— Obrigada por vir. Queria que pudéssemos ficar mais e conversar, mas quero apresentar Declan para a minha prima antes que ela vá embora.

Iris puxa a manga do meu terno e eu a sigo sem olhar para trás na direção do meu pai. Estou perdido demais em meus pensamentos para notar qualquer outra coisa.

É só quando Iris me empurra para dentro de um quarto apertado e toca no interruptor que noto que o barulho ao redor diminui a um nível suportável.

Olho em volta.

— Um almoxarifado?

Ela ri.

— Desculpa. Foi a primeira porta destrancada que consegui encontrar.

— Por que estamos nos escondendo?

— Porque você parecia a dois segundos de partir para cima do seu pai. Pensei que talvez fosse uma boa ideia nos afastar de todos por alguns minutos.

Iris sempre tem o superpoder de saber do que preciso exatamente quando preciso. Ela é realmente inestimável.

— Obrigado. — Eu me recosto em uma estante de produtos de limpeza.

Depois de horas conversando com pessoas, sinto que finalmente consigo respirar de novo. Minhas têmporas ainda latejam pelo excesso de estímulo, mas a dor diminuiu drasticamente.

Iris pula em cima de uma máquina de lavar e se senta na tampa.

— Esta noite está sendo...

— Uma tortura — completo por ela.

Ela faz que sim.

— Se esse é o jantar, nem consigo imaginar como vai ser o casamento.

— Foi você quem quis um casamento grande.

— Só porque a minha mãe me mataria se eu a excluísse.

— Então vamos nos casar escondido e convidá-la. Ela pode ser a nossa única testemunha. — A frase escapa de mim antes que eu consiga evitar.

Seu riso se fecha quando ela nota minha cara.

— Você está falando sério.

Faço que sim, gostando mais e mais da ideia a cada segundo.

— Podemos vender isso como uma ideia intempestiva. Consigo nos levar para Vegas em quatro horas ou menos.

— Não passamos por todo esse sofrimento para desistir tão perto da linha de chegada.

— Não é desistir. É mudar de rota.

Ela aperta a mão na boca para abafar a risada. Sua negação óbvia da minha ideia aumenta minha ousadia, e me recuso a aceitar um não como resposta.

Invado o espaço dela, encurralando-a sobre a máquina de lavar. Seus olhos assumem um ar frenético quando surjo entre suas pernas. O tecido de seu vestido longo se estende o bastante para acomodar meu tamanho.

Seguro o queixo dela, obrigando-a a erguer os olhos para mim.

— Pense nisso. Eu, você e uma capelinha. Sem imprensa. Sem frescura. Sem expectativas.

— O auge do romance — ela responde, com a voz seca.

Meu polegar aperta seu queixo com um pouco mais de força.

— Vou acrescentar mais uns cem milhões para fazer isso acontecer.

Ela se solta da minha mão quando sua cabeça se ergue para trás. A risada que ela solta faz algo anormal com minha frequência cardíaca, tornando o batimento regular errático.

— Não há dinheiro que consiga me fazer mudar de ideia porque a minha mãe me mataria antes que eu tivesse a chance de aproveitá-lo.

Meu suspiro desapontado a faz sorrir.

Ela dá um tapinha tranquilizador no meu peito.

— Se serve de consolo, eu odeio essa ideia tanto quanto você. — Sua mão queima um buraco no meu peito, logo acima do coração.

Os cílios de Iris tremulam quando ela ergue os olhos na minha direção, e minha atenção se divide entre olhar no fundo de seus olhos e descer para os lábios. Estar tão perto dela faz alguma coisa catastrófica com meu autocontrole. Não sei se é a falta de contato humano ou o desejo por algo proibido, mas não consigo parar de me sentir atraído por ela.

— Você deixou a luz do almoxarifado acesa de novo? O que eu falei sobre desperdício de energia? — A maçaneta chacoalha, e os olhos de Iris se arregalam enquanto ela olha para mim.

— Me diga que você trancou...

As mãos de Iris afundam no meu cabelo enquanto ela joga a cabeça para o lado. Seus lábios se pressionam no meu pescoço, fazendo o sangue nas minhas veias pegar fogo. Ela fecha as pernas ao redor da minha cintura e me puxa para mais perto. O sangue dispara da minha cabeça para meu pau enquanto Iris deixa um rastro de beijos pelo meu pescoço.

Chaves chacoalham uma contra a outra quando a maçaneta gira. A luz entra no cômodo quando dois empregados nos encaram, boquiabertos.

Um deles dá um passo à frente.

— Desculpa...

— Saiam — disparo.

Iris ri baixo contra minha pele, e sinto o som diretamente no meu pau. O riso dela é um afrodisíaco poderoso que eu não deveria saborear.

A porta se fecha. Iris me empurra para longe antes de descer da máquina de lavar.

— Bom, foi divertido, não foi?

Minha calça parece ficar mais tensa ainda enquanto considero exatamente como foi *divertido*.

* * *

Uma mão marrom-escura pousa no meu braço. Olho para o lado e encontro a mãe de Iris me segurando com um sorriso tímido.

— Oi.

— Está procurando a Iris? — Rastreio o salão em busca dela.

— Na verdade, vim falar com você.

Tenho a opção de recusar educadamente?

Seu sorriso vacila.

— Não vou tomar mais do que alguns minutos do seu tempo. Sei que você é um homem ocupado e tudo.

Vejo que minha reputação chega antes de mim.

— Vamos dar uma saída. — Aponto para a sacada vazia e a guio naquela direção.

Respiro fundo quando as portas se fecham atrás de nós e cai um silêncio.

— A Iris me disse que você odeia esse tipo de coisa. — Ela torce as mãos na frente do corpo.

— Odiar é pouco.

Ela ri, e o som me faz lembrar do riso chiado de Iris. Como se o oxigênio não conseguisse chegar a tempo em seus pulmões.

— Como você está segurando as pontas?

— Do jeito que um introvertido que odeia reuniões sociais, conversas bobas e pessoas em geral pode conseguir.

— Então, por que fazer isso?

— Porque é o que se espera.

Suas tranças se movimentam quando ela inclina a cabeça.

— Deve ser exaustivo fazer uma imagem para o público.

— Você não faz ideia.

— Posso não saber como é crescer em evidência como você, mas entendo como é ter que colocar uma máscara para todo mundo ver.

— Entende? — Acho difícil acreditar.

Seus olhos se voltam para o horizonte da cidade.

— Tenho certeza de que a Iris contou sobre o meu ex-marido e as expectativas muito particulares dele.

Abro a boca, mas mudo de ideia. Na verdade não sei muito sobre o pai de Iris além do fato de que ele é um picareta.

Ela continua, me poupando de ter que encontrar algo para dizer.

— Quando ela me contou que ia se casar com você, fiquei contente por ela finalmente ter encontrado alguém que pudesse tratá-la bem. Alguém que pudesse provar que o amor pode curar a alma tanto quanto pode destruí-la. Ouço como ela fala sobre você.

Agora estou muito curioso sobre essa conversa.

— Como?

Ela ri.

— É óbvio que ela admira você, e não apenas no sentido romântico. Sua ética de trabalho. O amor que você tem pelos seus irmãos. O fato de você dar a ela a chance de provar o seu valor. Aliás, por esse último motivo eu *não sei como agradecer. De verdade.*

Fico sem palavras enquanto a encaro, boquiaberto. Não sei nem como processar seu último comentário, considerando que a maioria das pessoas fica horrorizada por saber que minha assistente trabalha mais horas do que metade dos executivos.

— Mas é claro que, como qualquer mãe, eu me preocupo com ela e com o que o futuro guarda para ela. Não quero que ela passe pela dor que eu passei. Quero uma vida melhor para ela. Uma vida que eu acredito que você pode oferecer, desde que prometa que sempre vai respeitá-la e honrar os votos que fizer neste fim de semana.

— Posso garantir a você que sempre vou buscar o que for melhor para ela. — Mesmo que isso atrapalhe o que for melhor para mim.

CAPÍTULO ONZE
Iris

— Você está linda. — Minha mãe pisca para tentar secar as lágrimas que se acumulam nos cantos de seus olhos escuros. Ela ajusta o véu com a mão trêmula, tomando cuidado com meu cabelo cacheado com perfeição. Com meu vestido de renda de inspiração vintage que vale mais que um ano de aluguel e sapatos que brilham tanto quanto o diamante no meu dedo, eu me sinto uma verdadeira princesa de Dreamland.

O buquê de flores coloridas treme no meu peito.

A hora é agora.

Se dependesse de mim, eu teria me casado em algum cartório tendo apenas meus familiares e amigos mais próximos ao meu lado. Mas esse casamento não é para mim. Não é nem mesmo para Declan, considerando sua preferência por uma cerimônia simples. Realizar o desejo de minha mãe por uma cerimônia religiosa foi a melhor escolha por diversas razões, mas sobretudo porque precisamos mostrar às centenas de convidados, incluindo o advogado de Brady Kane, que somos uma frente *única*. Que estamos *apaixonados*.

Preciso de todo o meu autocontrole para não franzir o nariz com essa ideia.

Minha mãe funga.

— Não acredito que minha filhinha vai se casar.

— Por favor, não chore. — Eu não aguentaria se ela chorasse. Tenho quase certeza de que eu cederia sob a pressão e confessaria o plano todo se ela derramasse uma lágrima sequer.

— É difícil. Sempre sonhei que você encontraria alguém que a fizesse feliz.

Algo no meu peito aperta.

— Sonhou?

Ela faz que sim.

— Eu tinha medo de ter causado má impressão quando você era criança. Que eu tivesse deixado minha amargura com o seu pai me impedir de mostrar a você como seguir em frente apesar da dor.

— Mãe... — Quero falar para ela que não, mas não consigo encontrar forças para contar mais nenhuma mentira. A verdade é que a experiência de minha mãe com meu pai pesou muito sobre mim enquanto eu crescia. Mudou alguma coisa em mim, e não é um casamento falso que vai resolver isso. No máximo, *é* só a prova do que eu já sei. O amor só existe em contos de fada e filmes de Dreamland. A realidade é muito mais sombria.

Como se lesse meus pensamentos, minha mãe continua:

— Nem todos os homens são como o seu pai. Levei muito tempo para entender isso, mas fico contente que você tenha aprendido muito mais rápido do que eu.

— Tudo bem. — Minha voz embarga. Estou a uns dois segundos de desmoronar.

Ela envolve minha bochecha com a mão.

— Estou orgulhosa de você por finalmente se abrir para alguém. Por colocar seu coração em risco mesmo sabendo de todas as possibilidades, boas e más. Você cresceu tanto.

Minha garganta aperta de um jeito desconfortável, e eu desvio os olhos para evitar seu olhar, com medo de que ela consiga ler a verdade nos meus olhos. Não existe a mínima chance de um dia eu me abrir para amar Declan. Embora eu o considere um amigo, ele não quer nada comigo nesse sentido.

Minha avó sai do banheiro.

— Já acabou o assunto triste? É um casamento, não um funeral.

Minha mãe e eu desatamos a rir, e o momento passa como se nunca nem tivesse começado. Mas um aperto no peito permanece muito tempo depois de o assunto mudar. Conversas sobre meu pai sempre suscitam antigos demônios, mas os eventos de hoje podem ser uma festa de boas-vindas para eles.

＊ ＊ ＊

A maioria das meninas sonha subir ao altar. Eu, por outro lado, sempre soube que teria pavor do lembrete de ter crescido sem pai. Minha mãe se ofereceu para assumir o lugar dele, mas eu queria subir sozinha. Faz séculos que prometi que provaria a mim mesma que não precisava dele. Não precisei dele no passado e definitivamente não preciso agora.

A música toca. Todos se levantam e voltam a atenção para mim. Meu corpo inteiro treme com todos os olhares indesejados me avaliando, e solto uma respiração trêmula.

Você consegue.

Sorrio embaixo do véu, escondendo o fato de que meus olhos ardem de lágrimas não derramadas. Meus olhos se erguem em direção ao meu destino. Quase tropeço quando encontro os olhos de Declan fixados nos meus, mas me seguro. Algo que arde em seu olhar faz calafrios percorrerem minha pele. Acho que nunca vi Declan olhar para mim desse jeito, mas isso faz um negócio maluco com minha frequência cardíaca.

Caminho até o altar como uma soldada dedicada se apresentando ao serviço. Declan não tira os olhos de mim, provavelmente para garantir que eu não corra para a saída de emergência mais próxima. Algo em seu olhar hoje deixa meu estômago com uma sensação leve e borbulhante.

... ou é por causa do champanhe que vovó me ofereceu no último minuto. Porque não tem a mínima chance de meu chefe me provocar frio na barriga. Só essa ideia me faz querer gargalhar feito uma doida.

Sim, definitivamente foi o champanhe. Sempre fui fraca para bebida.

Declan, assim como eu, está sozinho. Não sei por que não escolheu um dos irmãos para padrinho, mas fico um tanto aliviada, considerando minha falta de opções para madrinha. Não tenho muitas amigas. Não porque eu não queira, mas porque estou ocupada demais trabalhando o tempo todo. Cal se ofereceu para assumir o papel e usar um terno rosa, mas recusei, dizendo que rosa não combinava com ele. Nós dois sabemos que é mentira. Mas parecia melhor do que encarar a realidade de que ele é meu único amigo.

Paro diante do altar e me volto para meu noivo com um sorriso hesitante. Seu maxilar se cerra enquanto os olhos perpassam meu corpo, fazendo minha pele corar sob sua observação.

Sua mão traça a beira do meu véu. Noto o leve tremor que ele tenta esconder apertando o tecido. Declan sempre odiou grandes multidões. Alguma coisa nelas o deixa nervoso, não que ele confessasse uma coisa dessas para alguém.

Mas eu sei, e o segredo me faz sorrir.

— Relaxe. É só fingir que eles não estão aqui — sussurro baixo o bastante para apenas ele ouvir.

Ele não responde enquanto ergue meu véu por sobre a cabeça. Seja o que for que ele vê, o faz piscar duas vezes.

— Está tudo bem? — sussurro.

Sua cabeça faz um aceno mínimo.

— Você está bonitinha.

Toda a energia que eu sentia até a ponta dos pés desaparece rapidamente.

Eu. Estou. Bonitinha? Ele só pode estar de brincadeira comigo. Ele poderia ter dito qualquer coisa – literalmente qualquer coisa – e teria soado muito melhor do que *bonitinha*.

Ele que se dane. Não passei cinco horas em uma cadeira de salão, sendo cutucada, empurrada e maquiada, para ele dizer que estou *bonitinha*.

Como se Declan pudesse pressentir meus sentimentos crescentes, ele pega meu buquê e o estende para outra pessoa. Suas duas mãos apertam as minhas, me prendendo. Qualquer que seja a expressão em meu rosto, me faz receber um aperto de alerta. Em vez de deixar que a raiva me domine, estampo um sorriso falso no rosto e assinto para o padre.

Ele vai ver só quem está bonitinha. *Babaca*.

O padre começa seu sermão, mas mal consigo ouvir com o batimento errático do meu coração. As mãos de Declan apertam as minhas enquanto o padre fala sobre amor, compromisso e provações que vão nos testar. Eu me sinto uma fraude por concordar com a cabeça, fingindo adoração. É melhor eu me lembrar de olhar a parte de trás do vestido para ter certeza de que não peguei fogo por mentir na casa do Senhor.

O resto da cerimônia é uma névoa turva com a troca de votos tradicionais. Quanto mais perto chegamos do fim, mais pesada se torna minha respiração. É só quando Declan pega minha mão esquerda na sua que quase tenho um ataque cardíaco.

— Iris, ofereço a você este anel como lembrete do meu compromisso com você, com o nosso casamento e o nosso futuro. Que ele sirva de símbolo da minha devoção a você, deste dia em diante. — Algo em suas palavras me faz hesitar. Ele poderia ter prometido amor eterno ou qualquer coisa igualmente melosa para a plateia, mas não foi isso que ele fez.

Porque Declan Kane não mostra suas cartas. Admitir que é completamente apaixonado por você na frente de uma igreja lotada não combina com ele.

Ele silencia meus pensamentos enquanto coloca uma aliança de platina fina coberta de diamantes no meu dedo.

As duas frases em que refleti por semanas escapam de mim quando pego o anel de Declan da mão de minha mãe.

— Hmm... — *Muita desenvoltura, Iris.*

Se Declan se irrita por eu tropeçar nas palavras, ele faz um bom trabalho em não demonstrar. Pego sua mão esquerda enquanto seguro o anel com a outra.

— Declan, eu lhe dou este anel como um símbolo de minhas promessas a você, como sua parceira e amiga. Que ele sirva de lembrete de que, mesmo durante os dias mais difíceis, você pode sempre contar comigo para estar ao seu lado. — Coloco a aliança em seu dedo.

Nossos olhos se encontram. Algo perpassa seu rosto. Ele quase parece bravo, mas não pode ser? *Triste?* Consigo impedir que uma risada escape de mim. *Não, não pode ser também. Declan não tem motivo nenhum para ficar triste.*

Como se notasse que revelou uma parte minúscula de si para a plateia, ele recupera o controle sobre as emoções no seu rosto.

Voltamos à programação normal.

O padre continua seu discurso sobre tempos difíceis e a santidade dos votos de casamento. Ele nos abençoa, abençoa nossos futuros filhos e todos os convidados da cerimônia.

E então o temido momento que bloqueei da memória ganha vida.

O padre dá um passo para trás em direção ao altar, para nos dar um pouco de espaço.

— Eu vos declaro marido e mulher. Declan, pode beijar a noiva.

Meus olhos se arregalam. Todos ao nosso redor ficam em silêncio. Não preciso vê-los para saber que estão curiosos em relação a nós. Declan nunca nem foi visto com uma mulher, que dirá beijando uma.

Meu corpo todo estremece quando Declan coloca a mão na minha nuca. Seus dedos apertam, e seu polegar traça o ponto vibrante do meu pulso. O mundo desaparece quando meu chefe se inclina em minha direção, seu perfume caro tomando conta de mim.

Meus joelhos ficam fracos, e a outra mão de Declan envolve minha cintura para me impedir de cair. Ele me posiciona de um jeito que esconde nossos rostos da plateia, mantendo esse momento privado apenas para nós.

A hora é agora. Ele se inclina para a frente, e nossas respirações se misturam. Fecho os olhos enquanto seus lábios suaves roçam no canto dos meus.

Espera. Quê? Nem chegou a um beijo completo? Não passou de uma provocação feita para apaziguar a massa.

Ele se afasta, deixando um centímetro entre nós. Seus olhos estão bem fechados, como se ele estivesse sentindo dor.

A vergonha faz meus olhos arderem. Sussurro:

— Esse foi sem dúvida o pior beijo da minha vida, e isso diz muito, considerando que meu último ex...

Os lábios de Declan acertam os meus, calando minha boca. Uma vibração que começa nos *lábios se espalha pelo corpo como um incêndio, e me perco na sensação de nosso beijo.*

Meus braços apertam seu pescoço como uma boia. Eu me sinto perdida no mar, me afogando em todas as sensações que me consomem. O aperto do seu peito contra mim. O peso da sua mão ardendo na minha lombar. O toque do seu dedo no meu pescoço, tão suave que parece reverente.

Sou tirada desse momento por uma salva de palmas.

Os lábios de Declan apertam os meus uma última vez, como se tentasse me gravar com seu toque. Sua testa toca a minha, e a doçura do gesto faz meu coração ameaçar saltar para fora do peito.

O que ele está fazendo? Mais especificamente, por que você está se sentindo assim? Estou oficialmente perdida. Por algum motivo, essa atração química por Declan não corresponde à minha noção preconcebida.

Embora possa ser considerado frio pelo resto do mundo, ele me faz *arder.*

— Eles acreditaram. — Seu sussurro áspero é como um balde de água fria. Algo em seu comentário faz um nó tenso se formar no meu peito, crescendo até consumir meu coração.

Suas palavras não deveriam me machucar. Esse é um ardil, afinal, mas a dor se recusa a diminuir.

Talvez porque você também tenha acreditado.

CAPÍTULO DOZE
Declan

Acho difícil tirar os olhos de Iris enquanto descemos o corredor em direção à saída da igreja. Ela é a personificação da elegância e da graça, com um sorriso tão esplêndido quanto a aliança de diamantes em seu dedo. O anel serve como como uma lembrança de sua promessa para mim.

Eu não tinha certeza se chegaríamos a esse ponto. Depois do fracasso do meu noivado, pensei que chegaríamos a um impasse. Que talvez Iris acordasse um dia e decidisse que esse era um grande erro. Mas, finalmente, pela primeira vez em duas semanas, eu me sinto aliviado.

A pressão no meu peito se alivia a cada passo para longe do altar. Com uma parte de minha herança completa, tenho só mais uma etapa no caminho para me tornar CEO.

Termine o dia de hoje antes de se preocupar com isso.

Giro minha aliança com o polegar, testando a sensação do metal pressionado na pele. Não parece tão opressivo quanto eu imaginava. Iris escolheu uma aliança simples, que chama pouca atenção. Nossos dois anéis transmitem uma única mensagem.

Casados.

Dois atendentes abrem as portas. Juntos, Iris e eu saímos para a luz forte do sol. Um dos fotógrafos para na nossa frente e grita nossos nomes. Coloco o braço ao redor da cintura de Iris e a puxo contra mim, ignorando a maneira como ela fica tensa em meus braços.

Sua reação não me surpreende, mas me frustra mesmo assim. Depois do beijo ardente que demos, pensei que ela teria se acostumado ao meu toque a esta altura, mas me enganei. Em vez disso, ela ergueu mais uma barreira entre nós. A expressão distante em seu rosto me faz testar seus limites. Quero recriar a expressão que ela mostrou depois do nosso beijo, antes da realidade de nossa situação se instalar.

Desço a mão por suas costas, traçando a fileira de botões de marfim. Ela não faz nada além de me abrir um sorriso frio que não reflete em seus olhos.

Detesto esse sorriso com todas as minhas forças.

— Me diga o que há de errado — sussurro em seu ouvido antes de ajeitar um fio de cabelo atrás de sua orelha.

O riso falso dela arranha meus nervos.

— Por que haveria alguma coisa errada?

Fecho a cara.

— Você não parece feliz.

— Ao contrário de você, nem todo mundo consegue fingir o tempo todo. — Sua voz mal pode ser ouvida com a rajada de vento.

— Vamos tirar uma foto de beijo antes de os convidados saírem! — o fotógrafo grita.

Sorrio com o riso nervoso de Iris. O clique da câmera dispara, capturando o momento.

— Acho que eles já vão sair — Iris exclama.

— Então vamos ser rápidos! — ele responde.

Eu não deveria ceder a seu pedido, mas estou interessado em ver se nosso beijo foi um caso isolado ou evidência de nossa química. O beijo que dei em Iris na igreja foi eletrizante. O tipo que não deveria ser tão bom quanto foi, considerando nossas circunstâncias.

O tipo que estou prestes a recriar com a esperança de que a energia que senti depois tenha sido apenas um produto de realizar a primeira tarefa de minha herança.

Meus braços envolvem as costas de Iris, puxando-a contra mim. Seus lábios se abrem e seus olhos se fecham quando me inclino para a frente. Centelhas disparam pela minha pele quando nossos lábios se tocam, e um calor líquido percorre minhas veias. Beijá-la é viciante. Emocionante. Tão errado que não consigo deixar de questionar por que não é certo.

Ela é sua assistente.

Mordisco o lábio inferior dela para me distrair desse pensamento. Ela perde o fôlego, e eu absorvo o som antes que possa ser ouvido pelo fotógrafo.

Você está pagando para ela ter um filho seu.

Meu beijo se torna mais agressivo, e ela responde bem a meu desespero. Ela geme enquanto seus braços envolvem meu pescoço. Seu buquê faz cócegas na minha pele, e sou cercado pelo cheiro de flores e de Iris.

O fotógrafo tosse.

— Tudo bem. Consegui a foto.

A realidade me atinge como um soco na cara, e eu me afasto antes de puxar Iris de volta contra mim e repetir nosso beijo por objetivos mais egoístas do que uma foto. Nosso beijo não foi um acaso nem apenas para completar o pedido de meu avô. É muito pior do que isso.

Iris pisca com os olhos dilatados para mim.

Ela também é afetada por você.

Deveria me encher de algum alívio saber que ela está passando pela mesma dificuldade, mas estou preocupado demais com as consequências de uma descoberta como essa.

Antes de ter a chance de entender o que está acontecendo entre nós, as portas atrás de mim se abrem. Centenas de convidados saem da igreja. Eles se reúnem em um círculo, sufocando-nos. Odeio que eles fiquem nos enchendo de elogios quase tanto quanto detesto como a multidão aumenta a cada minuto.

Iris aperta minha mão.

— Relaxe. Foco em mim.

Esse é meu problema. Não consigo me focar em nada *além* dela.

Não consigo olhar para ela por mais do que alguns segundos. O impulso de carregá-la para longe da multidão é difícil de ignorar, e não seria preciso muito para eu ceder.

Lembre-se do que é importante aqui.

Iris continua em silêncio enquanto somos arrastados para o Maybach. Passo a viagem toda de carro até o local da recepção lembrando que me entregar à minha atração não é possível. Apesar dos dois beijos que demos, nada é mais importante do que manter tudo no nível profissional entre nós. Temos muito mais em jogo em nossas posições para nos perder por uma atração fugaz um pelo outro.

Meu futuro é muito mais importante do que satisfazer um impulso momentâneo de beijar Iris. Só preciso continuar repetindo isso para mim mesmo.

* * *

Odeio casamentos. São uma desculpa clichê para as pessoas beberem por minha conta enquanto fingem se importar de verdade com minha união.

Elas não dão a mínima. Todos só estão aqui porque ninguém seria idiota de recusar um convite para o que Iris chamou de casamento da década.

Infelizmente, ainda tenho que aguentar três horas, incluindo a parte de cortar o bolo agora.

Um fotógrafo diferente do anterior nos chama para olhar para a câmera.

— Posso tirar uma foto de vocês dois com o bolo?

— Por que concordamos com tantas fotos malditas? — Franzo a testa enquanto pego o cortador de bolo prateado na bandeja do garçom.

Iris sorri para mim.

— Porque *nós* vamos compartilhar retratos com o mundo para provar que estamos apaixonados um pelo outro.

— Por que eles se importam?

Ela ri, e o flash da câmera dispara.

— Porque você é um bilionário famoso que trabalha vendendo contos de fada.

Resmungo.

— A fama *é temporária*.

— O desconforto também, então se acostume. — Ela aperta a mão sobre a minha para nós dois segurarmos a faca.

Ficar perto dela está longe de ser desconfortável. Em vez disso, o calor de seu toque faz uma onda de desejo me perpassar. Dou um passo para perto dela para olharmos para o bolo.

Você é ridículo. Não era você que não queria se aproximar das pessoas?

Balanço a cabeça. Não estou tentando me aproximar de Iris, mas é difícil evitá-la quando todos vivem nos jogando um para cima do outro.

— Declan, um pouco mais de sorriso, por favor?

Olho feio para o fotógrafo.

Ele abre a boca.

— Deixa pra lá. — Seu flash dispara, capturando-me no meio de um olhar fatal.

Iris ri.

— Me mande essa foto o quanto antes.

Disparo um olhar para ela, que ri ainda mais. Meu peito fica apertado com o som. Comparado com a fachada fria que ela exibe para nossos convidados, é bom vê-la sendo calorosa comigo mais uma vez.

E é por isso que você precisa se manter longe dela. Por causa dessa sensação no seu peito.

Merda.

O homem tira outra foto antes de eu dispensá-lo. Meu humor piora, e mal presto atenção em Iris enquanto cortamos o bolo. Fazemos tudo que se espera de nós. Ela me dá bolo na boca e eu dou na sua também. Algumas pessoas exclamam quando ela acerta um pedacinho de bolo na minha cara, e eu retribuo o favor enfiando uma colherada em sua boca enquanto ela está no meio da gargalhada.

Nada disso é real. Estou distante, mas não o suficiente para deixar de ver a centelha de mágoa em seus olhos quando a abandono e vou para o bar. Sou um babaca por deixá-la cuidando da multidão que se formou ao nosso redor. Sei disso com todas as fibras do meu ser, assim como sei que ficar com ela está enfraquecendo minha determinação.

Não me casei com ela por amor, dinheiro nem afeto. Eu me casei com ela porque sou um filho da puta ganancioso que não vai parar por nada até conseguir o que quer, mesmo que isso signifique sujeitá-la à mesma merda de felizes para sempre que eu. Alguns beijos e toques não vão mudar nosso destino, então por que fingir que isso é mais que um acordo?

Vai valer a pena. Pelo menos é o que digo a mim mesmo enquanto viro meu primeiro drinque da noite.

A bebida não vai resolver os problemas de ninguém.

Meu estômago revira. A sensação não tem nada a ver com a bebida que desce queimando pela minha garganta e sim com a ideia de usar o álcool para lidar com isso tudo. O bartender se apressa para encher meu copo, mas eu o empurro para longe do alcance dele.

Você não é como ele.

Eu me afasto do bar antes que faça algo de que me arrependa.

CAPÍTULO TREZE
Iris

— Mais shots! — A namorada de Rowan, Zahra, segura uma garrafa de tequila na mão. Ela balança sobre os calcanhares, e Rowan avança para equilibrá-la.

Meu estômago fica enjoado com o gesto afetuoso. Ver a interação entre eles é nauseante, com Zahra sorrindo para Rowan como se ele segurasse a lua para ela. Fico estranhamente fascinada por suas interações considerando minha pouca exposição a casais felizes ao longo dos anos. Talvez haja alguma esperança afinal, se alguém tão rabugento e isolado como Rowan é capaz de olhar para uma mulher *desse jeito*.

Eu não deveria estar amargurada em meu próprio casamento, mas, levando em conta que meu marido me evitou o máximo possível depois que cortamos o bolo, não estou tendo muito sucesso. Algo mudou nele desde a igreja, e não consigo evitar pensar que pode ter sido nosso beijo.

— O que nós combinamos sobre tequila? — Rowan tira a garrafa da mão de Zahra.

— Que nunca devemos confiar em um homem chamado Jose. — Ela cruza os braços com um biquinho e afunda na cadeira ao meu lado, fazendo o tecido de seu vestido bufar ao seu redor.

O peito de Rowan treme com uma gargalhada silenciosa enquanto ele puxa uma cadeira ao lado de Zahra.

Cal pega a garrafa e enche quatro copos de shot.

— Você não pode sair *sóbrio* de um casamento. É sacrilégio.

— Você nem sabe o sentido dessa palavra — Rowan responde.

— Meu casamento, minhas regras! — Passo um copo de shot para Zahra.

— *É a noiva que está dizendo.* — Zahra sorri enquanto vira seu copinho. Ela se recosta em Rowan e sussurra algo no ouvido dele. Seja lá o que ela diz, o faz engolir o primeiro shot antes de servir um segundo para si.

Ele ajeita o cabelo dela atrás da orelha e sussurra alguma coisa em resposta que faz as bochechas dela corarem.

Que nojo. Pego meu copo e o levo aos lábios. Mas a borda nunca toca minha boca, porque é roubada diretamente da minha mão.

— Acho que você já bebeu demais. — A voz áspera de Declan afeta minha frequência cardíaca.

Cal balança a garrafa de tequila na direção de Declan.

— Poxa. Senta aí com a gente e toma um shot pra comemorar.

Declan lança um olhar mordaz na direção de Cal.

— Acho que você já comemorou demais.

— Ela é grandinha. Se quiser beber na noite de casamento dela, a decisão é dela.

— *Ela* está bem aqui. — Eu me levanto. O salão gira ao nosso redor, e seguro o dorso da cadeira para me equilibrar. — Estou bem. Parem de se preocupar comigo.

— Você está com cheiro de férias de primavera no México.

Alguma coisa em seu comentário me faz abafar o riso com a mão trêmula.

Seus lábios se fecham em uma careta. Dou alguns passos vacilantes na direção dele antes de segurar seu smoking para não cair. Uso uma mão para puxar o canto da boca dele para cima para formar um sorriso.

— Pronto. Bem melhor.

— Vamos para casa. — O braço de Declan me envolve. O movimento me faz lembrar de nosso beijo na igreja, o que faz minhas bochechas arderem embaixo de meio quilo de maquiagem.

Faço bico.

— Mas por quê?

— Você está alcoolizada.

— É um casamento! O *nosso* casamento! — Tenho dificuldade para me concentrar nas três cabeças de Declan. — Ei, por que você não está bêbado?

Suas três cabeças se fundem em uma única versão furiosa.

— Porque um de nós precisa ter um pouco de autocontrole — ele retruca.

— É tudo culpa do Cal! — digo.

— Ei! — Cal ergue os braços.

— Ele roubou uma garrafa do bar. Eu vi com meus próprios olhos — Rowan me apoia.

Declan aponta para Rowan.

— Não começa.

A maneira como os três interagem me faz erguer uma sobrancelha na direção de Zahra.

— Viu? Falei que eles nunca concordam em nada.

Zahra sorri.

— *Ainda.*

— Já gosto dela — digo em voz alta em vez de dizer na minha cabeça.

— Vamos — Declan retruca.

— Não se esqueça de me mandar mensagem! Quero todos os detalhes — Zahra grita.

Dou um joinha para ela por sobre o ombro. A verdade é que ela é a única pessoa além de Cal e Rowan que sabe da farsa. Não que eu pudesse contar para Declan. Tenho quase certeza de que ele mataria Rowan por colocar em risco nosso grande segredo dessa forma.

Declan me guia na direção da saída do salão.

— Esperem! — a organizadora de casamento grita. — Vocês não podem ir embora! Ainda nem jogamos o buquê!

Declan solta o suspiro mais longo da história. Meu peito vibra com uma gargalhada contida.

Ele me vira na direção dele.

— Qual é a graça?

— Você está odiando cada segundo.

— Agora a gente curte o desprazer um do outro?

— Quem é você para julgar? É seu tipo favorito de preliminar.

Suas bochechas avermelhadas me fazem sorrir.

Ponto para Iris.

Tati faz o DJ chamar todas as mulheres para a pista de dança para pegar o buquê. Declan me segura como se tivesse medo de que eu tropeçasse por causa de minha instabilidade. Imagino que ele só faça isso porque quer garantir que as pessoas acreditem em nosso casamento.

Impossível esquecer o que ele disse na igreja.

Minha mãe me passa o buquê com um sorriso irônico.

— Estava guardando para você.

— Você é a melhor mãe do mundo.

Ela abana a cabeça.

— Cuide bem da minha menina, Declan. Tente fazê-la dormir antes de ela entrar na fase do choro de bêbada.

— Me diga que ela está brincando — ele ordena quando minha mãe sai andando.

Rio baixo.

— Não me fode.

Dou um tapinha na bochecha dele.

— Não precisa nem pedir, meu maridinho querido.

— Você queimou todos os seus neurônios hoje?

— Vamos logo! — uma mulher grita. — Parem de enrolar, vocês dois!

Dou meia-volta, ficando de costas para a multidão.

— Um. Dois. Três! — Atiro o buquê por sobre a cabeça.

Dou um giro e quase escorrego pelo movimento, mas Declan me pega e me segura em seu peito firme.

Peito firme? Argh. Talvez você esteja bêbada mesmo.

O buquê cai nos braços abertos de alguém com um estalo. Não reconheço a mulher que o pegou, mas a multidão ao redor dela grita enquanto tenta agarrar meu buquê com as mãos *ávidas*.

— Finalmente. — Declan se dirige à porta antes de o DJ anunciar que é a vez de Declan tirar a cinta-liga.

Puta merda.

— Só podem estar tirando uma com a minha cara.

Eu me eriço quando ele aperta meu quadril. Cal dá uma nota de cem na mão do DJ enquanto Rowan puxa uma cadeira para o meio da pista de dança.

Cal se aproxima para me sentar na cadeira, tomando cuidado com as camadas de renda e tule que giram ao meu redor como um paraquedas.

— Cuidado, Iris, seu marido morde.

Um rubor inobservável se espalha da minha cabeça aos pés.

— Odeio vocês dois. — Os olhos de Declan alternam entre Cal e Rowan.

Nesse momento, o DJ toca a música mais sensual conhecida pelo homem. Minha barriga tem um milhão de bolhinhas de champanhe estourando ao som da canção, enquanto as batidas do meu coração ganham velocidade.

Declan se ajoelha e se acomoda em uma posição confortável na minha frente. Sua mão esquerda treme antes de ele cerrar o punho, assim como fez quando ergueu meu véu hoje.

Até que ele é humano, afinal.
Eu o resgato de seus pensamentos nervosos.
— Você fica bem de joelhos, sr. Kane.
— Tente não deixar isso subir à cabeça. — Os cantos dos seus lábios se contorcem naquele sorriso habitual de Declan. Um flash de câmera dispara, capturando o momento.

Sua mão toca minha coxa coberta, mal deixando espaço entre as camadas de tecido.

— Isso é errado — ele murmura.
— Você tem razão. Estou absolutamente escandalizada. — Falo, com um sotaque britânico fora de tom.

Ele abana a cabeça enquanto um barulho que interpreto como uma gargalhada escapa dele.

— Você está muito bêbada.
— Não. Estou altinha.
— Qual é a raiz quadrada de sessenta e quatro?
— Oito, vai se foder.

Ele encolhe os ombros.

— Sóbria o bastante.
— Para quê?

Ele não responde enquanto ergue o tecido do meu vestido com muito cuidado para que ninguém consiga espiar. Meus pulmões apertam, tentando inspirar oxigênio enquanto Declan desaparece embaixo do meu vestido.

— Lembre-se, sem as mãos! — Cal exclama, e a multidão uiva e grita. Declan ergue um braço às cegas e mostra o dedo do meio na direção geral de Cal. Algumas pessoas riem enquanto outras se assustam, provavelmente tão chocadas quanto eu com a rara demonstração de sentimentos de meu marido.

Paro de prestar atenção neles, me concentrando na experiência intensificada. O raspar da barba rala de Declan na minha panturrilha. O roçar de seu cabelo na parte interna das minhas coxas enquanto ele as abre com a cabeça. A sensação de seus dentes roçando a pele ao redor da cinta-liga, acompanhada pela pressão de seus lábios suaves enquanto segura o pedaço de renda adornado.

Sinto um calafrio, e uma vibração em sua garganta me diz que Declan notou e *riu*.

Eu o odeio. Odeio tanto meu marido que ele vai ter sorte se eu não o enforcar com a maldita cinta-liga quando ele voltar para tomar ar.

Declan puxa a cinta-liga por sob minha perna. Ele sai de debaixo da saia com a faixa de renda branca entre os dentes. Com um puxão furioso, ele tira a peça da boca e a lança no ar sem nem olhar para trás.

— Aproveitem a noite. — Declan não me ajuda a me levantar da cadeira. Ele me tira do assento e me pega nos braços no estilo nupcial, aumentando a euforia da multidão.

Cutuco o ombro dele.

— Hmm, Declan?

— Quê? — Seus olhos se suavizam.

— É para você me carregar no colo na hora de entrar em casa, não de sair daqui.

Ele suspira como se eu fosse o maior inconveniente do mundo.

— Você não conseguiria sair por aquela porta de sapato baixo, que dirá com esse salto.

— Hmm.

Suas sobrancelhas se franzem.

— Quê?

— Talvez você se importe, sim, comigo, afinal de contas.

— É a bebida falando.

Suspiro.

— O Jose realmente tem jeito com as palavras.

Seus braços se apertam ao meu redor.

— Quem é esse Jose?

Sorrio com a cara na lapela de seu paletó.

— Ninguém importante.

— Que bom, assim ninguém vai sentir falta dele quando morrer.

* * *

Daria para imaginar que Declan se suavizaria comigo agora que sou oficialmente sua esposa.

Errado.

No momento em que Harrison estaciona o Maybach, Declan praticamente me joga no banco de trás. Caio no couro axadrezado com um *hunf*, e o tecido de meu vestido se abre ao meu redor como uma nuvem.

— Custava ser gentil? — Ergo os olhos para ele.

Declan me ignora enquanto fecha a porta na minha cara. Tenho quase certeza de que uma parte do meu vestido está pendurada para fora, presa no batente da porta.

— Vou tomar isso como um sim — resmungo.

Seu motorista idoso quase tropeça nos próprios pés para chegar à porta de Declan antes dele. O coitado do Harrison deve estar com medo de perder o emprego pela cara de mau do patrão. Não o julgo.

Mas o que despertou a raiva dele? Declan nem olha para mim enquanto se senta, o que só aumenta o aperto no meu peito.

— Você está agindo como uma criança.

Cri-cri-cri.

— Vai me ignorar o tempo todo?

A única resposta que recebo é o barulho do motor quando o motorista de Declan sai com o carro.

— Está bem. — Faço menção de mexer no painel para colocar uma música, mas Declan me lança um olhar que me faz recuar a mão.

Depois de cinco minutos inteiros de silêncio, meu cérebro cheio de tequila se rende.

— Eu esqueci como um casamento podia ser divertido. Fazia anos que não ia a um.

Declan fica em silêncio enquanto continua a mexer no celular.

— Foi legal conhecer a namorada do Rowan. Ela é fofa.

Sua mão aperta o celular. *Hmm. Interessante.*

— Não sei por que você não gosta dela. Não é culpa dela que o Rowan preferiu ficar em Dreamland a virar CFO. Você deveria dar uma chance a ela, pelo menos.

O tique no maxilar dele ressurge, mas ele nem se dá ao trabalho de olhar para mim. *Vamos lá. Me diz qualquer coisa.*

— Eles nos convidaram para jantar amanhã à noite, e, já que não vamos sair em lua de me...

A cabeça de Declan se ergue.

— Nós *não* vamos jantar com eles.

— Mas você mal conversou com o Rowan desde que ele decidiu ficar em Dreamland. Acho que seria bom passar um tempo com eles enquanto estão na cidade...

— Não pago você para se preocupar com assuntos de família.

Cerro o punho em meu vestido.

— Sorte a sua que estou fazendo isso de graça.

Seus olhos se voltam para a tela do celular.

— Não precisa. Não vou jantar com o Rowan e a namorada dele.

— Zahra. O nome dela é *Zahra*.

— O nome dela é tão irrelevante quanto a relação dela com o meu irmão.

Não consigo evitar a expressão horrorizada no meu rosto.

— Nossa, sua capacidade de guardar rancor me assusta.

— Que seja uma lição para não mexer com meu lado ruim.

— Ultimamente está começando a parecer que *todos* os seus lados são maus.

— Quem diria que ter uma esposa seria tão bom para o meu ego? — Sua voz assume um tom sarcástico.

— É função da esposa chamar sua atenção para suas merdas porque o resto do mundo definitivamente não vai fazer isso. Não quando tem medo demais de abrir a boca perto de você.

— Que parte de *não somos um casal de verdade* você acha difícil de entender?

Meu peito aperta. Pensei que Declan e eu estivéssemos entrando em uma amizade confortável, mas seu humor hoje me faz me questionar se ele não estava só me agradando para que eu não desse para trás no acordo.

Suas palavras na noite do noivado voltam para me atormentar. *Não há nada que eu não faria para ganhar a minha herança. Lembre-se disso quando esquecer que essa história não passa de um jogo para mim.*

É só isso, então? *Um jogo?* Agora que ele conseguiu o que quer, não tem mais motivo para jogar. A ideia causa uma dor estranha no meu peito, logo acima do coração.

Engulo em seco o nó na garganta. A única culpada sou eu. Declan sempre deixou claras as suas intenções, e fui idiota de interpretar nossa relação de maneira totalmente errada.

Por que você se importa, afinal? Nada disso é real.

Porque talvez, em algum lugar ao longo do caminho, eu tenha esquecido que isso era só uma mentira.

***

Não falo com Declan pelo resto do caminho. Se ignorar um ao outro fosse um esporte, nós dois seríamos capitães de equipe.

Depois que Harrison estaciona, eu me debato com quilos de tule e renda e saio com a elegância de um cavalo recém-nascido.

— Iris — Declan me chama.

Não me viro. Estou com medo demais de que todas as minhas emoções estejam estampadas no rosto.

— Vou dormir.

— Você se esqueceu da sua bolsa.

Sou tomada pelo impulso de bater o pé, mas me contenho.

— Certo. — Maldita bolsa. Eu sabia que devia ter escolhido um vestido de noiva com bolsos.

Eu me viro, evitando seus olhos enquanto abro a porta e procuro no banco vazio.

— Aqui. — Seu peito encosta em minha coluna quando ele me encurrala entre o carro e seu corpo. Eu me viro, tentando evitar contato de pele com pele, e fracasso. A parte da frente de seu smoking roça contra meu corpete, fazendo uma onda de calor me perpassar.

Ele estende minha bolsa. As letras cintilantes de *Sra. Kane* brilham sob as luzes altas, tão horrendas quanto no dia em que a organizadora de casamento me deu o acessório. Pela cara de Declan, ele também odeia o fato de seu nome ser ostentado como um pônei de circo. Posso tão ter passado pelas mesmas coisas que ele na infância, mas estou começando a entendê-lo um pouco melhor. Pela maneira como as pessoas me trataram no casamento, me tornar uma Kane é como um convite aberto para caçadores de influência e alpinistas sociais se aproximarem de mim.

Olho para a bolsa, que serve como lembrete de minha obrigação. Da promessa que fiz a Declan de ficar ao lado dele aconteça o que acontecer.

Por mais que ele conspire para conseguir o que quer.

— Com licença? — Faço sinal para ele recuar.

Ele sai da minha frente. Tento escapar, mas sou retida pela mão de Declan no meu cotovelo. Seu aperto não machuca, mas expressa um pedido silencioso.

Fique.

Mas por quê?

— Pois não? — pergunto.

— É tão ruim assim?

Ergo os olhos para ele.

— O quê?

— A ideia de se tornar minha esposa.

Juro que os altos e baixos de seu humor esta noite estão me deixando maluca.

— E agora de repente você se importa com a minha opinião? Não sei se você me paga o suficiente por esse tipo de serviço.

Seu maxilar se cerra.

— Responda à pergunta.

— *Não.*

— Você precisa ser sempre tão difícil?

— Não sei. Você precisa agir sempre como um cretino?

— Eu sou assim.

Recuo, tirando o cotovelo da sua mão.

— Acredite em mim. Posso ter demorado mais tempo do que os outros, mas finalmente entendi por que todo mundo te chama de cretino.

Sua piscada longa fala por si só.

— Quê?

— O jeito como você me tratou hoje, bem na nossa noite de casamento, é inaceitável. Mas acho que você não dá a mínima para como ou quando machuca os sentimentos de outra pessoa, desde que consiga o que quer.

— O que eu disse no carro...

Ergo a mão.

— Não se preocupe. A culpa é minha por criar expectativas falsas sobre nós.

Seus olhos se estreitam bem de leve.

Mas eu prossigo, querendo esclarecer as coisas de uma vez por todas.

— Nunca fiz nada disso por amor. Óbvio. — Uma risada constrangida me escapa. — Só queria ajudar porque pensei que nós fôssemos amigos. E, sim, antes que você diga que nunca quis ser meu amigo, tenho consciência de que provavelmente foi burrice da minha parte pensar isso. Aprendi a lição.

Ele abre a boca, mas eu o interrompo.

— Eu percebi que também não quero ser sua amiga. Porque chegar perto de você significa questionar as suas motivações sobre tudo, e, francamente, é um esforço grande demais por alguém que nem parece gostar de mim.

CAPÍTULO CATORZE
Iris

Mantenho a cabeça erguida durante todo o caminho até meu quarto. Em vez de me sentir agitada pela conversa com Declan, sou tomada por uma onda de calma. Parece que finalmente estamos de volta ao ponto onde estávamos antes do noivado relâmpago. Claro, uma degustação de bolo e um jantar em família podem ter sido uma mudança de ares divertida para nós, mas não passou disso.

Um espetáculo para as massas – meio que como uma turnê da realeza.

Levo vinte minutos para desfazer horas de cabelo e maquiagem. É possível que eu tenha arrancado metade dos meus cílios junto com a cola, mas é um preço pequeno a se pagar para finalmente me sentir eu mesma novamente.

Quando chega hora do vestido, quase dou um mau jeito nas costas ao tentar abrir os botões vintage que formam uma linha na minha coluna.

— Puta que pariu — resmungo enquanto me viro e me contorço na frente do espelho de corpo inteiro. Nada funciona, e acabo encarando meu reflexo com as mãos no quadril.

Não tem como sair deste vestido sozinha. Solto um suspiro resignado enquanto engulo meu orgulho e saio do quarto.

Minha primeira batida na porta de Declan ecoa pelo pé-direito alto. Fico ali, esperando que ele abra a porta. A pressão no meu peito cresce conforme o tempo vai passando. Dez segundos se transformam em trinta e, quando dou por mim, estou batendo de novo.

— Declan! Preciso da sua ajuda!

É difícil *admitir*. Se ele estava dormindo, com certeza agora não está mais. O barulho da maçaneta me dá a esperança de que eu não precise dormir em meu vestido de noiva hoje.

Que ideia deprimente.

Quando Declan abre a porta, quero correr na direção oposta. Minha frequência cardíaca regular se acelera ao ver o peitoral musculoso e *nu* de Declan totalmente à mostra.

Eu engasgo com minha inspiração seguinte.

Gotículas de água escorrem por centímetros de músculo pálido antes de desaparecerem em uma toalha branca enrolada em sua cintura fina. Ele tem músculos abdominais em forma de V que apontam como uma flecha para uma região em que eu definitivamente não deveria estar pensando agora. Uma região que só comprova que Declan é bem-dotado mesmo quando não está excitado.

Um calor se espalha no meu ventre. Meus olhos dão mais uma conferida, e minhas mãos coçam para se aproximar e traçar o bloco de músculos também conhecido como seu estômago.

Isso não pode estar acontecendo comigo. Meus olhos voltam a subir para o rosto dele, torcendo para Declan *não* ter notado meu lapso temporário de sanidade.

Ele ergue uma sobrancelha para mim com uma curiosidade silenciosa.

Ai, meu Deus. Ele sabe que você gosta do que está vendo.

Tento pensar em uma resposta, mas sinto a garganta seca de repente.

— Você queria minha ajuda? — Ele para na minha frente.

Sua ajuda! Isso!

— Não alcanço os botões. — Minha voz soa muito mais esbaforida do que eu gostaria de admitir. Considerando nossa discussão no carro, eu poderia pelo menos fingir estar descontente em sua presença.

Declan me cerca como um predador. Seus músculos se movimentam a cada passo, e fico surpresa por não botar a língua para fora como um cachorro arfando atrás dele.

Ele puxa meu cabelo desgrenhado por sobre o ombro, e calafrios se espalham pela minha pele.

Isso *não* devia estar acontecendo.

Qualquer pessoa com olhos se sentiria atraída por um tanquinho. É a evolução nos convidando para escolher um parceiro que possa nos sustentar.

Sustentar com o quê? Vigor ilimitado e orgasmos?, respondo.

— Deve ter uns cem botões. — Ele me tira de meus pensamentos, e por isso eu serei eternamente grata.

O riso me escapa antes que eu tenha a chance de impedir.

— Cento e vinte, segundo a minha avó.

Ele resmunga.

— Entre para eu conseguir ver melhor na luz.

O convite é inocente, mas meu corpo não parece receber a mensagem enquanto Declan me chama para dentro de seu quarto na direção da luz de sua mesa de cabeceira.

— Só vou colocar uma roupa.

Por favor, não.

Qualquer que seja a expressão no meu rosto faz os cantos de seus lábios se erguerem.

— Já volto. — Ele caminha em direção ao closet, mas olha por sobre o ombro no último segundo.

Minhas bochechas coram quando sou flagrada cobiçando seu corpo. Ele ergue uma sobrancelha.

— É feio encarar.

— É só não andar pelado por aí. Problema resolvido. — *Boa menina.* Ele balança a cabeça e entra no closet sem olhar de novo em minha direção.

Paro um momento para observar os objetos pessoais em sua mesa de cabeceira. Um exemplar surrado de *O grande Gatsby* tem cinco post-its diferentes marcando as páginas amareladas, alinhado ao lado do controle remoto da TV. Meus olhos se arregalam para o pequeno cacto que comprei para ele dois anos atrás de presente de Natal.

— Ai, meu Deus. Ainda está vivo? — Estendo a mão e pego o vasinho em que está escrito *Não me espete*.

— Eu consigo cuidar de um cacto.

Eu me assusto com o som de sua voz.

— Mas já faz dois anos! — E ele o guarda na *mesa de cabeceira*. Não tenho coragem de perguntar por quê, embora o impulso seja forte.

Ele cala minha boca traçando um dedo na parte de baixo da minha espinha, bem ao lado dos cem botões cor de marfim. O vaso em minha mão treme quando seu hálito quente atinge minha nuca. Minha pele formiga em resposta, e coloco o vaso na mesa para esconder o quanto minhas mãos tremem por sua proximidade.

Ele começa com o botão de cima, mas se atrapalha. Seu resmungo frustrado me faz rir.

— Você está achando isso engraçado?

Rio baixo quando sua mão escorrega de novo.

— Minhas mãos são muito grandes.

Reviro os olhos.

— É claro que são.

— Não estou brincando.

Olho feio para ele por sobre o ombro.

— Bom, a gente precisa dar um jeito, porque eu *não posso dormir com isso.*

— E se eu cortar para você sair dele?

— Não! — O vestido custa cinquenta mil dólares. Não consigo imaginar estragá-lo só porque Declan e suas mãos de Hulk não conseguem abrir uns míseros botões.

Ele suspira enquanto tenta mais uma vez, sem sucesso.

— Tesoura ou faca?

— *Você só pode estar de brincadeira.*

— Prefere que eu rasgue o vestido?

— De jeito nenhum! — Dou um passo para a frente, obrigando-o a me dar um pouco de espaço. — Já volto.

Vou até o meu quarto, abro uma caixa marcada como *material de jardinagem* e tiro uma tesoura. Ainda tem um pouco de terra nela, mas não importa. Afinal, nunca mais vou usar esse vestido, embora a opção de doá-lo não esteja completamente fora de cogitação.

— Maldito Declan e suas patonas enormes — resmungo baixo enquanto volto ao quarto dele. — Pronto. — Boto a tesoura no peito dele.

Ele baixa os olhos para ela.

— Não é assim que eu estava esperando que esta noite acabaria.

— Decepcionante?

— *Divertida.*

Nossos olhos se cruzam, e algo se passa entre nós. Um olhar faz faíscas perpassarem minha pele e me deixa à beira de uma parada cardíaca. É como se nossa discussão na garagem nunca tivesse acontecido. Embora eu queira ficar irritada comigo mesma, não consigo evitar quando se trata dele. Ele pode ser um babaca, mas eu sabia em que estava me metendo quando me casei com ele.

— Vai logo. — Eu me viro de novo e seguro o cabelo antes que ele tenha a chance de movê-lo por mim. Quanto menos contato tivermos, melhor. Já estou me sentindo fraca hoje com as coisas como estão.

Ele segura a gola de renda do meu vestido.

— Não se mexa nem um centímetro. — O toque frio do metal na base da minha nuca me faz prender a respiração.

Eu não me atreveria. Não com minhas pernas ameaçando ceder a qualquer momento.

O som da tesoura cortando a renda faz outra série de calafrios perpassar meus braços. O ar frio atinge a pele no alto da minha espinha, e eu aperto a parte da frente do vestido junto ao peito para que não caia no chão.

Declan corta o tecido mais devagar que o necessário, e o lado cego da tesoura roça minhas costas a cada corte.

— Quase pronto. — Sua voz é muito mais rouca do que o normal.

Com alguns últimos cortes, minhas costas inteiras estão à mostra para ele. Ele joga a tesoura na cama quando acaba. Nenhum de nós se mexe, e minha ansiedade cresce a cada segundo que passa. Olho por sobre o ombro e o encontro contemplando minhas costas nuas como um quebra-cabeça que não consegue resolver.

— Obrigada. — Tento dar um passo para me afastar dele, mas paro quando suas mãos se estendem e deslizam pela minha espinha. Meu coração bate forte no peito, ameaçando saltar quando ele para logo acima de minha calcinha de renda. O tesão me atinge como um soco na cara. Não consigo evitar prender a respiração quando ele traça a beira da minha calcinha. Seus dedos roçam meus calafrios, e eu inspiro fundo.

Ele puxa, e um longo fio branco estoura.

— Isso estava me incomodando.

Observo horrorizada enquanto o fio cai perto de seus pés descalços. É claro que, enquanto eu estava ansiando pelo seu toque, ele estava pensando numa merda de fio. É horrível pensar que eu desejei que ele se sentisse atraído por mim.

Esta noite foi o último sinal de alerta de que eu precisava. Por mais que meu corpo possa reagir a seu toque, é apenas isso. Uma reação de substâncias químicas respondendo a feromônios. Nada além da seleção natural fazendo seu trabalho, me incentivando a acasalar com o pior parceiro do planeta, só porque ele é gostoso e está disponível.

Eu me recuso a me deixar cair pelo seu toque novamente. Porque, na próxima vez, pode não haver um fio que me impeça de tomar uma decisão terrível.

CAPÍTULO QUINZE
Declan

Agi como um escroto ontem à noite por uma infinidade de motivos. O jeito como me comportei em minha cerimônia de casamento foi o primeiro erro em uma série de arrependimentos, todos porque eu não conseguia controlar meus sentimentos. Depois de todos esses anos, era de se pensar que eu tivesse dominado a arte de não dar a mínima. É decepcionante saber que bastou Iris entrar num vestido de noiva para estragar todo o meu trabalho árduo.

Você não vai cometer esse erro de novo.

Não se eu puder evitar. Fiquei acordado até tarde repassando minha nova estratégia em relação à nossa união de mentira. Tudo que aconteceu em nossa noite de casamento fica no passado. De agora em diante, vamos tomar mais cuidado para evitar nos colocar em situações que possam levar a consequências desastrosas.

Por exemplo, abrir a porta de toalha, sabendo que ela estava do outro lado?

Exato. Essa não foi minha atitude mais inteligente, mas não vou cometer o mesmo erro duas vezes.

Bato na porta de seu quarto com a mão livre. Ela grita algo indecifrável com a voz rouca, então bato na madeira mais uma vez. Um baque que soa estranhamente como um travesseiro acertando a porta me faz sorrir comigo mesmo.

Iris pode ter muitas qualidades, mas não é uma pessoa matutina.

Limpo a garganta.

— Estava correndo e comprei um café pra você.

— Do Joe's?

Chega a ser arrepiante o fato de ela saber disso.

— Sim.

— Cobertura de baunilha com leite integral?

Meus dentes rangem.

— Óbvio.

Seu gemido abafado através da porta faz uma corrente de energia percorrer minha espinha.

— E chantili extra?

Suspiro.

— Abra a porta e descubra.

Seu riso atravessa as frestas da porta e se infiltra no meu peito. Espero dois minutos enquanto ela faz sabe-se lá o quê dentro do quarto. Ela finalmente abre a porta, revelando os olhos vermelhos acentuados pelo rímel borrado. Não era para isso provocar nenhum interesse da minha parte, mas o jeito como meu sangue aquece diante de sua camiseta desbotada na altura da coxa me faz questionar minha sanidade. Preciso de um grau insuportável de esforço para desviar os olhos de suas coxas. Levo um tempo para chegar a seu rosto, me distraindo facilmente pelo volume de seus seios contra o tecido da camiseta.

Pare com isso.

— Tome. — Estendo o café como se carregasse uma doença contagiosa. Nossos dedos se tocam, fazendo uma levíssima vibração perpassar minha pele.

Seus olhos se voltam para meu rosto antes de se concentrar no copo de café.

— Obrigada pela bebida de desculpas.

— Não tem nada a ver.

— Tá. Claro. Se isso ajuda a manter a sua masculinidade frágil intacta. — O suspiro que ela solta enquanto dá um gole vai diretamente para o meu pau.

— Vou pegar de volta... — Tento roubar o copo, mas ela o segura com firmeza.

— Nem pense nisso! Essa deve ser a melhor coisa que já me fizeram de manhã.

— Já entendi por que os seus relacionamentos fracassaram. — As palavras escapam da minha boca antes que eu tenha a chance de pensar.

Porra, Declan. De onde saiu isso?

Não queria que isso escapasse.

Diga o que veio dizer e caia fora daqui.

— Você acabou de fazer uma piada sobre a minha vida sexual? — Sua voz tem um tom letal.

Eu é que não vou voltar a esse comentário. Aperto os lábios para evitar dizer mais alguma coisa.

Então você não devia ter dito nada desde o começo.

O olhar dela endurece.

— Acho que está na hora de *nós* definirmos algumas regras *básicas*.

— Regras — repito em um tom seco.

— Sim. *Regras*. Você se lembra das nossas, não?

— Tenho uma vaga lembrança.

Seu sorriso seria capaz de deixar qualquer homem de joelhos.

— Vamos relembrar. Todos os olhares. — Ela passa os olhos pelo meu corpo como um toque fantasma, deixando minha pele ardente. — Todos os toques. — Basta um dedo seu nas minhas bochechas para me fazer avançar como um homem ávido por atenção. — Todos os beijos. — Dessa vez ela aperta meu queixo com violência, puxando minha cabeça para baixo. Seus lábios encostam no canto dos meus. É uma réplica exata do meu beijo em nossa festa de noivado, mas dessa vez ele provoca uma reação completamente diferente em mim. — Não passam de uma mentira.

Estou duro como uma rocha dentro do short de corrida. Limpo a garganta, piscando para disfarçar a excitação nos meus olhos antes que ela note.

Isso porque vocês estavam na mesma página.

— Certo. Concordo. Nada de falar de ex. — Não tenho nenhuma digna de nota, e os dela estão exatamente onde deveriam estar.

No passado.

— Ótimo. Que bom que concordamos em relação a isso. — Ela toma um gole de sua bebida.

— Por mais divertida que esteja esta conversa, tenho mais o que fazer.

Ela ergue a sobrancelha.

— Então por que está aqui? Com *café*?

— Porque preciso conversar com você sobre ontem.

— Que parte?

— Tudo.

— Bom, então. Vá em frente. — Ela toma mais um gole de sua bebida enquanto procura sinais de emoção em meu rosto.

Não vai encontrar nenhuma. Faço questão disso.

Começo pelo assunto mais difícil.

— Nosso beijo...

— Beijos. No plural. E foi você que instigou os dois, só para deixar claro.

Minha pele queima embaixo da camiseta.

— Beijos. Nunca mais vão acontecer de novo.

Ela sorri.

— Ótimo. Você não vai ouvir nenhuma objeção da minha parte.

Ótimo? Eu estava esperando que ela pelo menos oferecesse alguma resistência. Pela maneira como olhou para mim ontem à noite, pensei que faria alguma coisa além de me encarar com um sorriso presunçoso.

Talvez você a tenha entendido mal.

— Embora beijar você tenha sido um mal necessário para dar satisfação para o público, não precisamos mais fingir atração um pelo outro.

Algo cintila nos seus olhos antes de ela se recuperar.

— Que bom. Deus o livre de você ter que *fingir* estar a fim de mim.

Foi algo horrível, mas eficaz de se dizer. Minhas palavras causaram um estrago, exatamente como imaginado. É melhor assim. O fato de eu me sentir compelido a tocar nela ontem à noite sem que ninguém nos visse diz muita coisa.

— Bom, agora que deixamos tudo claro, vou tomar meu café. — Em seguida, ela bate a porta na minha cara.

Ótimo. Correu mais ou menos como planejado.

***

Eu sabia que meu pai me convidar para almoçar era uma armadilha, mas aceitei mesmo assim. Depois da conversa que ele teve com Iris, estou interessado em determinar quantos problemas ele pode me causar. Minha intuição me diz que nada na minha batalha pelo cargo de CEO vai ser *fácil.*

Os olhos castanhos de meu pai passam do cardápio para meu rosto.

— Algum plano de lua de mel?

— Não precisa fingir que se importa comigo.

Ele suspira.

— Só estou puxando assunto.

Papo furado. Toda pergunta e toda afirmação que ele faz sempre têm segundas intenções. Por causa dele, eu me tornei especialista em ler nas entrelinhas.

— Iris e eu vamos viajar na sexta-feira. — Agora vamos, pelo menos. Não ligo para qual possa ser o destino, tanto faz, desde que a gente vá a algum lugar.

— E a reunião trimestral de orçamento?

— Tenho certeza de que você consegue revisar meus relatórios sem mim. Nunca mais vou ter outra lua de mel, afinal. — Os cantos de meus lábios ameaçam se erguer.

— Você parece encontrar uma solução para tudo.

O duplo sentido por trás de suas palavras não me escapa.

— Ganhei muita prática consertando as confusões de alguém ao longo dos anos.

— Você nem finge mais gostar de mim?

— Acho um esforço em vão. Você me odeia e eu odeio você, então por que fingir?

Ele se atreve a fingir desagrado.

— Não odeio você.

— Acho difícil acreditar nisso considerando o nosso passado. — Um passado que nunca vou esquecer enquanto for vivo.

— É exatamente por isso que respeito você mais do que seus irmãos. Ao contrário do Cal ou do Rowan, você não tem medo de dizer o que pensa.

— Nós temos ideias muito diferentes sobre o que é respeito.

— Seja como for, acho seus esforços admiráveis. É por isso que considero você uma ameaça, aliás.

— Não posso dizer o mesmo de você.

Ele ri baixo.

— Pensei que tivesse ensinado você a não subestimar seu inimigo.

— Faça-me o favor. Dou atenção até demais a você.

— Você pode ser inteligente, mas deixa a sede de vingança cegar sua capacidade de pensar com clareza. Por que outro motivo se casaria logo com a sua assistente? Nem eu achei que estivesse *tão* desesperado assim pela herança.

Algo estoura dentro de mim.

— Se você falar assim dela de novo, juro que vou tornar seus doze últimos meses como CEO um verdadeiro inferno.

Consigo trabalhar com ele ou contra ele. Pelo bem da empresa, estou disposto a fazer a primeira opção, mas, se ele continuar a insultar Iris, tudo pode acontecer. Ela se provou leal de todas as maneiras, então o mínimo que posso fazer é defendê-la de gente como ele.

Qualquer que seja a expressão que ele vê no meu rosto lhe provoca um riso grave.

— Não me diga que você realmente se importa com ela.

Faço um esforço para manter a expressão vazia e retraída.

Ele balança a cabeça devagar.

— E pensar que eu considerava você meu filho mais esperto. Que decepção.

— Essa conversa tem algum objetivo ou você só está falando para ouvir o som da própria voz?

— Tenho certeza de que você sabe por que te chamei aqui. — Seu sorriso maldoso me deixa em alerta.

— É possível que você tenha que se explicar, já que acha minha inteligência decepcionante.

— Considere isso um aviso de pai para filho.

— Sobre?

— Seu avô pode ter lhe dado uma oportunidade para me usurpar, mas isso não significa que você vá conseguir. Não pretendo desistir facilmente.

— Isso vai tornar a vitória ainda melhor.

Ele ergue seu copo d'água.

— Que vença o melhor Kane.

Encosto meu copo no dele.

— Ele já venceu.

∗ ∗ ∗

— Preciso que você faça reserva para uma viagem. — Paro diante da mesa de Iris. Depois de passar todo o caminho pensando na conversa com meu pai, cheguei a uma conclusão.

Tenho que me comprometer com meu papel de marido dedicado – lua de mel e tudo.

Iris tira os olhos do computador com a expressão franzida.

— Para Tóquio?

— Não. Escolha um lugar. *Qualquer* lugar com água encanada e wi-fi.

Ela olha ao redor e embaixo da mesa.

— Buscando uma câmera escondida?

Um levíssimo sorriso perpassa seus lábios.

— Ou isso ou uma escuta. Só para deixar claro, nunca usei nem vou usar drogas. Qualquer substância verde que você possa encontrar no meu quarto é definitivamente do Cal.

— Engraçadinha — respondo com a voz seca.

— Você nunca dá risada? — ela pergunta.

— Só quando faço as pessoas chorarem.

Seu rosto se contorce enquanto ela leva a mão ao peito.

— Cal tem razão. Você é, *sim,* um monstro.

— Um monstro que quer que você escolha uma lua de mel até o fim do expediente.

— Uma lua de mel? Uau! — Ela parece animada demais com a perspectiva para o meu gosto.

— Não pense besteira. É só para manter as aparências.

— Aparências? — Seu sorriso se extingue.

— Tenho quase certeza de que o meu pai vai fazer tudo que está ao alcance dele para deslegitimar o nosso casamento. Cabe a nós rebater as tentativas dele.

Ela suga os próprios lábios

— Fazendo uma viagem de lua de mel? Como isso vai resolver alguma coisa?

— Prova que eu gosto o bastante de você para tirar minha primeira folga em mais de uma década.

Ela dá risada.

— Você deve viver uma vida muito triste se acha que sacrificar o trabalho por uma lua de mel é uma declaração de afeto.

— Não é? — Ela não ouviu nenhuma palavra do que acabei de dizer? Não tiro férias. Fazer isso deveria silenciar qualquer dúvida sobre nossa relação.

Não?

— Não. Não é.

Faço uma careta.

— Quem decide isso sou eu.

Os olhos dela reviram.

— Claro. Podemos fazer as coisas do seu jeito, *já que você é tão* mais experiente em relacionamentos. — Ela murmura algo como *os homens sempre acham que sabem tudo*.

Bato o punho na mesa dela.

— Reserve o avião para sexta.

— *Esta* sexta?

— Vai ser um problema?

Ela dá um gritinho.

— Não! Mesmo que fosse, eu me recuso a deixar essa oportunidade de ouro ser desperdiçada. Faz *anos* que não tiro férias.

— Pelo menos você finalmente vai tirar alguma coisa boa disso tudo.

Ela dá um tapa na mesa com um olhar severo.

— Está dizendo que existe algo melhor do que me casar com *você*? Eu me recuso a acreditar nisso.

Eu me viro e saio em direção a minha porta, escondendo o sorriso que se abre no meu rosto. Iris é a única pessoa com a capacidade de me fazer sorrir. Não que ela saiba disso. Fiz o possível para esconder o poder que ela exerce sobre o meu humor.

CAPÍTULO DEZESSEIS
Iris

Se alguém tivesse me contado um mês atrás que Declan me daria seu cartão black e me mandaria planejar uma lua de mel, eu teria enviado a pessoa para o hospital mais próximo para examinarem sua cabeça. E eis que foi exatamente isso que Declan fez.

— Dinheiro não é problema — ele diz, antes de desaparecer atrás das portas duplas.

Dou um gritinho enquanto giro em minha cadeira.

— Não faça barulho — ele grita do outro lado da porta de madeira.

Fecho os lábios enquanto pego o celular e mando mensagem para Cal.

Eu: Adivinha quem vai ter uma lua de mel, afinal.

Cal: Como você o convenceu?

Cal: Afogamento?

Cal: Privação de sono?

Cal: Sexo???

Cal: Espera. Se for a última, não me conte. Não quero saber.

Dou risada enquanto digito a resposta.

Eu: Seu pai.

Cal: *Fingindo surpresa.*

Eu: Quer me ajudar a planejar alguma coisa?

> **Cal:** Chego aí em 15.

* * *

— Não. — Enfio um bolinho na boca.

— Mas é Bora Bora — Cal responde, com um olhar exasperado.

Faço que não.

— Parece chato. — O bom é que Cal não consegue ver como minhas bochechas ardem pela mentira.

— Qual é o seu problema?

A questão é: qual *poderia* ser meu problema se eu escolhesse um lugar de lua mel que exigisse que Declan andasse sem camisa e molhado de um lado para o outro o dia todo. Até eu conheço meus limites, e esse é um deles. Depois do showzinho que tive na última vez que Declan estava sem camisa, é melhor não testar as coisas.

Cal usa o mouse para navegar pela matéria de jornal que recomenda "Os dez melhores destinos de lua de mel do mundo".

— Que tal Maui?

Franzo o nariz.

— Não.

— Fiji?

— Passo.

— Juro que, pelo jeito como você está agindo, parece que não quer lua de mel nenhuma.

— Eu quero! — Mas não quero nenhum lugar que exija tirar a roupa.

Ele me encara.

— Que tal a África do Sul?

Hm. Está aí uma ideia…

— Me fale mais.

Ele parece absolutamente horrorizado pelo meu interesse.

— Você não pode estar falando sério. Você prefere um safári a Bora Bora?

— Por que não?

— Porque não é romântico.

Franzo a testa.

— Pode até ser uma lua de mel, mas não é para ser romântica.

Quanto mais Cal insiste, mais a ideia de um safári me parece atraente. Nada diz *não encoste em mim* mais do que repelente, enjoo e ver animais se devorando. Com uma viagem agitada como essa, o risco de Declan e eu fazermos alguma besteira é quase nulo.

Jogo meu guardanapo na mesa e dou um tapinha na barriga cheia.

— Fechou. Vamos para a África do Sul.

Cal resmunga, e eu sorrio.

Problema resolvido.

***

Planejar uma viagem à África de última hora é estressante. Preciso conciliar a agenda cheia de Declan, consultas médicas para tomarmos nossas vacinas e ligar para alojamentos de safári para ver quem tem disponibilidade de última hora. Faço tudo isso ao mesmo tempo em que trabalho das nove às nove todos os dias.

Declan é absolutamente imprestável quando se trata de planejar qualquer coisa, então acabo tendo que fazer tudo sozinha. Voos. Itinerários de viagem. Acomodações. Tudo cai sobre meus ombros, *já que Declan não liga para onde vamos, desde que eu poste algumas fotos e faça parecer que nos divertimos*. Palavras dele, *não minhas*.

Por causa de sua atitude, não me sinto mal em reservar o alojamento de safári mais caro da lista. Até marco um horário no salão para trançar o cabelo – tudo no cartão pessoal dele. É o que ele merece por ser tão frio e insensível sobre o processo todo. O mínimo que ele poderia ter feito era me perguntar se eu precisava de alguma ajuda. Ou até me agradecer por organizar isso tudo no último minuto, tudo para que ele pudesse provar para os outros que somos um casal feliz.

São as pequenas coisas que fazem as pessoas se sentirem valorizadas. Não que Declan se importe.

Suspiro enquanto olho pela janela do carro.

— Qual é o problema? — Declan não se dá ao trabalho de tirar os olhos do celular.

— Nada. Só pensando que eu preciso terminar de fazer as malas por nós dois hoje. — A mentira sai com facilidade dos meus lábios. Afinal, Declan não se importa com meus sentimentos sobre o assunto.

Declan continua em silêncio.

— Tem alguma coisa em particular que você queira que eu coloque na sua mala? — pergunto.

— Não. — Ele franze a testa enquanto digita na tela.

É assim que vai ser minha vida nos próximos três anos? Falando com alguém que está o tempo todo grudado na tela do celular?

O vazio no meu peito se intensifica com o passar dos minutos. Declan continua alheio, e afundo mais no mal-estar.

O que você estava esperando? Que o casamento o faria mudar automaticamente? Não é assim que o mundo funciona.

No mínimo, pensei que Declan me daria um pouco de seu tempo, considerando o fato de que sou sua esposa agora.

Pare de desejar coisas que você nunca vai ter.

Suspiro de novo. Dessa vez, Declan não se dá ao trabalho de comentar. Como ele poderia, se está ocupado demais atendendo o telefone e gritando com alguém do outro lado?

História da minha vida.

* * *

O celular vibra na minha mão. Eu o desbloqueio e encontro a mensagem mais recente de Cal.

Cal: Você chegou a agradecer ao meu pai pela lua de mel de última hora?

Eu: Vou lembrar de mandar uma cesta de agradecimento quando voltar.

Cal: Devo avisar para ele prestar atenção se tem uma bomba-relógio lá dentro?

Eu: Não estrague a surpresa! Essa é a melhor parte.

Cal responde com uma série de emojis de gargalhada.

Declan se senta na poltrona de capitão à minha frente. A aeromoça não demora para perguntar se ele precisa de alguma coisa, mas ele simplesmente a ignora enquanto clica na tela do tablet.

— Estou aqui para servir o senhor como precisar. Por favor, não hesite em pedir qualquer coisa durante o voo longo. Ela bate as pálpebras para Declan com ar sedutor.

Servir? Que lambisgoia.

Declan continua indiferente à insinuação óbvia dela. Ele nem se dá ao trabalho de erguer os olhos, apesar do jeito como ela para ao lado da poltrona dele, babando em todo o carpete.

Limpo a garganta.

— Com licença?

Ela nem se volta em minha direção.

— O capitão disse que a viagem vai ser tranquila. Estou curiosa para saber por que o senhor escolheu a África do Sul.

— Sempre quis fazer um safári. — Faz três dias, pelo menos.

Ela se atreve a me lançar um olhar mordaz por sobre o ombro. É sério que ela vai me ignorar enquanto flerta com ele? Ele está usando uma *aliança de casamento,* pelo amor de Deus.

— Meu marido e eu vamos querer duas taças de champanhe, por favor. — Ergo a mão esquerda no ar para chamar sua atenção, e o diamante reflete um arco-íris de cores no teto.

Ela me lança um olhar com a sobrancelha erguida.

— Como é?

Como é digo eu. Ranjo os dentes.

— Na verdade, você poderia trazer a garrafa toda? Estamos em clima de comemoração.

— Vocês são casados? — Os olhos dela alternam entre nós dois antes de pousarem na aliança de Declan. A maneira como seu sorriso se fecha faz o meu se abrir.

— Traga o que a minha esposa pediu. — Declan não tira os olhos do tablet.

Sinto um frio na barriga que não tem nada a ver com nervosismo de viagem.

— Claro. Imediatamente, senhor! — Ela sai correndo para a traseira do jatinho particular.

— *Imediatamente, senhor!* — imito o entusiasmo dela com um revirar de olhos.

O canto da boca de Declan se ergue enquanto ele finge interesse no que está em sua tela.

Olho feio para ele.

— Está se divertindo?

— Acho sua possessividade engraçada.

— Eu *não* sou possessiva.

— Hmm — ele responde. Seus dedos fazem *tec tec tec* na tela.

Eu me ajeito na poltrona, e as pontas de minhas tranças tocam a minha lombar.

— Certo, que seja. Mesmo que eu fosse, foi merecido. Ela não devia ter flertado com você enquanto você usa uma aliança.

— Sei. — Ele passa o indicador pelo vidro antes de clicar na tela do tablet.

— O que você não está dizendo?

— Estou curioso para saber por que você sente a necessidade de ostentar seu estado civil quando se sente insegura.

Meu queixo cai.

— Não estou insegura!

— Tenho consciência dos seus problemas. — Quem é ele para falar sobre problemas de confiança se tem uma senha de dezessete dígitos para desbloquear o *celular*?

— Essa é a parte da relação em que nós compartilhamos os problemas que tivemos com nossos pais? — Faço uma vozinha em tom de brincadeira, apesar do ritmo estrondoso do meu coração. — Porque eu tenho quase certeza de que *nós* poderíamos passar o voo inteiro discutindo quem sofreu mais na infância.

Ele encolhe os ombros.

— Na defensiva como sempre.

Esse filho da put…

Relaxe. Ele é bom em provocar as inseguranças das pessoas e usá-las a seu favor. Em vez de ceder às provocações dele, pego meu celular e me ocupo com minha caixa de entrada. Organizar mensagens é uma atividade relaxante que mantém minha cabeça distraída.

Por mais que eu tente, meus pensamentos viajam.

Problemas de confiança? Quem é ele para pegar no meu pé por causa disso? Tudo nele mostra seus problemas de confiança, desde o acordo pré-nupcial de trinta páginas que assinei até o fato de ele não se abrir por mais que eu o conheça há anos.

Ele reajusta a posição na cadeira.

— Pode confiar que vou me manter fiel.

— Como se essa fosse uma preocupação — deixo escapar.

Sua sobrancelha se ergue em uma pergunta silenciosa.

— Todo mundo sabe dos seus hábitos de sono.

— E quais são? — Há um brilho de quem acha graça nos seus olhos.

— Você não dorme com qualquer uma e não namora. Metade da empresa acha que você é gay, e a outra metade pensa que você frequenta um clube privê para descarregar as energias toda semana.

— Estou desapontado pela falta de criatividade deles. — Há uma tensão em sua voz que não estava presente um momento antes.

— Tentei ajudar todo mundo espalhando um boato sobre uma mulher que visitava sua sala em segredo às sextas-feiras, mas só durou um ano.

— Por que você diria uma coisa dessas? — A expressão neutra dele se transforma em algo aterrorizante. Se não fosse pelo ar ensandecido em seu rosto, eu teria orgulho por tê-lo provocado dessa forma. Não é fácil irritar Declan Kane.

Fico compenetrada em empurrar as cutículas.

— Eu obrigava as pessoas a me enviarem suas tarefas antes do habitual porque ninguém iria querer interromper sua horinha de sacanagem para você assinar algum documento. Todo mundo saía ganhando. Eu conseguia preparar seus relatórios de segunda antes do fim de semana e eles ganhavam promoções pelo trabalho bem-feito.

Ele me encara.

— Você os fez acreditar nisso por um *ano*?

— Está orgulhoso de mim?

— Não.

— Pois deveria estar. Eu me dediquei tanto à história que até contratei algumas mulheres para saírem do seu escritório às cinco. — Arqueio as sobrancelhas.

— Por favor, me diga que não pagou isso com meu cartão pessoal.

Sorrio.

— Não. Era despesa operacional.

Ele esfrega os olhos.

— Às vezes eu acho que sei tudo sobre você, e daí você abre a boca e fala uma coisa dessas.

Minhas bochechas esquentam e eu escondo meu acanhamento com um sorriso.

— Você vai ficar de olho em mim?

— É o que se espera.

— Porque eu sou sua esposa?

Sua resposta é interrompida pela aeromoça chegando com nossa garrafa de champanhe. Ela abre a rolha e começa a nos servir uma taça, debruçando-se propositalmente. Basta uma olhada em seu decote para me fazer agir.

Eu a interrompo.

— Deixa comigo.

O rosto dela se avermelha enquanto coloca a garrafa na mesa e sai.

— O ciúme cai bem em você.

— Ah, cale a boca. — Encho as taças e pego uma para mim.

Declan recompensa minha insolência com um riso grave tão baixo que mal escuto com o ronco dos motores do avião.

Sorrio em resposta enquanto ergo minha taça no ar na direção de Declan.

— Às férias de que eu precisava tão desesperadamente.

Relutante, ele pega a outra.

— E à lua de mel que eu nunca quis.

Bato a taça na dele.

— Saúde!

**

Levo dois dias para me recuperar de um jet lag pesado. Na terceira manhã, eu me sinto melhor do que nunca. Encosto a cabeça em minha fronha de seda enquanto viro de lado e contemplo as janelas panorâmicas do chão ao teto com vista para a mata. A luz rebrilha na superfície de nossa piscina particular, e fico tentada a mergulhar para despertar.

Estico as pernas antes de fazer uma dancinha comemorativa na cama. Eu não tirava férias desde que comecei a trabalhar para Declan, então a ideia de passar dez dias longe me faz querer dançar durante toda a minha rotina matinal.

O som de meu alarme quebra o silêncio. Se eu já não estivesse acostumada a acordar cedo para trabalhar, o horário das cinco da manhã aqui teria sido um saco. Não demoro para me arrumar, considerando minhas opções limitadas de roupas para safári.

Quando saio para a sala de estar, penso que Declan vai estar irritado por eu estar dez minutos atrasada. Mas ele não está aqui. Giro em um círculo antes de atravessar nossa casa particular. O quarto dele fica no lado oposto da casa, lhe dando uma vista igualmente bonita de nossa piscina lá fora.

Um som abafado passa por baixo da porta do quarto dele. Giro a maçaneta e empurro a porta, encontrando Declan curvado sobre a escrivaninha, perfeitamente elegante em um terno. Faço o possível para ignorar o jeito como a bunda dele se destaca, mas meus olhos pausam em sua calça justa porque não sou cega. No entanto, o pequeno choque no meu peito me preocupa o bastante para desviar o olhar de volta a seu rosto.

Franzo a testa para seu traje.

— Você não pode sair assim. Os leões vão te devorar.

Ele me ignora enquanto anota alguma coisa em um caderno.

Olho a hora no celular.

— Combinamos de encontrar o guarda-florestal daqui a cinco minu...

— Desculpa, sr. Kane, o que foi isso? — a voz de uma mulher me interrompe.

Ele me olha feio enquanto leva um dedo à boca.

— Só minha assistente verificando se está tudo bem. Continue, sra. Tanaka.

Tanaka. É claro que Declan atenderia uma ligação da assistente do sr. Yakura. Ela e o importantíssimo chefe dela são algumas das poucas pessoas com acesso direto à linha pessoal de Declan.

A sra. Tanaka diz algo em japonês e Declan responde sem pestanejar. Observá-lo passar de uma língua a outra sempre me impressiona. Não importa se é espanhol, português, mandarim ou japonês, a maneira como as palavras fluem pela língua de Declan é admirável. Tentei aprender algumas aqui e ali enquanto escutava suas conversas, mas nunca tive jeito para as palavras – que dirá as estrangeiras.

Enquanto Declan fala com a sra. Tanaka, entro em seu closet e começo a desfazer sua mala. Não demoro porque fui eu quem fiz a mala mesmo. O terno foi uma surpresa, e fico um tanto irritada por Declan ter pensado em colocá-lo na bagagem. Era para estarmos na mesma página em relação a isso tudo, incluindo não trabalhar.

Porque, sério, de que adianta fazer toda essa farsa de lua de mel se ele vai trabalhar o tempo todo? *Não é isso que casais felizes e apaixonados fazem.*

A sra. Tanaka finalmente termina a ligação e saio do closet dele com uma roupa adequada para um safári.

— Pronto. Vista isto.

— Nós não vamos.

Eu o encaro.

— Desculpa, como é que é?

Seus olhos passam do meu rosto para o meu braço trêmulo segurando as roupas com firmeza.

— O sr. Yakura quer se reunir comigo daqui a algumas horas para discutir a última proposta.

— Você está de brincadeira.

— Não. O homem é impossível. Estou a ponto de abandonar o terreno e mandar os olheiros atrás de um lugar novo.

— Mas...

Ele não me deixa terminar.

— Eu me recuso a desistir quando estou tão perto de fechar o negócio, ainda mais depois que prometi à diretoria que conseguiria entregar a Dreamland Tóquio. — Ele anda de um lado a outro do quarto. Seu corpo grande me dá a sensação de que as paredes estão se fechando ao meu redor.

Balanço a cabeça.

— Acho que não estou entendendo você.

— Ele finalmente me deu um feedback concreto sobre minha proposta e gostaria de uma reunião para aprofundar a conversa...

— Não vou falar sobre a proposta! — Jogo as roupas na cama querendo poder jogá-las na cara dele.

As sobrancelhas de Declan se franzem.

— Você ficou chateada.

— Não, Declan. Fiquei desapontada.

— Você mais do que ninguém deve entender como isso é importante para mim.

Ergo os braços no ar.

— É exatamente esse o meu problema. Eu entendo suas necessidades mesmo que as minhas fiquem prejudicadas.

Quero instantaneamente retirar as palavras, pelo menos para apagar a expressão assustadora no rosto de Declan.

— O que você quer dizer com isso?

— Passei três anos da minha vida cuidando de você, mesmo que significasse sacrificar a minha felicidade — digo sem pensar.

Lá se foi o autocontrole.

Sua boca se afina, empalidecendo seus lábios rosa pela pressão de sua careta.

Abortar missão.

— Deixa pra lá...

— É assim que você se sente? — ele me interrompe.

Preciso de toda a minha força de vontade para não romper o contato visual.

— Sim.

— Por quê?

Sua pergunta me pega de surpresa. Ele lá se importa com o jeito como me sinto? Ele nunca fez questão de perguntar sobre minhas necessidades, e oportunidades não faltaram. Como o Natal que eu perdi porque ele planejou uma viagem de negócios ou as centenas de planos que tive que cancelar de última hora por causa de alguma emergência na Companhia Kane.

Nos últimos três anos, minha vida foi desaparecendo devagar até minha identidade se tornar *assistente do sr. Kane*.

Essa é sua chance de confessar como acabou ficando infeliz com seu trabalho. Abro a boca para falar o que sinto, mas algo em seu olhar me impede. A pele ao redor de seus olhos sombrios se tensiona.

O celular dele toca, cortando o silêncio. A mão que o segura hesita.

Ele não quer lidar com seu mau humor agora que tem coisas mais importantes para resolver.

Abro meu melhor sorriso, que não reflete em meus olhos.

— Esquece. Estou especialmente mal-humorada agora por causa do jet lag e porque eu acordei mais cedo que o normal para o nosso safári. Nada que um café não resolva.

Seu celular para de tocar.

— Escuta...

— Está tudo bem.

— Eu não queria... — O toque agudo interrompe o que ele estava prestes a dizer.

— É melhor você atender. Parece importante. — Aceno com a cabeça e abro um sorriso tenso.

Sua boca se abre, mas eu estou de saída. A última coisa que escuto antes de fechar a porta de seu quarto atrás de mim é sua voz grave gritando uma ordem para alguém inocente.

***

Declan, como o verdadeiro chefe escroto que tende a ser na maioria das circunstâncias, me manda um áudio pedindo que eu prepare um PowerPoint para o caso de o sr. Yakura querer um recurso visual para a reunião.

O único recurso visual que quero são minhas mãos em volta do pescoço de Declan, interrompendo seu fluxo de ar.

Certo. É melhor dar uma acalmada.

Quando controlo meu humor, volto ao trabalho. Levo duas horas para criar um PowerPoint com base na bagunça de nossas anotações combinadas. O que uma pessoa normal levaria uma hora para compilar eu demoro o dobro porque preciso revisar cada slide três vezes em busca de erros. A última coisa que quero é que Declan me repreenda por um erro besta de digitação ou por uma pontuação incorreta.

Depois que termino a apresentação, envio uma mensagem sarcástica perguntando se ele precisa de mais alguma coisa. Eu deveria ter imaginado que esse tiro sairia pela culatra. Declan me manda uma tarefa após a outra, uma mais irritante que a anterior.

Confirme com nossos patrocinadores de Tóquio se ainda estão interessados.

Entre em contato com o diretor de marketing para ele me enviar um relatório de estimativa de despesas.

Marque uma reunião urgente com Rowan antes que Yakura apareça para a videochamada.

Quanto mais demandas ele me passa, mais forte minha raiva se torna. Era para eu ter dez dias de férias. Depois de três anos sem direito a folgas remuneradas, quero descansar.

Preciso descansar.

Talvez você queira mais do que isso.

Baixo a cabeça entre as mãos enquanto solto um gemido frustrado. Embora eu goste do meu trabalho e das muitas oportunidades que Declan me deu, não sei se consigo fazer isso por muito mais tempo.

Melhor ainda, não *quero* fazer isso.

Vou fazer vinte e quatro este ano e o que conquistei até agora? Quase toda a minha vida gira em torno de Declan e de garantir que ele tenha tudo de que precisa para ser bem-sucedido. Até me casei com ele para ele ter tudo com que sempre sonhou – tudo porque me importo com ele muito mais do que ele poderia retribuir. Ele me deu uma chance quando ninguém acreditava em mim, por isso devo muito a ele.

Minhas atitudes dizem mais sobre mim e menos sobre ele. Deixo minhas necessidades de lado porque pensei que ajudar os outros me faria feliz. E, embora seja ótimo ver todos os outros realizarem seus sonhos, isso me deixa com um buraco no peito.

Nada vai mudar a menos que você mude.

Talvez Cal estivesse certo. Se eu continuasse inventando desculpas, nunca encontraria o momento certo para dar o próximo grande passo em minha vida.

Mas você já tentou e não conseguiu.

Suspiro. Apesar de todos os fracassos, não ser aceita para o cargo básico no RH deve ser um dos que mais machucam.

E se eu não conseguir? Você nunca vai fazer nada de valor se continuar em sua zona de conforto.

E Declan? A voz que sempre teve muito a dizer em minhas decisões do passado pergunta. E, como sempre, eu escuto, deixando de lado meus pensamentos enquanto começo minha próxima tarefa.

CAPÍTULO DEZESSETE
Declan

Tem alguma coisa estranha com Iris desde que falei para ela que precisávamos cancelar nosso safári hoje. Pensei que seu mau humor teria passado até o meio-dia, mas estava enganado. Ela só fala comigo por e-mail, embora esteja a uma caminhada rápida do meu quarto, e evita as áreas comuns do bangalô. A maneira como ela me ignora me deixa muito mais frustrado do que eu gostaria de admitir.

Tenho vontade de ver como ela está algumas vezes ao longo do dia, mas mudo de ideia. Sempre que ela se irrita no trabalho, acho que é melhor deixá-la sozinha para organizar seus sentimentos. Ela sabe o que está em jogo aqui e, mais do que ninguém, sabe o quanto esse negócio significa para mim. Seria ridículo se ela pensasse que eu diria não a Yakura depois do parto que foi para conseguir falar com ele ao telefone.

O horário de nossa reunião se aproxima, e Iris ainda não veio para configurar o computador. Pego o celular para ligar para ela, mas acabo não precisando. Ela entra na sala com seu laptop embaixo do braço.

A tensão sempre presente no meu peito quando ela está por perto se intensifica quando olho para ela da cabeça aos pés. Lá se foram os saltos altos e os vestidos, substituídos por uma roupa toda preta que acentua todas as curvas de seu corpo.

Eu me empertigo em sua presença para fazê-la me notar. Mas ela se ocupa em configurar o computador para nossa videochamada sem nem olhar para mim.

Consigo resistir à tentação de pegar seu queixo e obrigá-la a erguer os olhos para mim e, em vez disso, entro na frente dela.

— Pronto?

A mão dela que segura o cabo da fonte aperta o fio com firmeza.

— Sim.

Mesmo assim, seu olhar não encontra o meu. Sua falta de atenção não deveria ser um problema para mim quando tenho questões mais urgentes para tratar, mas tenho plena consciência da tensão que cresce entre nós.

Não gosto disso. Nem um pouco.

— Iris?

— Pois não? — Ela observa a tela de *login* como se estivesse escrita em código Morse.

— Me diga o que há de errado para *nós* podermos continuar com o nosso dia.

Ela parece não gostar do meu comando pelo jeito como bate os dedos no teclado.

— Por que haveria algo errado?

— Pare com essa atitude passivo-agressiva e converse comigo. — Cubro a mão dela com a minha, fazendo-a parar de digitar.

— Você é a última pessoa com quem eu quero conversar agora. — Seus olhos finalmente se voltam, cortantes, para os meus quando ela tira sua mão da minha.

O que encontro refletido neles não é o que eu imaginava. É como se ela tivesse uma bandeira vermelha sobre a cabeça, me avisando para ficar longe. Mas acho impossível ignorar o jeito como seus olhos cintilam.

Percebo que, embora seu sorriso possa ser minha fraqueza, os cílios úmidos se unindo certamente serão minha ruína.

— Você chorou? — Minha respiração seguinte é tensa, o oxigênio se esforçando para entrar nos meus pulmões tensos.

— Não.

— Você mente mal.

Suas narinas se alargam. Ela se empertiga, mal chegando à altura do meu queixo.

— Quer que eu seja honesta? — Sua voz baixa para um tom perigosamente grave.

— Sim.

— Mesmo que você odeie o que tenho para dizer?

— Posso garantir que já ouvi coisa pior.

Por um breve momento, o gelo derrete enquanto seu olhar se suaviza.

— Não faça isso.

— Não fazer o quê, exatamente?

— Não me lembre de que existe um ser humano trancado aí dentro de você em algum lugar.

— Do que é que você está falando?

Seu olhar se afasta de mim enquanto ela olha para um canto distante do quarto.

— Eu... — O barulho da notificação na tela do computador a interrompe. Sua risada amargurada enche o quarto. — Vou deixar você em paz agora.

Foda-se a reunião.

O pensamento é como um soco na garganta. Minha inspiração áspera não consegue me acalmar, e meus pensamentos saem do controle.

Você está se esquecendo do que é importante.

Balanço a cabeça, recuperando o bom senso enquanto desabotoo a parte da frente do paletó e me sento no sofá na frente do laptop.

— Vamos continuar essa conversa depois. — Não deixo espaço para oposição.

— Claro, *senhor*. — Seu comentário sarcástico é ignorado por mim. Ela aceita a ligação e sai do enquadramento.

— Olá, olá! — O sr. Yakura sorri para a câmera. Tento retribuir o gesto, mas o sorriso forçado apenas o faz rir.

Não entendo como ele consegue ser tão felizinho o tempo inteiro. Ele me faz lembrar de um golden retriever – cheio de sorrisos e diversão. É incompreensível como alguém como ele, com todo o poder em seu lado do hemisfério, consegue agir desse jeito.

Nem todo mundo é um bosta infeliz como você.

— Não precisa sorrir para me agradar. — Yakura ri.

— Que bom. Não é natural. — E exige músculos faciais demais para o meu gosto.

Seu riso alivia parte da tensão dos meus ombros.

— Cadê a Iris? — Yakura pergunta enquanto observa a sala em busca dela.

— Aqui! — Iris surge atrás de mim, usando o encosto do sofá como uma barreira entre nós. O cheiro dela, como um dia quente na praia, me domina. Inspiro pela boca para não dar outra inspirada funda a meus pulmões.

— Como você está? — Yakura pergunta, e parte da tensão em meu corpo desaparece. Iris se dá bem nesse tipo de circunstância, apesar de minha aversão a elas. Papo furado é minha forma menos favorita de comunicação, empatada com sinais de fumaça e grupos de mensagens.

Seu sorriso parece muito menos forçado que o meu.

— Está tudo ótimo. O mesmo de sempre por aqui. Desperdiçando minha vida, um dia de trabalho de cada vez.

Nossos olhos se encontram através da câmera, e os meus se estreitam em um alerta silencioso.

— Parece que você precisa de férias. Talvez até uma lua de mel, pelo que ouvi falar. — Ele ergue uma sobrancelha.

O sorriso de Iris diminui uma fração antes de ela se recuperar.

— Estou vendo que ficou sabendo da nossa novidade.

— Fico um pouco ofendido por ter descoberto a notícia pela minha esposa. Pensei que fôssemos amigos. — Ele franze a testa.

Por algum motivo, essa palavra parece estar me assombrando independentemente da pessoa. Não sei por que as pessoas são tão obcecadas por serem minhas amigas. Elas descobririam que sou ausente em todos os sentidos, desde nunca me lembrar de seu aniversário a sempre deixar suas mensagens não lidas.

— Mandei um convite virtual de casamento para sua assistente, já que foi tudo tão repentino, mas não deve ter chegado a você. — Iris faz uma cara triste, como se a ideia de Yakura faltar a nosso casamento a dilacerasse por dentro.

— Ela deve ter perdido. Recebo tantos e-mails por dia que praticamente ocupo uma nuvem de armazenamento inteira.

Ela faz que tudo bem.

— Sem problemas. Foi repentino mesmo. — Iris pousa a mão com o diamante no meu ombro, e os olhos de Yakura acompanham o movimento. Fico rígido no assento enquanto uma sensação ardente no meu estômago ganha vida.

— Eu que o diga. Nunca nem soube que vocês estavam juntos, embora minha esposa tivesse suas desconfianças. Estou um pouco irritado por ela estar certa esse tempo todo.

— Sua esposa é uma mulher inteligente — Iris diz.

— Como vocês dois mantiveram isso em segredo por tanto tempo?

— Você conhece o Declan. Ele sempre mantém a vida profissional e pessoal separadas.

— E eu não sei? Ele nem me falou a cor favorita dele quando perguntei.

— Verde como uma nota nova de cem dólares — ela responde, com um sorriso.

Por pouco não controlo o impulso de revirar os olhos.

— É verdade? — Os olhos de Yakura brilham ao olhar para mim.

— Sim. — *Não.*

Iris me dá um tapinha de aprovação no ombro. Anos atrás, quando ela me perguntou minha cor favorita, respondi que não tinha. Naturalmente, considerando seus acessos frequentes de insanidade, ela adotou uma para mim. Virou uma piada recorrente dela em que toda ocasião de dar presentes incluía algo verde, como se me supersaturar de verde me fizesse gostar da cor.

Não faz. No máximo, sempre me faz me lembrar *dela*.

— Bom, não quero ocupar muito do seu tempo. Mas, já que vocês dois estão aqui, gostaria de discutir uma oportunidade única em relação à proposta de Dreamland Tóquio.

Era por isso que você estava esperando. A respiração se prende em meus pulmões enquanto espero que ele continue.

— Gostaria de seguir adiante com o projeto mediante algumas condições.

Não pestanejo. Não sorrio. Não faço nada além de encarar a câmera, sem saber como essa proposta o conquistou em comparação às outras.

O que mudou?

Quem se importa? O que interessa é que ele quer trabalhar junto.

— Fantástico. A Companhia Kane ficaria feliz em trabalhar com você e transformar Dreamland Tóquio em realidade.

Ele concorda com a cabeça.

— Também estou feliz. Mas eu gostaria que vocês ajustassem alguns últimos detalhes antes de eu apresentar o acordo para a diretoria.

— Claro. O que você precisar — respondo apesar do pequeno tique no maxilar de Iris através da câmera.

Yakura bate uma palma na outra enquanto resume as mudanças que gostaria que fizéssemos, incluindo patrocinadores japoneses que quer trazer para o projeto.

— Ótimo. Seria muito incômodo pedir uma proposta atualizada com um cronograma do projeto para eu poder compartilhar com a diretoria da empresa na sexta?

A mão no meu ombro aperta ao redor dos tendões, mas Iris permanece em silêncio.

— Incômodo nenhum.

— Fantástico. Eu sabia que você aceitaria o desafio.

Eu seria um idiota se não aceitasse. Esse projeto deve ser minha primeira jogada como futuro CEO, e não passei os últimos dois anos da minha vida trabalhando dia e noite para abrir mão disso.

As unhas de Iris se cravam no tecido do meu terno. Ergo os olhos da tela do computador para encontrar seu rosto desprovido de qualquer emoção, o que é um sinal de alerta.

Sua raiva é justificada, mas algumas coisas têm prioridade. As oportunidades não são questão de sorte, mas de trabalho duro e sacrifício. Mais alguns dias de trabalho não vão matá-la. Não faltarão oportunidades para ela observar animais cagarem, foderem e dormirem, desde que cumpramos o pedido de Yakura primeiro.

Yakura acena com a cabeça.

— Até o nosso próximo encontro.

No momento em que ele desliga, Iris tira a mão de mim.

— Você me acha tão repugnante assim? — Olho feio para ela por sobre o ombro.

Seus olhos se estreitam.

— Você não quer minhas mãos perto do seu pescoço agora.

— Eu não sabia que você curtia isso.

— Assassinato?

— *Fetiches.*

Seus olhos se arregalam.

— Você está quebrando uma regra.

— Qual delas?

— Não pode flertar.

— Interessante. Estamos criando regras ao longo do processo agora?

— Sim, já que não tem nenhum manual de como fingir um casamento.

— Isso faz você se sentir melhor? — pergunto, com a voz entediada.

Suas sobrancelhas se franzem.

— Quê?

— Criar uma barreira entre nós quando as coisas ficam muito sérias para você.

Ela ri, de um jeito grave e arfado que beira o ofensivo.

— Acho fascinante você conseguir dizer isso com a cara séria considerando como trata todo mundo.

Lanço um olhar inexpressivo para ela.

— Não trato você como todo mundo.

Ela sabe mais sobre mim do que meus próprios irmãos. O fato de desconsiderar isso... faz minha pressão subir.

— Você tem razão.

A respiração tensa que estou segurando sai dos meus pulmões. *Ela finalmente entendeu.*

Ela continua:

— Em alguns momentos você me trata muito bem. Eu seria idiota de negar isso. Mas tem muitos momentos em que eu sinto que não importo. Que as minhas necessidades não passam de um dano colateral na sua busca por aquilo que acha que vai te fazer feliz.

Quero pegá-la pelos ombros e chacoalhá-la até ela falar algo que faça sentido. Em vez disso, controlo minhas mãos e assinto.

— Entendi.

— Não, não entendeu. — Ela me abre um sorriso tenso que parece completamente errado. — Eu planejei esta viagem pensando que iríamos nos divertir juntos. Pensei que... — Ela ri, mas é um som estranho. — Não sei o que eu pensei, para ser sincera, mas estou brava comigo mesma por ficar surpresa por isso tudo ter acontecido. Estou ainda mais decepcionada por ter pensado que o seu trabalho se limitaria a um dia.

A vitória que senti pela reunião com Yakura desaparece diante da expressão dela. Algo nela dispara todos os alarmes na minha cabeça.

— Iris...

Ela ergue a mão.

— Está tudo bem. Vou dar uma volta.

— Não, não vai. — Estamos no meio do nada, cercados por animais selvagens e escuridão. Estou pouco me fodendo para a raiva dela. Eu me recuso a deixar que ela saia.

Ela ergue o queixo em sinal de desafio.

— Não estou pedindo permissão.

A parte de trás da minha nuca se aquece.

— Então, como seu chefe, estou mandando você começar as atualizações que Yakura quer. O tempo é crucial.

O corpo todo dela fica tenso.

— Claro. Vou cuidar disso assim que enviar meu aviso prévio, seu cretino.

Ah, merda. Ela aproveita minha perplexidade e sai da suíte antes que eu tenha a chance de impedi-la. A porta sacode quando ela a bate atrás de si.

Boa sorte tentando desfazer essa confusão.

CAPÍTULO DEZOITO
Iris

Eu queria poder dizer que sou destemida a ponto de estar disposta a dar uma voltinha pela área do alojamento de safári. Com toda a franqueza, eu estava convicta a fazer exatamente isso, ainda mais depois da briga com Declan.

Mas não sou destemida. Nem um pouquinho. Bastaram algumas folhas farfalhando para me fazer voltar correndo para o quintal dos fundos e me plantar em uma espreguiçadeira. Para não deixar o cretino lá dentro ficar sabendo de minha presença, mantive as luzes apagadas. Eu poderia mentir para mim mesma e dizer que fiz isso para poder olhar melhor as estrelas, mas na realidade queria ficar sozinha. Ele estava tão decidido a não me deixar sair a ponto de ser um completo imbecil, então acho que isso é justo.

Bom, você falou para o seu chefe que está se demitindo. Olha só que atitude corajosa, deixaria Cal orgulhoso.

Resmungo. Foi idiotice da minha parte. Em vez de me segurar, eu me deixei dominar pela raiva. Meu celular vibra pela quarta vez desde que saí. O nome de Declan aparece na tela, e suspiro ao atender a ligação.

Seja adulta.

— Diga onde você está. — A voz retumbante dele atravessa o celular.

— Fora.

Quanta maturidade. Mas, sério, quem é ele para me dar ordens desse jeito? Ele não aprendeu nada com o que aconteceu hoje?

— Juro por Deus que no momento em que eu encontrar você...

Sua ameaça pela metade faz os pelos da minha nuca se arrepiarem.

Como assim?

— Estou bem.

— Você está no meio da selva, porra.

Faço vozinha com ele pelo celular.

— O nome técnico é savana. Não que você saiba, já que me fez planejar tudo para uma viagem que nem posso desfrutar.

— Cale a boca e me diga onde você está.

Um riso baixo me escapa antes que eu tenha a chance de me conter.

— É exatamente esse o nosso problema — mantenho a voz baixa para o caso de ele estar perto das portas de vidro da casa. — Você fica me dando ordens como se eu fosse uma esposinha desobediente, e eu me recuso a obedecer.

— Se você não me disser onde eu posso te encontr...

— Estou deitada do lado da piscina.

A ligação termina. O ritmo do meu coração acelera a cada segundo que passa. Aperto as mãos uma na outra para impedir que tremam, sem querer que Declan note meu nervosismo.

Os pelos dos meus braços se arrepiam com o som da porta corrediça se abrindo. Eu me recuso a olhar por sobre o ombro na direção de Declan, então mantenho os olhos fixos no céu estrelado, apesar da sensação ardente que se espalha na minha pele por sua aproximação.

Declan fica um minuto inteiro sem se mexer. Ele é um especialista quando se trata de tortura, considerando a maneira como me faz esperar com os nervos à flor da pele enquanto não diz nada. Embora eu sempre tenha admirado sua capacidade de fazer as pessoas cederem sob pressão, hoje acho isso insuportável. Quase cedo à tentação de olhar para trás e ver onde ele está, mas me mantenho firme.

O vento esconde meu suspiro de alívio quando a porta corrediça se fecha de novo. Os sapatos de Declan batem no deque de madeira, os passos no mesmo ritmo acelerado do meu coração. Ele para perto, como se quisesse manter certa distância.

Penso que ele vai gritar comigo. Parte de mim acha que mereço isso depois de ter saído andando no meio de uma discussão. Eu sei que não foi a coisa mais madura a se fazer, mas sou humana. Embora precise de muito para me fazer explodir, quando perco as estribeiras não há fúria que se iguale à desta assistente aqui.

A parte rebelde de mim mantém minha decisão, sabendo que algo nele precisa ceder. Não sou um robô. Tenho sentimentos e sonhos e a esperança de que não vou passar o resto da vida ajudando esse cara a atingir suas metas enquanto deixo as minhas em suspenso. E, se ele não consegue enxergar isso, talvez seja hora de entregar meu cargo.

Posso ter tentado e fracassado antes quando me candidatei a uma transferência, mas é a vida.

— Precisamos conversar.

Volto o olhar das estrelas para seu rosto. Abro a boca para falar, mas as palavras parecem ficar presas na minha garganta. Não sei bem o que dizer. Declan não é o tipo de homem que quer *conversar*. Basta isso para me deixar tensa, e fico insegura.

Ele se senta na cadeira paralela à minha. Ao contrário de mim, ele não se recosta, preferindo se sentar com a postura ereta. As sombras o envolvem como um manto, escondendo a maior parte do seu rosto. Não preciso de nenhuma luz para saber que ele está me encarando. Meu corpo faz o trabalho por mim, fazendo descer pela minha espinha um calafrio que não tem nada a ver com a temperatura aqui fora.

— Desculpa. — Quase não dá para ouvir a voz dele com a ventania.

Desvio o rosto, impedindo que ele veja como meus olhos se arregalam. Ele deve tomar meu silêncio como uma aprovação silenciosa.

— Cometi um erro.

Talvez eu tenha que precisar aprender linguagem de sinais, porque oficialmente perdi a capacidade de falar. Declan não pede desculpas, e definitivamente não admite quando está *errado*. Esse já deveria servir como meu primeiro sinal de alerta de que há alguma coisa estranha entre nós.

— Não quero que você se demita. — Sua confissão paira entre nós.

— Por quê? Porque seria um saco encontrar alguém para me substituir?

— Ninguém poderia substituir você.

Quem imaginaria que uma frase poderia causar tanta confusão no meu peito? Meu coração bate mais forte como se quisesse responder por mim.

— Não quero mais fazer isso.

Ele suspira.

— Eu sei.

— Eu mereço mais.

— Isso nunca esteve em questão.

Inclino a cabeça.

— Não estou feliz.

Sua resposta não vem instantaneamente, como as outras. O silêncio corrói minha fachada fria, e percebo meus dedos tamborilando um movimento nervoso em minhas coxas.

— Foi errado da minha parte pedir para você trabalhar no seu dia de folga.

Respondo com humor, na esperança de aliviar o nó tenso que se forma no meu peito.

— Sim. Você tem razão. Foi escroto.

O luar realça seu sorriso discreto, fazendo o branco de seus dentes se destacar.

— Boca suja.

— É impressão minha ou você anda com uma obsessão nada saudável pela minha boca?

— Quem disse que não é saudável?

Ai. Meu. Deus. Ou Declan está flertando comigo ou fui morta por um animal selvagem e estou oficialmente no céu.

Ou no inferno. Dependendo do ponta de vista.

Os dedos dos meus pés se curvam dentro das botas antes que eu tenha a chance de aniquilar o calor que cresce no meu ventre.

O que deu em você? Curvando os dedos dos pés? Quando der por si, vai estar trocando seu cartão de abstinência por uma boa dose do pau de Declan.

Pare de pensar no pau dele!

Limpo a garganta.

— Tudo bem. Está tudo perdoado. — Vou dizer qualquer coisa para fazê-lo ir embora. Há *sentimentos* demais acontecendo dentro de mim para continuar lidando com essa conversa. Coisas assustadoras que eu me recuso a explorar enquanto ele procura minhas fraquezas.

Ele coça a nuca.

Ele está... nervoso?

Não. Não pode ser.

Pode?

Estou tão perplexa pela ideia de Declan estar acanhado que não escuto o que ele diz na sequência.

— Quê?

— Liguei para Yakura e falei que só poderíamos enviar a proposta quando voltássemos de viagem.

Quase dou um mau jeito nas costas de tão rápido que me empertigo na cadeira.

— Por que você faria uma coisa dessas?

— Porque algumas coisas são mais importantes.

Não se atreva a perguntar.

Meus lábios se entreabrem.

Não.

Mas... esse é meu argumento.

Quem se importa com o motivo? Perguntar por ele é uma ideia terrível. Quase parece proibido, de certa forma, o que sei que é ridículo.

Ignoro a voz firme em minha cabeça me alertando para ficar longe.

— Que coisas?

Ele muda de assunto.

— Você falou sério mais cedo?

— Talvez você tenha que esclarecer, porque falei muitas coisas.

— Que você passou os últimos três anos abdicando da sua felicidade para trabalhar para mim?

Solto um grande suspiro.

— Eu estava brava.

— Isso não responde à minha pergunta.

Lanço um olhar fulminante a ele.

— O que você quer que eu diga? Já faz três anos que estou trabalhando para você, e o que foi que ganhei com isso? Não tenho vida, não tenho nenhum amigo fora o Cal e não tenho futuro além de ajudar você a conquistar o seu. Eu me casei com você apesar de todos os sinais de alerta e vou ter um filho seu sabendo muito bem que você não quer ter nada a ver com ele. É claro que não estou feliz. Pelo contrário, estou apavorada.

Essa última parte dói admitir.

Ele pestaneja. Uma. Duas. Três vezes.

Pensei que me sentiria melhor depois de abrir o coração, mas, em vez disso, sinto um enjoo no estômago. Declan está longe de ser perfeito em muitos sentidos, mas isso não o torna uma pessoa ruim. Ele não grita comigo, não me xinga nem me faz sentir constrangida. Meu salário é o dobro da média e eu consegui fazer um bom pé de meia por causa disso.

Ele é o chefe mais fácil do mundo? De jeito nenhum. Ele espera tanto de mim quanto espera de si mesmo. Seus padrões de exigência são tão rigorosos quanto sua atitude, mas isso não quer dizer que ele seja injusto. Na verdade, ele me incentiva a me esforçar mais.

E você acabou de admitir que sente raiva de tudo isso.

Meu estômago revira.

— Sobre o que eu falei...

— O que faria você feliz?

Penso que ser atingida por um raio teria sido menos chocante do que sua pergunta. Nem uma *única* vez Declan me perguntou esse tipo de coisa, e não sei bem como responder. Muitas coisas poderiam me fazer feliz, mas são pouquíssimas dentro de seu controle imediato.

— Eu...

— Não pense. Só fale.

Respiro fundo.

— Em primeiro lugar, eu quero ser tratada como um ser humano com vontades, necessidades e sentimentos.

— Infelizmente, a evolução não parece ter resolvido esse probleminha ainda.

Olho feio na direção dele.

— Estou falando sério. Isso significa que você respeita meu tempo, energia e disposição para fazer o possível para o nosso casamento falso dar certo. Você precisa se lembrar de que isso não é por *mim*. Foi você quem estragou um contrato de casamento perfeito com a Bethany, e eu sou a segunda melhor opção. Posso ser sua aliada ou sua inimiga. É você quem decide.

— Mais alguma coisa? — O humor transparece em sua voz.

— *Você está rindo de mim?*

— Só por dentro.

Meus olhos se estreitam.

— Na verdade, sim. Tem mais uma coisa. Pare de chamar Dreamland Tóquio de *seu* projeto. Nós dois passamos dois anos trabalhando nessa proposta juntos, e eu perdi uns dez amigos e um namorado nesse processo, então, goste você ou não, somos uma equipe. Eu gostaria de ser tratada como tal daqui em diante.

Ele coça a barba rala no queixo.

— Você está certa.

Não sei se Declan está concordando comigo porque não quer mais me irritar ou porque realmente se importa com a maneira como me sinto. Gostaria de supor que é o segundo motivo, mas, conhecendo-o, ele não quer estragar sua única chance de se tornar CEO. E, ao me deixar infeliz, ele corre muito mais risco do que perder uma assistente.

— Ótimo. Então, agora que está tudo resolvido, vou dormir. — Eu me levanto e dou um passo na direção da porta corrediça.

— Não se atrase.

Olho por sobre o ombro.

— Para?

— Nosso safári amanhã.

— Você quer ir? — Minha voz se afina.

— *Querer* é um exagero. Mas estou disposto.

Sorrio.

— Esteja pronto às cinco. — Eu atravesso o deque e coloco a mão na maçaneta da porta corrediça.

— Iris?

Dessa vez eu me viro e apoio as costas no vidro.

— Pois não?

— Se tentar me abandonar de novo, vou fazer você se arrepender. — A leve rouquidão em sua voz faz algo catastrófico acontecer em meu ventre.

— Isso é uma ameaça?

— É uma promessa. — Seu rosto permanece inexpressivo, mas os olhos brilham tanto quanto as estrelas sobre nós.

Eu pisco. Não sei como, mas me recomponho e aceno antes de sair do deque.

As palavras de Declan me perseguem o caminho todo de volta ao quarto, mas é só quando tomo banho e me deito na cama que me dou conta do que me pareceu estranho no que ele disse.

Se tentar me abandonar de novo, vou fazer você se arrepender.

Não me demitir, mas *abandoná-lo*. Que escolha estranha de palavras em resposta a um aviso prévio, mas acredito que Declan veja tudo como uma coisa só. Acho que ele veria minha demissão como uma desfeita. Talvez chegasse até a considerar uma traição depois de todos esses anos.

Ele não precisa de ninguém. A voz de Cal se repete na minha cabeça.

Exceto de mim, talvez.

CAPÍTULO DEZENOVE
Iris

Ao contrário de ontem, Declan já está me esperando na sala de estar principal às cinco horas. *Em ponto.*

— Você está atrasada — ele resmunga.

Suspiro.

— Dois minutos.

— Tome. Vamos. — Ele enfia um copo de isopor na minha mão vazia.

Eu o encaro.

— Obrigada? — Dou um gole e suspiro quando a primeira dose de cafeína atinge minha língua.

Ele solta um barulho vindo do fundo da garganta.

— Não precisa me agradecer. Oferecer cafeína a você é exclusivamente para meu benefício próprio. Costuma deixar você mais complacente.

Meu queixo cai.

— Como é que é?

Ele nem se dá ao trabalho de me responder enquanto sai do bangalô.

— Alguém está bem ansioso para começar o dia — grito atrás dele depois de pegar minha mochila com meus suprimentos. O sol ainda não nasceu, então preciso me manter perto de Declan usando as lamparinas da trilha de terra para nos guiar na direção do ponto de encontro.

— Quanto antes chegarmos, mais cedo conseguimos acabar com isso.

— Por favor, controle a euforia. Tenho medo de que a experiência não atinja as expectativas.

Ele me lança um olhar fulminante.

Alguém está de mau humor hoje. Parece que o estou levando para a cadeira elétrica pela cara que ele faz. Chegamos ao chalé principal, eu bebendo meu café ao longo da caminhada. Declan parece determinado a chegar a nosso destino o quanto antes, me obrigando a acompanhar seu ritmo.

Não sou uma girafa, então diminuo o passo a uma caminhada normal antes que minhas pernas cedam pela exaustão.

— Para que a pressa?

— Disseram para estarmos lá às cinco e quinze.

— É um passeio de férias, não uma consulta médica. Eles podem esperar alguns minutos.

Declan murmura alguma coisa. Faço questão de pegar o celular do bolso e tirar algumas fotos escuras de plantas. Ele odeia cada segundo. Suas botas se arrastam na trilha de terra, deixando um rastro de poeira atrás dele enquanto digita no celular.

— E aquela história de tirar o dia de folga? — pergunto.

Nossos olhos se encontram. Nenhum de nós desvia o olhar.

— Estou aqui, não estou?

— Sim, com uma má vontade maior que o estado do Texas.

— Não devo estar me esforçando o bastante se ainda tem o Alasca para competir.

Seu comentário faz com que eu me dobre de tanto rir. A maioria das pessoas o acha seco, sarcástico e uma companhia completamente insuportável por longos períodos, mas eu o acho engraçado. Sarcasmo pode ser considerado a forma mais baixa de humor, mas costumo achar divertido. *Só não sei o que isso diz sobre nós.*

Eu me empertigo e me recomponho.

— Que tal uma trégua?

— Uma trégua? — Ele ergue a sobrancelha.

— Sim — respondo. — Vamos passar um dia fingindo que o resto do mundo não existe. Sem trabalho. Sem Yakura. Sem remorsos. Me dê um único dia do seu tempo sem nenhuma das outras coisas nos incomodando.

— O que ganho com isso?

Bom, não foi exatamente um não.

— Você ganha uma esposa feliz que não sufoca você no meio da noite.

— Você pensa nisso com frequência?

Meu sorriso faz minhas bochechas doerem.

— Depende do episódio de *true crime* que me inspirou naquela noite.

Ele pressiona um lábio no outro, contendo um sorriso antes que se forme. Consigo imaginar que ele tenha um sorriso bonito, mas não há como saber. Nunca vi. Em todos os anos que trabalho para ele, por mais que eu me esforce.

— Está bem. Mas só porque eu acho que você não sobreviveria a um dia na cadeia — ele responde.

— Você tem razão. Laranja não combina comigo.

E juro que Declan dá uma gargalhada por dentro.

* * *

Quando chegamos à área de caminhonetes, já virei o copo inteiro de café e me sinto muito melhor. O motorista e o guia do safári nos cumprimentam. Nenhum deles reclama sobre estarmos dez minutos atrasados, e faço *não falei* com a boca para Declan enquanto preparam a caminhonete.

— Somos os primeiros a chegar? — Olho para a área vazia ao redor de nosso carro parado.

O guia me olha com as sobrancelhas erguidas.

— Pensei que soubessem.

— O quê?

— Nossos tours são planejados como experiências individuais para que os casais consigam aproveitar ao máximo a lua de mel.

Bom, devo ter interpretado o site do jeito errado. Ergo os olhos para Declan e noto que a veia sobre seu olho direito apareceu. Ótimo.

Ele baixa os olhos para mim.

— Pelo menos não tenho que fingir que gosto de gente.

Um riso me escapa. O motorista e o guia parecem um tanto horrorizados, então acalmo as preocupações deles.

— Ele está brincando...

— Não estou — ele responde, com a voz seca.

O motorista força uma risadinha enquanto o guia me olha sem jeito.

— É melhor irmos, então. Os animais não esperam ninguém.

O motorista entra no banco da frente enquanto o guia se acomoda no banco que fica pendurado na lateral do veículo. Declan entra na caminhonete especial primeiro. Ele estende a mão para eu pegar, e sou erguida para a plataforma alta com facilidade. Sua mão aperta a minha, fazendo uma corrente de energia subir pelo meu braço.

Ele a solta como se o queimasse.

— Então, que animais vocês estão mais ansiosos para ver hoje? — o guia pergunta.

— Um leopardo! — Bato uma palma na outra.

O guia assobia antes de lançar um olhar para o motorista.

— Pode ser? — pergunto, minha voz se enchendo de preocupação.

Ele faz que sim.

— Claro. Fazemos o possível para encontrar os leopardos, mas eles são animais sorrateiros.

— Ah. — Meu sorriso se fecha uma fração.

— Vamos fazer o possível para tentar encontrá-los.

Aceno com a cabeça.

— Claro. Sem pressão.

O guia se volta para Declan.

— E o senhor? Que animal gostaria de ver?

Ele aponta para mim.

— O que ela quiser.

— Você não tem um animal favorito? — pergunto.

— Como não tenho mais cinco anos, não.

Tento tirar uma resposta dele.

— Vai. Eu sei que faz muito tempo, mas pense na sua infância. Devia ter pelo menos um animal de que você gostava mais que os outros.

Ele me lança um olhar fulminante.

— Elefantes.

— *Elefantes?*

Seus lábios se contorcem.

— O que você esperava? Um leão?

— Para ser sincera? Sim.

— São superestimados.

— E os elefantes não?

Os olhos dele se voltam para a paisagem.

— Minha mãe gostava deles.

Meu peito fica apertado com a admissão dele. O ar perdido nos olhos de Declan ameaça meu controle sobre os canais lacrimais. Algo na maneira como ele fala da mãe sempre parece deixar meu coração mais mole com ele.

Não penso enquanto pego seu punho cerrado e entrelaço nossos dedos.

— Ela tinha bom gosto.

Um som fica preso na sua garganta antes de ele colocar a outra mão em cima da minha, prendendo-a à sua coxa. Meu corpo vibra como se eu tocasse um fio desencapado.

Olho para o guia.

— Certo, você ouviu. Vamos encontrar alguns elefantes para ele.

* * *

Declan e eu compartilhamos muitas refeições. Embora a maioria tenha sido estritamente profissional, houve algumas poucas em que não havia uma pauta a ser discutida. Nenhuma delas se parecia com estar na frente dele agora sem nenhum tipo de distração. Nenhum celular. Nenhuma anotação a fazer. Nada além da companhia um do outro para nos manter ocupados.

Mas, ao contrário de jantares anteriores, o de hoje parece romântico.

É uma lua de mel. O que você esperava?

Talvez algo um pouco mais discreto? Quando mencionaram um jantar sob a luz das estrelas no folheto, pensei que se referissem a um sanduíche leve e vinho em um cantil. O que eles realmente queriam dizer era uma experiência de jantar completa, com toalhas de mesa brancas e champanhe de primeira.

E flores. E uma fogueira. E tensão suficiente entre Declan e eu para sufocar qualquer pessoa em um raio de três metros.

— Não é lindo? — comento com um sorriso tenso.

Declan puxa a cadeira para mim antes de se colocar no lugar à minha frente. A luz das velas dança sobre seu rosto, destacando seus traços e contornos aquilinos.

Meu coração bate mais forte pela maneira como ele olha para mim. Nosso guia quebra o silêncio estourando uma garrafa de champanhe resfriada para nós. Por um segundo, considero a ideia de convidá-lo a nos fazer companhia, junto com o motorista, mas ele sai antes que eu tenha a chance.

— Então... — Sirvo uma taça de champanhe e tomo metade de um gole só.

— Por que você está nervosa?

Eu deveria saber, enquanto estudava os sinais de Declan, que ele estava igual.

— Não estou nervosa.

— Você está virando champanhe como se tivesse ganhado uma corrida.

Sorrio.

— Ouvi dizer que é o primeiro passo para se tornar uma WAG[2].

— WAG? — Sua expressão perplexa é fofa.

Não. Fofa não! Declan e a palavra *fofo* combinam tanto quanto água e eletricidade. Ambas igualmente letais.

Tomo um longo gole da bebida.

— Esposa de piloto de Fórmula 1.

Ele dá um peteleco na minha aliança de casamento.

— Esse interesse pelo Alatorre está indo longe demais.

— O cara tem sua própria instituição de caridade. Ele dá próteses de graça para crianças, pelo amor de Deus. Ele está praticamente implorando para o mundo se apaixonar por ele.

— Eu sei.

— Sabe?

Ele dá de ombros.

— Sou padrinho de algumas crianças.

Lanço um olhar para ele.

— Doar para a caridade como dedução fiscal não conta como ser padrinho.

O tique no seu maxilar ressurge.

— Que bom que não incluo na papelada, então. Não queria que minha doação fosse nula e sem valor. — A amargura em sua voz me faz crispar.

Espere. Ele realmente é um padrinho voluntário*? Como é possível?* Declan resmungou sobre todos os eventos beneficentes de que participamos ao longo dos anos, e precisei de todo o meu poder para convencê-lo a ir toda vez.

Seu olhar endurecido passa de mim para as estrelas no céu. Uma veia aparece sobre seu olho, e sou tomada por uma onda de culpa tão forte que respirar fica difícil.

Merda. Aqui está você fazendo suposições sobre ele quando ele só está tentando conversar. Quero me dar um tapa e voltar no tempo pelo menos para substituir a expressão em seu rosto.

---

2. Do inglês, a sigla se refere a *wives and girlfriends*. Termo utilizado para se referir às esposas ou namoradas de esportistas. (N.T.)

— Foi feio da minha parte supor que você só estava fazendo isso em benefício próprio.

Ele suspira, sem tirar os olhos do céu.

— Não dou motivos para você pensar o contrário. Não vou ganhar nenhum Nobel da Paz por aqui.

Não mesmo. Ele definitivamente não ganhou sua reputação de executivo sem coração à toa. As pessoas pensam que o CEO tem todo o poder, mas é o homem atrás das planilhas que toma as decisões. Porque, se alguma coisa não der dinheiro nenhum aos Kane, então é inútil, o que significa que é cortado do programa.

Bem-vindo à Companhia Kane, onde os salários são tão deprimentes quanto a moral da empresa.

Mesmo assim, meu peito todo aperta por ele porque é óbvio que tenho um lance por bilionários incompreendidos.

— O que eu falei foi idiota. Desculpa.

— Você sabe o que penso sobre pedidos de desculpas.

— A menos que sejam sacrifícios de sangue feitos em seu nome, nem valem a pena.

Os cantos de seus lábios se erguem. *Te peguei*. Meu sorriso se alarga, o que faz o dele desaparecer antes que tenha a chance de se transformar em algo devastador.

— O que fez você se tornar um padrinho? — Minha pergunta é inocente. Um sinal de paz. Pode ser uma pergunta egoísta, mas não quero parar a conversa. Esse é um lado de Declan sobre o qual não sei nada, e não vou me perdoar se ele voltar a se fechar por causa da minha suposição idiota.

Seu olhar se volta para mim devagar.

— Achei admirável a história de superação do Santiago.

Sorrio, grata por ele ter me oferecido mais informações.

— Viu? Nem você consegue resistir a ele! Admita. Aquele homem consegue envolver qualquer pessoa, até você.

Os cantos dos seus lábios se erguem.

— Ele pode ter sido o motivo para eu ter começado a doar, mas continuei por causa das crianças.

— Crianças?

Ele tira o celular do bolso e clica na tela algumas vezes.

— Olhe.

Pego o celular dele como se fosse um tesouro nacional. A primeira foto faz meu queixo cair. É uma criança ruiva apontando um dedo do meio de metal para a pessoa que está tirando a foto.

— Fofo.

— Esse é o Freddy.

Ele os conhece pelo nome.

Meu coração ameaça explodir dentro do peito.

— Posso? — Quero continuar deslizando por suas fotos e aprender mais sobre o homem que se esconde do mundo.

Quero saber *tudo*.

Ele faz que sim. Deslizo por uma série de fotos com outras três crianças. Cada uma tem uma prótese diferente. Uma das crianças tem quatro. Reconheço o local de uma foto instantaneamente.

— Vocês foram todos a Dreamland?

— Eles foram.

Hm.

— Onde você estava?

— Trabalhando.

— Não quis ir?

— Importa?

Sim! Quero berrar, mas minha garganta seca e eu perco completamente a capacidade de falar. A tensão no meu peito se intensifica, tendo tudo a ver com o fato de ele ter mandado as crianças juntas para Dreamland sem ele, por mais que ele *quisesse* estar lá.

Não sei por que isso me deixa triste, mas deixa. Talvez seja porque Declan está obcecado por um cargo que pensa que vai ser a resposta para tudo enquanto perde o que a vida tem a oferecer. E, francamente, isso não é vida.

Para alguém determinado a ser bem-sucedido em tudo, ele realmente fracassa na vida. Quero ajudá-lo a descobrir que a vida não se resume a meramente existir. Que, se ele passar mais anos perdendo o que é verdadeiramente importante, pode se arrepender depois. Não. Ele com certeza *vai* se arrepender. Posso garantir isso, porque sempre vai existir um novo objetivo que ele pensa que vai preencher o vazio enorme no seu peito. Nenhum deles vai. É um ciclo vicioso movido por um único fato triste: ele está procurando a felicidade nos lugares errados.

Noto todos os sinais que conheço de perto.
Então o que você vai fazer a respeito?

CAPÍTULO VINTE
Iris

A chuva forte cai sobre o deque, obscurecendo nossa vista da vegetação. Nuvens cinza-escuras bloqueiam toda a luz do sol. Minha fé em sair para o safári de hoje diminui a cada gota d'água que cai sobre o chão.

— Você acha que vão nos levar mesmo assim? — pergunto, sem conseguir conter a esperança que transparece em minha pergunta.

Um relâmpago corta as nuvens antes de um trovão estremecer o vidro. Ele balança a cabeça.

— Não vamos sair em uma tempestade assim, independentemente do que eles digam.

— Mas...

— Não.

Bufo.

— É uma chuva de verão. Vai passar rapidinho.

Um raio cai de novo, enchendo o céu de uma luz forte. Ele me lança um olhar que não precisa de tradução.

— Tá. Você está certo. — Faço biquinho.

— Já está desistindo? Não vai nem me fazer me esforçar? — Seus olhos brilham tanto quanto a luz ofuscante lá fora. O jeito como ele me encara, com um desafio silencioso, me fazer querer insistir.

— Uma parte de mim acha que você gosta de puxar briga comigo porque é o único jeito de me manter por perto.

Um barulho se prende em sua garganta.

— Por que eu iria querer isso?

— Porque acho que você *gosta* de conversar comigo.

— Mais alguém sabe que você é narcisista?

— É uma surpresa você ter notado, se a gente pensar que você é obcecado por si mesmo.

Ele abre um sorrisinho que me dá a mesma onda de orgulho de subir a montanha mais alta. Sorrio em resposta, e seus olhos descem para meus lábios. O calor no meu peito se redireciona a uma área diferente do meu corpo.

— Admita. Você gosta de ficar perto de mim.

Agora você está flertando com ele?

Seu sorriso só se alarga.

— Não é uma coisa que eu odeie exatamente.

— Vindo de você, essa é praticamente uma declaração de amor.

Ele pisca, e sou tomada pela tentação de me estapear.

Argh. Por que você tinha que falar nesses termos?

Porque está ocupada demais flertando para usar o bom senso.

— Bom, esse é meu sinal para pular na frente do carro em movimento mais próximo. — Eu me afasto da porta corrediça, desesperada para me distanciar um pouco.

Corra enquanto pode.

— O que você planeja fazer hoje? — Sua pergunta me choca.

Paro e olho por sobre o ombro.

— Por que está perguntando?

— Curiosidade.

— Duvido que esteja interessado no que planejei.

Você não planejou nada.

Então é melhor eu bolar um plano rápido, porque a última coisa de que preciso é passar mais tempo com Declan. Já sou fraca quando o assunto é ele.

— Será?

Merda.

— Provavelmente vou assistir à TV até meu cérebro derreter.

— Parece absolutamente fascinante.

A porta de vidro chacoalha com mais um trovão. Tomo isso como minha deixa para cair fora daqui antes que Declan me faça mais perguntas.

— Pelo menos você pode passar o dia colocando o trabalho em ordem. Tenho certeza de que morreria se passasse mais de vinte e quatro horas longe do computador. — Abro um último sorriso para ele por sobre o ombro antes de sair da sala.

O barulho de seus sapatos de couro sobre o ladrilho me segue até a sala de estar. Tento ignorá-lo, mas ele torna isso mais e mais difícil quando se planta ao meu lado no sofá, deixando apenas uma almofada entre nós.

— O que você está fazendo? — franzo a testa.

— Um experimento.

— Como assim? — Aperto o controle remoto.

— Quero ver quantas horas demora para o seu cérebro derreter. Para fins estritamente científicos.

Ai, meu Deus. Ele realmente quer passar tempo com você fora de eventos encenados e propaganda nas redes sociais?

— Quer me fazer companhia?

— Não tenho nada melhor para fazer.

Esse deve ser o elogio mais enviesado que já recebi, mas me faz sorrir mesmo assim. Não faltam coisas para Declan fazer. Ele poderia passar o dia colocando em ordem o trabalho que está se acumulando durante nossas férias, mas prefere assistir à TV comigo.

O frio na barriga me deixa nervosa. Eu não deveria ficar obcecada por algo tão pequeno como Declan sacrificar o trabalho para passar tempo comigo, mas fico mesmo assim. Esse homem fecha negócios quando está de cama com febre de quarenta graus. Ele tirar um dia de folga para não fazer nada além de assistir à TV é muita coisa.

Não se acostume.

Mais fácil falar do que fazer. Porque, se Declan continuar fazendo coisas agradáveis como essa, posso começar a sentir falta delas. E isso só pode levar a um resultado.

Decepção.

Ligo a smart TV, entro em minha conta de *streaming* e escolho meu programa favorito de reforma de casas na esperança de aliviar a ansiedade que borbulha dentro de mim. Ajeito as pernas embaixo de mim e fico à vontade. Não demora muito para o peso no meu peito se aliviar, e fico grata por isso.

Quando passam os créditos, penso que Declan vai se levantar e desistir do resto de meus planos. Ele permanece sentado enquanto o episódio seguinte começa automaticamente.

— Não precisa ficar se não quiser. — Ofereço a opção para ele sair.

Ele responde pegando o controle da mesa de centro e aumentando o volume.

Bom, isso responde tudo.

Ele quer passar tempo com você.

Minha pele formiga em resposta, e não posso evitar esconder meu sorriso com a almofada.

***

— Mais um? — ele resmunga antes de enfiar um punhado de pipoca na boca.

Juro que Declan consome mais comida que um time de futebol inteiro. Se não fosse pelo fato de eu administrar sua agenda para que ele tenha tempo para malhar, eu ficaria preocupada com o fato de ele devorar todo o meu estoque de lanchinhos em menos de quatro horas.

Aperto o botão de mudo, silenciando a TV.

— Você tem algum problema com isso?

— Você assistiu a oito episódios seguidos deles fazendo exatamente a mesma coisa.

— E eu poderia assistir a mais oito sem nunca me entediar. — Roubo o pote de pipoca de seu colo. Tem algo de relaxante em assistir a meu casal favorito de profissionais de reforma restaurarem casas em ruínas. Os episódios são curtos e previsíveis, o que os torna uma opção fácil quando estou me sentindo sem ideias.

— Por quê? — ele pergunta.

— Porque estou me inspirando.

Suas sobrancelhas se franzem.

— Não me diga que realmente quer fazer isso um dia.

— É claro que quero. Parece tão divertido! — Quer dizer, pelo menos a maior parte. Eu poderia viver sem os vazamentos no telhado e os problemas de esgoto que parecem estourar do nada.

— Eles encontraram uma família de camundongos na última casa. — A expressão de horror no seu rosto me faz gargalhar.

— Nada que adotar um gato feroz não possa resolver.

— Sou alérgico a gatos. — O nariz dele se franze.

— Que bom que você não tem que se preocupar com isso, então.

— Por que não? — Sua voz diminui.

Eu rio e volto a atenção à tela.

— Porque vai ser a *minha* casa. Se eu quiser um gato de estimação, posso ter.

— Minha casa não é boa o bastante para você? — Sua voz sai indiferente, mas seus olhos são tudo menos isso.

De onde veio essa pergunta e por que ele está com cara de quem está sendo pessoalmente atacado?

— É claro que a sua casa é boa o bastante. Por enquanto, pelo menos.

— Por enquanto — ele repete com a voz seca.

— Não planejamos que eu morasse lá para sempre.
— Eu sei disso.
— Você tem uma casa muito bonita. — Dou para trás.
— Não bonita o bastante — ele murmura baixo.

Será que ele está mesmo ofendido pelos meus comentários? Essa ideia faz meu peito se apertar. Declan não é do tipo que se ofende por qualquer besteira, mas imagino que, se eu investisse vinte milhões de dólares em uma casa, também não gostaria de ouvir comentários negativos sobre ela.

Ando na linha entre sinceridade e educação.

— É só que... não é o meu estilo.
— E qual exatamente *é* o seu estilo, então? Uma floresta?

Meu peito estremece quando solto uma risada alta.

— Não.
— Então qual é o problema?
— Sua casa é vazia, fria e sem personalidade. Pode ser uma casa, mas é o mais longe possível de um lar.

Ele acaricia a barba rala na bochecha.

— Não faz sentido.
— Eu explico.
— Por favor, fique à vontade.

Respiro fundo, avaliando se consigo explicar uma parte tão sombria da minha vida sem me afundar demais em emoções. Declan conhece meros fragmentos de meu passado. Revelar demais poderia me deixar aberta a me aproximar dele, e essa é a última coisa de que precisamos.

— O divórcio dos meus pais não foi o mais convencional do mundo. — Engulo em seco o nó na garganta.

Declan mal respira enquanto crio coragem para continuar.

— Meu pai, se é que dá para chamá-lo assim, não era um homem bom. Ele era... maldoso. — Parece o eufemismo do século, mas não consigo encontrar forças para dizer mais do que isso.

As mãos de Declan se cerram em seu colo.

— Ele era maldoso com você?

Suspiro.

— Sim. Mas não tanto quanto era com a minha mãe.

Seu lábio superior se curva com uma expressão de repulsa.

— Não faça isso.

Minhas sobrancelhas se franzem.

— Fazer o quê?

— Menosprezar sua experiência porque outra pessoa sofreu mais do que você.

Fiquei tocada pelo seu comentário. Passei a vida toda repetindo para mim mesma que as coisas poderiam ter sido piores. Já vi as estatísticas sobre violência doméstica. Que o ciclo vicioso continua até alguém ser gravemente ferido ou, pior, *morrer*. Lidar com a raiva e as palavras de ódio do meu pai parecia um preço pequeno a pagar pelo futuro que tenho agora. Pelo futuro que minha mãe também tem.

Lágrimas se acumulam no fundo dos meus olhos, e sou rápida em secá-las.

Controle-se.

Respiro fundo e continuo, lembrando o ponto principal dessa conversa.

— Enfim... minha mãe e eu saímos da casa em que cresci com duas malas e um maço grosso de dinheiro que ela passou um ano inteiro economizando. Ela fez de tudo para me convencer da ideia de nos mudarmos para um apartamento minúsculo com minha avó. Passei uma semana inteira chorando, falando que queria voltar para casa.

— O que aconteceu depois? — Ele parece interessado de verdade em ouvir mais, o que me enche de coragem para continuar.

— Ela me ensinou que qualquer pessoa pode comprar uma casa, mas nem todo mundo consegue comprar um lar. Uma casa você pode comprar, vender, reformar. — Aponto para a TV. — Mas um lar é mais abstrato. Não é um lugar, mas uma sensação que eu não sei descrever, então você vai ter que confiar na minha palavra.

— Uma sensação — ele repete com a voz monótona.

— Sabe aquelas emoções desagradáveis que você desligou há séculos?

Ele franze a testa.

— Essa é a maior bobagem que eu *já ouvi na vida*.

Dou risada.

— Eu sabia que você não ia entender. — Tenho que admitir que pelo menos ele escutou minha história.

— Só porque você é péssima para descrever coisas.

Sorrio.

— Como eu disse, você vai saber quando sentir.

Essa é minha esperança, pelo menos. A ideia de Declan nunca encontrar um lugar para chamar de lar me entristece mais do que qualquer coisa em seu passado.

O que você vai fazer em relação a isso?

Tenho uma ideia, mas os riscos são nada menos do que catastróficos. Mesmo assim, não consigo controlar o entusiasmo que borbulha dentro de mim.

Você pode ser a pessoa que vai ajudá-lo a transformar a casa dele em um lar.

Pior ideia de todas.

CAPÍTULO VINTE E UM
Iris

— Ei. — Alguém cutuca meu ombro.

— Argh. Me deixa dormir. — Pego um travesseiro e cubro a cabeça para abafar a voz de Declan.

— Tem uma coisa lá fora que você vai querer ver.

— Xiu. — Puxo a coberta em que estava aconchegada sobre a cabeça.

Espera. Uma coberta? Não lembro de pegar no sono, que dirá ter energia para pegar uma coberta.

— Esta pode ser sua única chance de ver um leopardo, então, se eu fosse você, levantaria. Agora.

— Quê? — Eu me sento com tudo no sofá. A TV continua passando no mudo. Não sei como, mas acabei esparramada no sofá, ocupando meu lado e o lugar onde Declan estava sentado antes.

Hm. Estranho.

— Vem comigo. — Ele me faz correr atrás dele enquanto sai da sala.

A única fonte de luz que temos é a luz brilhando através das janelas. Declan atravessa a casa para me guiar na direção de seu quarto.

— É melhor que isso não seja um truque para me levar para o seu quarto.

Apesar da luz baixa, consigo distinguir o olhar furioso que ele me lança por sobre o ombro.

— Estou brincando.

— Que bom, porque não tenho interesse em fazer esse tipo de coisa.

Então, tá. Não precisa ser tão contra a ideia também.

— Então por que estamos aqui?

— Eu estava no meio do banho quando notei alguma coisa lá fora. — Ele entra direto no banheiro escuro.

Estou tão concentrada em sua história que escorrego em uma poça enorme. Escorrego contra as costas de Declan, e ele solta um hunf. Ele quase perde o equilíbrio, mas seus reflexos rápidos nos salvam de levar um tombo, embora meu peito bata forte depois de trombar em puro músculo.

— Por que tem tanta água no chão? — Vejo o reflexo de uma trilha que leva do chuveiro de Declan até a porta.

— Eu estava com pressa.

Ele saiu correndo do chuveiro por *mim*? Não sei o que pensar dessa ideia, exceto me concentrar na minha respiração para não desmaiar pelo choque.

Ele não me dá a chance de pensar nos detalhes dele saindo correndo do chuveiro para me buscar. Sua mão me guia à frente, e eu pego sua palma estendida. Ele me ajuda a entrar na banheira de porcelana vazia instalada na frente de uma janela grande com vista para um riozinho ao lado de nosso bangalô.

— Olhe ali. — Ele aponta para a escuridão.

— O que devo procurar?

— Não está vendo? — Ele franze a testa e se inclina para a frente.

Dou risada.

— Está um breu.

Ele estreita os olhos e aponta.

— Bem ali. Entre as duas árvores na frente do rio.

Tento ver o que ele está olhando e não consigo.

— Nada.

Ele chega mais perto para poder usar a mão como flecha.

— Bem ali.

— Ai, meu Deus. — Pisco de novo para confirmar que não estou vendo uma aparição. — É um leopardo!

— Xiu.

Quem imaginaria que acharíamos um bem na frente de nosso bangalô? Participamos de inúmeros safáris e não tínhamos visto nenhum.

— Como você viu? Está tão escuro lá fora.

— Ele acionou o sensor de presença do holofote. Pensei que ele fugiria antes que eu tivesse a chance de buscar você, mas pareceu mais curioso do que qualquer coisa. Devia estar com sede suficiente para ficar.

— Ou fome suficiente. — Sinto um calafrio com a ideia. Declan e eu vimos vários animais ao redor do rio tomando d'água. Tenho certeza de que alguns até dormiam à margem dele.

Não sei quanto tempo se passa, mas nós dois ficamos sentados juntos na banheira vazia observando o leopardo rondar a área. Parece que horas se passam enquanto a lua desce devagar.

— Atendeu suas expectativas? — ele pergunta quando o leopardo volta a desaparecer na mata.

— Sim! — Eu me viro e coloco os braços ao redor dele. — Obrigada por lembrar.

Seus braços tensos acabam por retribuir o gesto, e eu o aperto com ainda mais firmeza contra mim. Nenhum de nós fala nada. A maneira como meu peito se aquece perto dele me tenta a ficar mais.

Ele limpa a garganta.

— É melhor irmos dormir. Amanhã vai ser um dia longo.

Sinto o rosto todo prestes a pegar fogo.

— Sim. Claro. — Saio de seu abraço e pulo para fora da banheira.

Declan se levanta e sai do banheiro atrás de mim. Tomo cuidado para não escorregar em mais nenhuma poça, embora pareça que tenha passado tempo suficiente para elas evaporarem.

— Obrigada de novo. Por tudo isso.

Ele não diz nada, mas a expressão satisfeita no seu rosto diz tudo. Escapo de seu quarto e me deito na cama com um sorriso enorme no rosto.

Tudo graças a Declan.

* * *

Deixo a bagagem vazia ao pé da cama para poder atender meu celular tocando.

— Por favor, diga que você não está grávida.

— Como é que é? Você acabou de perguntar se estou *grávida*? — Bato o punho no peito duas vezes para me ajudar a respirar.

— Sim.

— Por quê?! — Confiro meu aplicativo do ciclo menstrual, apesar de não transar há meses.

— Você não sabe — minha mãe sussurra, como se estivesse falando sozinha.

Meus joelhos tremem, então me sento na beira do colchão.

— O que houve?

— Tem... matérias saindo sobre você.

— Sobre *mim*?

— E o Declan.

Sinto um aperto no peito.

— Mande para mim.

Ela solta um barulho.

— Acho que é melhor você não ver.

Merda. Ácido sobe pela minha garganta enquanto ignoro minha mãe e digito meu nome no site de busca com os dedos trêmulos. Os resultados são horrendos. Cada manchete consegue parecer pior que a outra. Palavras chamativas como casamento falso, cláusula de bebê e interesseira. Com as matérias eu consigo lidar, mas é a seção de comentários que realmente machuca. Depois de ver que o primeiro afirma que não mereço ter filhos por zombar da instituição do casamento, saio da internet. Se esse é o primeiro, posso imaginar como o resto é horrível.

Meus perfis nas redes sociais estão na mesma, cheios de pessoas me enviando mensagens diretas. Até algumas *ameaças* diretas.

Meu estômago revira.

— Nada disso é verdade.

Não mesmo?

Coloco o telefone no mudo e dou um grito com a cara no colchão. Minha mãe continua sem saber do meu surto.

— É óbvio que não. Já vi vocês dois interagirem. Essas pessoas desalmadas estão só procurando acabar com alguém para poderem vender notícias.

Não faço ideia do que minha mãe pensa ter visto, mas me recuso a discutir com ela. Tenho problemas muito maiores para resolver.

— O que eu vou fazer? — Minha voz vacila.

— Minha filhota. — A voz de mamãe embarga. — Odeio que estejam dizendo essas coisas sobre você. Chamando você de interesseira... — Ela perde a voz, como se doesse para terminar a frase.

Não se preocupe, mãe. Dói em mim também. O número de mulheres que escreveram comentários maldosos nos meus posts nas redes sociais não é nada comparado àquelas que me mandaram sua opinião por mensagem direta. Tranco meus perfis, mas a nódoa daquelas palavras permanece.

Eu me sinto cada vez mais perto de rachar a cada respiração trêmula.

— Não deixe essas pessoas atingirem você. — A voz de minha mãe se mantém firme, o que ajuda a aliviar uma fraçãozinha da tensão nos meus ombros.

— É um pouco tarde demais para isso — resmungo.

— São só boatos.

— Mas está todo mundo falando sobre o meu casamento, incluindo o maldito *Finance Today*. — Sei que oficialmente cheguei ao fundo do poço quando os nerds das planilhas estão atrás de mim.

— Eles podem dizer o que quiserem, mas não tornam nada disso verdade.

Ah, mãe. Se você soubesse.

— Mas...

— Nada de mas. Esses jornalistas vão inventar todo tipo de história para vender jornal. É repulsivo eles atacarem o seu casamento desse jeito, mas eu não fico surpresa.

Eu também não, quando paro para pensar. O timing é quase perfeito, Declan e eu incapazes de fazer qualquer coisa a respeito disso daqui.

A cada matéria que leio, minha raiva se intensifica. Sei exatamente quem botou essas histórias no mundo, torcendo por esse tipo de reação. Seth Kane tem sorte de eu estar a milhares de quilômetros dele, senão iria ouvir poucas e boas.

Ou levaria um soco na cara.

Acho que ninguém conseguiria ler comentários como esses sobre si e não sentir algum tipo de emoção a respeito. Mas, apesar de meus sentimentos, sei quem sou e o que defendo. Nada que alguém diga vai me fazer mudar de ideia, mas isso não significa que as palavras não conseguem me afetar.

Ao contrário de Declan, não cresci nesse tipo de mundo. Não estou acostumada a ter minha imagem estampada em todos os sites de fofoca de celebridade, implicando com tudo que me torna quem eu sou. Isso me faz querer me esconder de tudo e todos, mas também me faz querer brigar.

— Vou resolver isso. — Ergo a cabeça.

— Como?

Não vou permitir que a logística destrua minha motivação.

— Não sei ainda, mas vou dar um jeito.

— Ah, meu amor. Você não tem como mudar as narrativas das pessoas. Vão pensar o que quiserem com base nos fatos que estão na sua frente, e nada que você fizer vai mudar isso.

As palavras da minha mãe fazem uma lâmpada brilhar em cima da minha cabeça – como se ela fosse abençoada por Deus.

E se eu criar uma história tão cativante que não consigam evitar mudar de visão? Posso, *sim,* controlar a maneira como as pessoas nos veem. Pode precisar de um pouco de trabalho da minha parte, mas deve ser melhor que a alternativa. Porque, se histórias assim continuarem a se acumular, o advogado de Brady Kane vai muito provavelmente começar a questionar a autenticidade de tudo.

Não. Eu é que não vou permitir que isso aconteça. Não tive todo o trabalho de me casar com Declan para o pai dele conseguir arruinar tudo. Seth Kane pode ter ganhado essa batalha, mas ele não perde por esperar se acha que vou permitir que algumas manchetes me segurem. Embora os filhos precisem manter a diplomacia com ele por causa dos investidores e membros da diretoria, nada me impede de sujar as mãos.

Ele colocou um alvo nas próprias costas e não vejo a hora de apertar o gatilho.

CAPÍTULO VINTE E DOIS
Declan

Ficar desconectado durante o resto da lua de mel foi um erro. Nunca passei uma hora sem olhar para o celular, que dirá dias.

É o que acontece quando você tira férias.

Durante meu período fora do mapa, alguém inventou uma história para as revistas de fofoca de que meu casamento era falso. Não duvido que meu pai esteja por trás desse tipo de campanha, embora seja difícil provar.

Devo admitir: ele foi meticuloso, chegando a incluir uma série de documentos falsos detalhando coisas que Iris e eu nunca nem discutimos em nosso contrato. A história me retrata exatamente como o monstro que o mundo imagina que eu seja. Manchetes sobre uma herança especulada. Entrevistas de futuros ex-funcionários afirmando que meu relacionamento com Iris surgiu do nada, tudo por causa de uma cláusula do meu avô sobre gerar um herdeiro. Há até fotos de ultrassom de um bebê que definitivamente não é meu.

Eu não daria nenhuma atenção às manchetes, mas o jeito como se referem a Iris... é simplesmente inaceitável.

Você nunca se importou com as opiniões deles antes...

Isso foi antes de eu ter alguém que valia a pena proteger da escória da humanidade. Iris não é ingênua. Ela sabe como a mídia me retrata e o que poderia acontecer se ela se casasse comigo. Mas isso... Até *eu* fico horrorizado com alguns dos comentários.

Guardo o celular no bolso antes que o quebre em um milhão de pedaços.

— Ligue para o meu advogado quando pousarmos.

Iris ergue os olhos do tablet.

— Para quê?

— Estou no clima de acabar com a vida de algumas pessoas.

— Será que pode mesmo ser considerado um clima se é um estado constante?

Olho feio para ela.

Ela ergue as mãos em sinal de rendição.

— O que foi?

— Vou meter um processo de difamação em meia Chicago.

Seus lábios formam um pequeno O enquanto ela acena com a cabeça.

— Ah. Então imagino que tenha lido as matérias.

Eu a encaro.

— Você ficou sabendo?

Seu suspiro se esforça para ser ouvido apesar do arranque dos motores.

— Minha mãe me ligou enquanto eu estava fazendo as malas de manhã e me contou. Eu estava torcendo para passarmos o voo sem que você lesse, mas estou vendo que era uma causa perdida.

— Por que você não me contou assim que viu? — *E por favor me diga que não leu os comentários.*

— Porque achei que não valeria a pena estragar o nosso último dia juntos com uma coisa assim.

— Quem liga para esse tipo de merda?

Ela me abre um sorriso tenso.

— Se você está preocupado com o que o advogado pode pensar, eu já tenho um plano. Eu me recuso a deixar que o seu pai nos vença.

Nos vença. Não a você. A ideia de trabalharmos em equipe contra meu pai me agrada, mas não o suficiente para extinguir a raiva que sinto por ela colocar minha herança em primeiro lugar.

— Foda-se o plano e foda-se o meu pai. Não é isso que importa aqui.

Ela pisca.

— Ora, ora, Declan. Você está ofendido por mim?

— Chamaram você de vagabunda interesseira. — Meus molares rangem.

— Pelo menos escolheram uma foto boa para essa matéria. Os repórteres da *Chicago Chronicle* não foram tão gentis com o anúncio da minha gestação secreta.

— *Quê?* — Mal consigo ver com os pontos pretos que enchem minha visão quando pego o celular de novo.

Iris coloca a mão sobre a minha.

— Não se preocupe com isso.

Eu é quem deveria a estar tranquilizando. Ninguém merece ser tratado dessa forma. Embora alguns comentários sejam de se esperar, como os que dizem que ela só queria se casar comigo em troca de um pagamento ou do meu sobrenome, o resto é desprezível. Eles criticaram sua aparência. Sua inteligência. Seu *coração*. Cada um me faz querer encontrar os *trolls* de internet que disseram coisas negativas sobre ela e estrangulá-los com os cabos de seus computadores. Sou tomado por um desejo ardente de erradicar a primeira emenda da história americana para impedir que isso volte a acontecer.

Ela dá um aperto na minha mão, me trazendo de volta de meus pensamentos assassinos.

— São só palavras.

Por dentro, estou fumegando. Por fora, sou tão frio e calculista quanto os artigos me descrevem.

— Eu esperava uma reação diferente de você.

O que você esperava dela? Gritos? Berros? Chororô?

Qualquer coisa seria melhor do que a alternativa atual dela: ela tentando me tranquilizar. Eu não mereço isso.

— Eu sabia que isso tudo iria acontecer mais cedo ou mais tarde. — Ela encolhe os ombros como se nada disso a incomodasse, mas não passa de uma mentira. Seu queixo treme e eu percebo que cerro os punhos sobre o colo para não estender o braço e a consolar.

Eu consolar *Iris*? Nem saberia por onde começar uma coisa tão ridícula.

— Vou dar um jeito nisso.

Ela ergue a sobrancelha.

— O que vai fazer? Defender minha honra?

— No mínimo.

Sua risada alivia parte da tensão nos meus músculos.

— Por favor, não cometa nenhuma idiotice só porque está com raiva.

— Não vou cometer.

Ela ergue uma sobrancelha.

— Nem nada que possa ser considerado crime.

— Ainda é considerado crime se eu não for pego?

Seus olhos se iluminam, lascando o bloco gelado do meu coração.

— Pagar para não ser preso *não é motivo de orgulho*.

— De que adianta ter todo esse dinheiro se sou obrigado a seguir a lei?

— Tem tantas coisas erradas nessa frase que nem sei por onde começar.

— Então não comece.

Seu nariz se franze.

— Continuando. Nós precisamos ser estratégicos em relação a isso tudo. Tenho certeza de que o advogado do seu avô está começando a desconfiar da legitimidade de tudo.

Todo bom humor que ela pode ter provocado um momento atrás é eliminado por esse comentário. Como ela pode pensar no advogado em um momento como esse? Puta que pariu, tinha gente fazendo ameaças de morte contra ela.

— Não dou a mínima para o advogado. — Pelo menos não *agora*.

Ela olha para mim como se eu fosse uma aberração.

— *Certo*. Bom, independentemente da sua opinião atual sobre o assunto, tenho o plano perfeito.

Considerando que seu último plano levou ao nosso casamento, imagino como esse vai ser.

***

Considero ir à casa do meu pai. A tentação de quebrar o maxilar dele é forte, mas me seguro. Dar um soco nele só me faria me sentir melhor por um momento, mas destruir tudo que ele ama vai ser uma alternativa muito mais satisfatória.

Crescer sendo criado por alguém como ele significou desenvolver as mesmas características porque, para sobreviver a alguém como ele, eu precisava evoluir. Aprendi por um processo doloroso de tentativa e erro a esconder o jogo porque amar alguma coisa significa correr o risco de perdê-la. Já amei e já perdi, e odeio as duas coisas com a mesma intensidade.

Uma voz retumbante fora da porta do meu escritório, seguida pela risada estridente de Iris, me faz avançar até a porta e girar a maçaneta. Eu a abro e encontro Iris e meu pai no meio de uma troca fatal de olhares.

Ele abre um sorriso sarcástico para mim.

— Chegou na hora perfeita. Chame a sua cadela para ir até você.

Mal dou um passo quando o punho de Iris voa, acertando o maxilar do meu pai. Iris grita quando seu punho acerta o rosto dele. Um calafrio percorre minha espinha, e engulo em seco o ácido que me sobe pela garganta com o grito de Iris.

Ele examina o maxilar, passando a palma da mão no ponto em que ela socou.

— Sua filha da...

Minha visão fica vermelha quando parto para cima do meu pai, mas minha atenção se desvia quando Iris solta um choramingo.

— Ai. — Uma única lágrima escorre pela bochecha de Iris enquanto ela examina o próprio punho.

Não penso enquanto entro em ação. Ela silva para mim quando tento examinar sua mão, ao mesmo tempo que seca a lágrima do rosto com a mão não machucada. Algo definitivamente parece errado com seu mindinho, e ela se encolhe quando passo o dedo de leve sobre ele.

— Não está muito legal... — Iris reclama enquanto passa o polegar sobre os dedos.

— É o que você merece por pensar que pode encostar a mão em mim.

Juro que esse homem está pedindo para morrer.

— Ah, eu gostaria de encostar mais do que uma mão em você, seu filho da puta. — Iris tenta me rodear, mas eu bloqueio seu caminho.

— Deixe que eu cuido disso. — Dou um apertão tranquilizador em seu ombro.

Suas sobrancelhas se franzem enquanto ela cala a boca.

— Eu vim para ver como a Iris estava segurando as pontas depois que aquelas matérias saíram. Tenho certeza de que não deve ser fácil ser chamada de vadia estúpida...

Um osso se quebra sob meu punho quando acerto o nariz de meu pai. Uma forte sensação de satisfação me preenche quando a cabeça dele voa para trás, girando com a força do meu soco. Sangue escorre pelo seu rosto e pinga no carpete.

Sorrio para a sujeira.

Ele tenta conter o sangramento, mas nada parece funcionar.

— Parece que você puxou mais a mim do que eu pensava.

Algo sombrio toma conta de mim.

— Saia! — vocifero enquanto parto para cima dele. Meus dedos acertam o ar enquanto ele cambaleia para trás, tropeçando nos próprios sapatos e mantendo a cabeça erguida para trás.

A pressão no meu peito não se alivia quando ele desaparece pelas portas duplas. Espero que ele volte para o quinto dos infernos de onde saiu antes que eu tenha a chance de botar as *mãos nele de novo*.

Iris bufa.

— Bom, não correu exatamente como o esperado.

Dou meia-volta, encontrando a mão dela abraçada junto ao peito. Sua expressão contorcida faz meu sangue correr para os ouvidos.

— Por favor, diga que não era esse o grande plano em que você estava trabalhando.

Ela bufa.

— Não. Desviei um pouco dos trilhos, mas fique em paz: minha outra ideia é infalível.

— Quem vai decidir isso sou eu, considerando seu histórico atual.

Ela ri antes de se encolher para a mão apertada junto ao peito.

— Ai.

— Me deixe dar uma olhada. — Meu pulso acelera enquanto avalio seu machucado. Tento *não tocar* na pele perto dos nós dos seus dedos, tomando cuidado com o inchaço. Não parece uma fratura exposta, então pelo menos essa é uma boa notícia. — Você é maluca. *É a única explicação para socar a cara de alguém sem saber como.*

— Pensei que fosse como nos filmes — Ela se crispa enquanto examino o estrago.

— Precisamos levar você para o hospital para dar uma examinada. — Engasgo com as palavras, incapaz de processar o motivo pelo qual decido tomar essa decisão. Eu odeio hospitais.

— Não! Estou bem. Veja! — Ela mexe os dedos e se retrai.

Sou tomado pelo impulso de ir atrás do meu pai, mas me contenho.

— Por que você deu um soco nele?

Seu maxilar se cerra, e ela baixa os olhos para os scarpins roxos.

Ergo o queixo dela com o dedo.

— Me diga.

Ela suspira, e preciso de um esforço exorbitante para não a chacoalhar para obter respostas.

— Promete que não vai fazer nada ilegal se eu contar?

— Não.

Ela baixa a cabeça.

— Você não vai ficar feliz.

— Nunca estou feliz. — Exceto em raras ocasiões. De todas as quais Iris faz parte.

Ela volta a erguer os olhos para mim. Seus olhos têm uma umidade que não tem nada a ver com a mão machucada.

— Ele me ofereceu dinheiro para...

— Para quê? — Todos os músculos no meu corpo se tensionam.

— Para evitar ter um bebê. *Para sempre.* — Ela desvia os olhos como se conseguisse esconder as emoções destroçadas no seu rosto.

Já estou a meio caminho da porta, o corpo quente e sem nenhum outro pensamento na cabeça além de encontrar meu pai e dar uma surra nele.

Eu devia ter imaginado que ele iria tentar alguma manobra como essa. Parte de mim havia pensado estupidamente que ele ainda tinha um restinho de decência, mas parece que não tem um pingo de moral em seu corpo. Subestimei até onde ele iria para manter seu cargo como CEO. Porque, sem isso, ele não teria razão para viver. Os filhos o odeiam e sua mulher morreu. Perder a posição de executivo seria o último golpe em sua vidinha miserável.

Iris pega meu braço e me puxa para trás.

— Espere!

— Não consigo falar com você agora. — Não consigo falar com *ninguém*, que dirá com ela.

Foi você quem a meteu nessa confusão. O que esperava?

O sangue esquenta sob minha pele. Tento me livrar dela, mas seu aperto só fica mais desesperado.

— Preciso que você me leve para o hospital.

Paro, vendo através da nuvem de névoa vermelha que bloqueia minha tomada de decisões.

— Quê?

Seus olhos enevoados encontram os meus.

— Estou com muita dor.

Merda. Solto um suspiro trêmulo e fecho os olhos.

— O Harrison vai levar você.

— Por favor, não me faça ir sozinha. — Seu pedido é o meu fim.

Meu plano de deixar meu pai em coma fica para trás enquanto fecho os olhos e concordo com a cabeça.

— Está bem. Vou levar você ao médico.

CAPÍTULO VINTE E TRÊS
Declan

Como Iris não consegue segurar o celular, fico responsável por digitar tudo que ela dita. Eu sabia que Iris fazia muitas coisas, mas só fui entender toda a extensão de seu trabalho quando acompanhei cada uma de suas tarefas com ela.

Não é de se admirar que ela não esteja feliz. O número de e-mails que ela tem que avaliar por hora deixaria qualquer um maluco. Ou talvez eu esteja enlouquecendo só de estar tão perto dela. O cheiro de seu sabonete de coco está impregnado em minha memória enquanto ela fica ao meu lado, apontando para e-mails diferentes com a mão não machucada.

Percebo que seu nervosismo fica mais forte quando chegamos perto do hospital. Seus joelhos sobem e descem enquanto ela dita uma mensagem após a outra que preciso enviar, alterando toda a minha agenda do dia.

O trabalho não para por aí. Depois que registramos a entrada dela, uma enfermeira nos dá uma prancheta cheia de páginas de informações que precisamos preencher. Iris a encara como se o objeto pudesse pegar fogo a qualquer momento.

— Tome. — Passo para ela.

Seus olhos se voltam para a saída.

— Pode me ajudar, por favor? Não consigo escrever assim. — Sua voz se transforma em um sussurro quase inaudível.

— Certo. Diga suas respostas e eu escrevo.

Ela engole em seco enquanto observa a primeira linha. Ela demora muito mais que o necessário para ler a primeira pergunta, então me ocupo com meu celular.

— Se importa de ler as perguntas em voz alta para mim? Estou estressada demais para me concentrar agora. — Seu sorriso exagerado me irrita.

— Tem certeza? Algumas devem ser pessoais.

Não seja escroto. Só faça o que ela diz.

— Não me importo. — A rigidez com a qual ela está sentada na cadeira diz o exato oposto.

Ela parece estar a um minuto de desmaiar, então eu obedeço. Suspiro enquanto pego a caneta e começo com a primeira pergunta. A papelada não nos toma tanto tempo quanto imaginei, então Iris e eu ficamos sentados em silêncio. Ela olha para a saída com nervosismo. A maneira como seus olhos percorrem a sala enquanto ela morde o lábio inferior me faz sentir pena suficiente para salvá-la da ansiedade que a consome por dentro.

— Se serve de consolo, eu também odeio hospitais.

Ela vira a cabeça na direção da minha voz.

— Odeia?

— Sim — respondo. — Não vou a um desde que era bem mais novo.

— Por quê?

Meu peito arfa quando considero as consequências em potencial de admitir meu motivo. Mantenho os olhos focados na televisão muda ligada no canto.

— Nós passávamos muito tempo em hospitais quando minha mãe estava doente. Cresci odiando tudo neles, mesmo depois que ela morreu.

A mão boa dela segura a minha e dá um aperto. Fico grato por ela me entender o suficiente para não me fazer mais perguntas. A ideia de oferecer mais uma parte sensível de mim parece uma traição aos anos que passei desenvolvendo com cuidado certo tipo de persona.

— Eu também odeio. — Sua voz embarga.

— Por quê?

Ela baixa os olhos para a mão inchada.

— Meu pai... — Ela hesita, e dou um aperto tranquilizador na sua mão como ela fez comigo. — Digamos apenas que minha mãe foi parar no PS algumas vezes por ser *desastrada*.

Respiro fundo para conter a raiva que borbulha sob a superfície.

— E você teve algum problema por ser *desastrada*? — Se ela disser que sim, juro por Deus que dois homens vão estar flutuando no rio Chicago ainda esta noite.

Ela balança a cabeça com certa agressividade.

— Não. *Não*.

Minha frequência cardíaca acelerada pode ser escutada em meus ouvidos.

— Se teve, pode me contar. — Embora eu não possa prometer que não vá fazer nada a respeito, posso prometer que vou fazê-lo sofrer. *Muito*.

A sensação esmagadora de querer protegê-la me atinge com força, e não me esquivo dela. Não há nada que eu odeie mais do que homens que usam os punhos contra mulheres e crianças inocentes.

— Ele nunca chegou a esse ponto. Vovó cuidou disso.

— Como?

— Ela notou os sinais e interferiu antes que as coisas piorassem. Usou as economias da apólice de seguro de vida do meu avô para ajudar minha mãe a pedir o divórcio e começar uma vida nova. — Uma lágrima escorre pelo seu rosto, e não suporto essa imagem.

Eu a seco com o polegar, mas o rastro úmido permanece. Uma força propulsora dentro de mim quer apagar a expressão triste em seu rosto.

— O plano da sua vovó também incluiu uma jarra de ácido sulfúrico?

Ela solta um riso forçado.

— Acho que sapatos de concreto estavam mais na moda na época.

Finjo um calafrio.

— Me lembre de nunca irritar sua vovó.

— Esqueça a vovó. É comigo que você tem que lidar. — Ela ergue a mão machucada como um troféu de guerra.

— Estou absolutamente apavorado.

— Sra. Kane? — uma enfermeira chama.

Iris não se mexe ao som de seu nome.

— É você. — Coloco a mão na coxa dela e dou um aperto.

Ela inspira fundo quando baixa os olhos para minha mão. Sua cadeira quase cai para trás quando ela se levanta de um salto, erguendo a mão boa no ar.

— Estou aqui!

A enfermeira nos guia pelo pronto-socorro. Macas individuais cercam a parede, cada área dividida por uma cortina de papel.

A cama vazia destinada a Iris é inaceitável. Entre a pessoa com ânsia de vômito atrás de uma divisória e o indivíduo do outro lado perdendo um pulmão de tanto tossir, eu me recuso a deixar que ela seja vista aqui.

Ergo a voz.

— Eu gostaria que minha esposa fosse tratada em uma suíte particular.

A enfermeira faz uma careta enquanto passa o olhar pelo meu corpo.

— Aqui é um hospital. Não o Ritz. Sente-se e espere o médico como todo mundo.

Iris sobe na cama sem reclamar, e fico tentado a pegá-la e ir para outro lugar. A enfermeira não parece nem um pouco incomodada por todo o barulho ao nosso redor enquanto examina os sinais vitais de Iris e faz algumas perguntas de rotina.

Iris responde a cada uma enquanto morde o lábio inferior em carne viva. Essa atmosfera não conseguiria deixar ninguém à vontade, muito menos ela.

A enfermeira pendura a prancheta ao pé da cama, e decido tentar de novo.

— Vou pagar o que for preciso para que ela seja tratada em um lugar mais tranquilo. Dinheiro não é problema.

A enfermeira responde fechando a cortina de papel na minha cara.

Iris ri enquanto encaro a cortina, perplexo por ser tratado assim.

— Você acha isso engraçado?

Ela faz que sim, os olhos brilhantes pela primeira vez em todo o dia.

— Você viu a cara dela quando você disse que dinheiro não é problema? Acho que, se ela não tivesse guardado a prancheta, teria batido com ela na sua cara.

— Não é culpa minha que ela não esteja acostumada a como as coisas acontecem no mundo real.

— Acorde, meu bem. Você está vivendo no mundo real. — Ela aponta ao redor para o nosso *quarto*.

— É aterrorizante.

— Venha cá. Vou resolver isso. — Iris dá um tapinha na cama.

Fico desconfiado, mas ando louco para dar o que ela quer nos últimos tempos. O papel faz barulho quando me sento ao lado dela. Ocupo a maior parte da cama, dando pouco espaço para ela escapar de mim. Minha coxa roça na dela. Ela tenta se afastar, mas não tem espaço suficiente.

— Não é aconchegante? — ela brinca.

Ela olha para o soro com pavor antes de encarar a saída.

— Qual é o problema?

Ela se aproxima de mim e sussurra:

— Agora é um mau momento para admitir que eu desmaio sempre que alguém tenta enfiar uma agulha em mim?

O canto dos meus lábios se ergue. Acho a ideia engraçada, considerando a coragem dela na maioria das circunstâncias.

— Você tem medo de agulha?

Ela balbucia.

— Não. Não tenho só medo. Tenho uma reação física que não consigo controlar.

— Que bom, porque a enfermeira vai precisar colocar esse soro em você quando voltar.

— Não! Não me diga isso! Pensei que ela fosse boazinha.

Faço que sim, pressionando os lábios para não rir.

— Ela mentiu pra mim! — Ela se levanta de um salto e teria tropeçado nos próprios saltos se eu não tivesse estendido a mão e a segurado.

— Cuidado. — Eu a coloco de volta na cama e decido ficar de guarda para o caso de ela pensar em fugir.

Seus olhos alternam entre mim e o espaço entre mim e o vão entre as duas cortinas, como se achasse que consegue passar por ali.

— Estou brincando.

Ela busca a verdade no meu rosto antes de me dar um tapa no ombro com a mão boa.

— Babaca! Eu acreditei em você!

Uma risada escapa de mim feito uma bomba, surpreendendo-a.

— Você riu?

— Não.

— Sim. — Alguém grita do outro lado da cortina. — Agora, poderia calar a boca? Alguns de nós estão tentando dormir aqui enquanto passam por uma lavagem estomacal.

Fodam-se esse lugar e as pessoas nele.

— Vamos embora.

— Não tão rápido. Vocês não podem ir antes de eu dar alta. — O médico entra e aponta para a maca com a prancheta.

Iris mantém a boca fechada enquanto o médico analisa sua ficha. Ele faz algumas perguntas sobre como ela se machucou, o tempo todo me encarando de cima a baixo como se eu fosse a pessoa que ela estava tentando machucar. Ela é levada para fazer uma tomografia, e minha respiração só se normaliza quando a enfermeira a traz de volta.

Esse deveria ser meu primeiro sinal de que as coisas estão saindo do controle do meu lado. Estou chegando mais perto de um campo minado emocional sem nenhum tipo de mapa, a um passo em falso de explodir.

O médico observa a tomografia.

— Parece que você tem uma fratura de boxeador.

O rosto dela se ilumina.

— Que nome poderoso.

Eu a encaro.

— Calma aí, Muhammad Ali. Eu não contaria o dia de hoje como uma vitória de jeito nenhum.

Os olhos do médico se iluminam.

— Da próxima vez, evite qualquer contato inicial no quarto e no quinto dedos.

— Por favor, não a estimule.

O médico balança a cabeça com uma risada antes de dar a Iris um conjunto detalhado de instruções sobre o tempo de cura. Fico cético em relação à consulta toda e, considerando o ambiente, desconfiado quanto ao *nível de cuidado*. Não vou me perdoar se Iris sofrer lesões permanentes por causa do meu pai. Meu peito se comprime com a ideia.

— Ótimo! Obrigada, doutor! — Ela salta da cama, mas eu estendo o braço, impedindo-a.

— Eu gostaria de uma segunda opinião. — O comando sai de mim sem motivo aparente. No fundo eu sei que uma fratura de boxeador não é a pior coisa que poderia ter acontecido. Mas minha cabeça não bate bem quando o assunto é Iris. Pelo menos não mais.

As duas sobrancelhas do médico se arqueiam.

— Para uma fratura pequena?

— Não ligue para ele. Ele é meio superprotetor. — Ela me lança um olhar como se eu fosse o louco dos dois.

— Certo... — o médico diz.

Talvez eu esteja perdendo a cabeça. Afinal, por qual outro motivo me importaria?

Você odeia quando ela chora.

Você não veria mal em matar alguém que a machucou.

Você a trouxe para o hospital, embora odeie hospitais com todas as fibras do seu ser.

Todos os sinais apontam para uma coisa: nossa situação está se deteriorando rapidamente, e o único culpado sou eu.

Iris interrompe meus pensamentos.

— Vou lembrar de usar a órtese por algumas semanas e evitar qualquer tipo de atividade que possa agravar a lesão.

— Perfeito. E não se esqueça de agendar uma consulta com seu médico. — O médico me lança mais um olhar antes de entregar o documento de alta para Iris. — Foi um prazer conhecê-la, sra. Kane.

— Pode me ajudar com isso? — Ela estende a prancheta com a mão esquerda quando o médico sai.

Bufo enquanto a pego dela e a preencho.

Ela olha a hora no celular.

— Bom, pelo menos não demorou tanto quanto pensei que demoraria. Tenho certeza de que você está louco para voltar ao trabalho.

É isso que me assusta. Não pensei em meu trabalho nenhuma vez durante todo o tempo aqui porque garantir que ela fosse bem cuidada era minha única preocupação. Passei os últimos catorze anos de minha vida pensando unicamente no trabalho, e bastou uma única mulher para me fazer esquecer completamente de minhas responsabilidades por algumas horas.

Como se isso não me assustasse o suficiente, basta um olhar para a órtese improvisada dela para fazer meu sangue arder sob a pele. Sei exatamente por que sua lesão me enfurece mais do que qualquer coisa. É o mesmo motivo pelo qual sinto um impulso de afastar Cal dela sempre que ele chega perto demais ou pelo qual sinto uma necessidade inexplicável de vê-la sempre que ela sai do meu campo de visão por mais do que algumas horas.

Você gosta dela.

Merda.

* * *

A primeira parada depois de deixar Iris no escritório é a casa do meu pai. Sua assistente me avisou que ele tirou o resto do dia de folga em virtude de uma "enfermidade imprevista", então não é difícil localizá-lo.

Quase penso que ele vai me ignorar esperando à porta, mas eu deveria ter imaginado que ele é orgulhoso demais para parecer fraco na minha frente.

Ele abre a porta, e encaro o estrago em seu rosto. Seu nariz é um caos de cartilagem e hematoma, e sinto que estou olhando para um espelho. Não preciso erguer a mão para tocar a leve protuberância no meu nariz para lembrar que existe. Uma protuberância que ele causou depois de um soco forte e do excesso de bebida. Meu estômago revira com a consciência de que não sou melhor do que ele, atacando com os punhos quando provocado.

Você não vai cometer o mesmo erro de novo. Você pode aprender a ser melhor.

Apesar de minhas palavras reconfortantes, acho difícil evitar a constatação arrepiante.

— Duvido que você tenha vindo só para admirar sua obra, então fale logo ou saia da minha porta.

— Vim deixar uma coisa. — Enfio uma pasta grossa no seu peito. Tenho uma para cada pessoa em minha vida. Segredos são uma moeda como qualquer outra, e sou podre de rico, graças ao detetive particular que trabalha para mim.

Ele abre a pasta e a fecha menos de um minuto depois.

— Entendi.

— Fique à vontade para dar uma boa olhada. Gosto em particular dos relatórios de ex-professores entrando em detalhes sobre seu abuso, embora as consultas escondidas em hospitais por ossos quebrados sejam particularmente interessantes. Tem um USB anexado no verso que inclui alguns vídeos das nossas brigas mais públicas também, só para você ter um contexto visual do que vem pela frente se voltar a mexer com a Iris.

— Por que você está me mostrando isso? Por que não compartilha com todo mundo de uma vez para assumir o meu cargo?

Solto um riso amargo.

— Porque não preciso descer ao seu nível para roubar o seu cargo, mas estou disposto a fazer isso se você tentar outra jogada como essa.

— Você destruiria a reputação da nossa família por ela?

— Você não é da família. Fez questão de mostrar isso quando mandou minha esposa laquear as trompas, seu monstro de merda. — Cerro os punhos ao lado do corpo, mas me seguro para não dar outro soco. Prefiro usar as palavras como armas em vez dos punhos.

— Estou tentando impedir que você cometa o erro de ter um filho com alguém só pela herança. Você devia me agradecer.

Respira fundo, Declan. Respira fundo, porra.

— Se eu pegar você conversando com a Iris de novo, seja sobre trabalho ou não, vou divulgar isso aí. Sem perguntas. Sem segundas chances. Não ligo se você precisar usar um maldito sinal de fumaça para entrar em contato comigo, desde que deixe a minha esposa fora disso.

— Você publicaria isso mesmo que fizesse você parecer fraco?

— Esse é o problema, *pai*. Passei anos demais me achando patético porque não conseguia revidar, mas um dia me dei conta de que o único homem fraco aqui é você. De certa forma, acho que sou grato pela minha mãe ter morrido, porque pelo menos ela não tem que encarar o ser humano repugnante que você se tornou. — Dou as costas para ele, sentindo seu olhar inflamado me seguir até o carro.

CAPÍTULO VINTE E QUATRO
Iris

Declan está mais quieto que o normal desde nossa visita ao hospital ontem. Tento melhorar o humor dele com alguns comentários, mas ele apenas franze a testa como se eu não passasse de um incômodo.

Se é que é possível, o dia seguinte fica ainda pior. Não consigo digitar com a mão direita, então fico limitada a apertar teclas individuais com o indicador esquerdo. Fico tentada a jogar o teclado na parede depois de meia hora trabalhando em uma planilha. Em vez de recorrer à violência, afinal todos sabemos o que isso causou da última vez, mando mensagem para meu cavaleiro de Armani.

Cal entra na sala trinta minutos depois.

— Sempre pensei que seria o Declan quem mostraria ao pai como era estar do outro lado do estilo dele de paternidade, mas parece que você se adiantou.

Meu peito aperta pelas crianças que cresceram com um pai tão cruel. Se ao menos eu pudesse voltar no tempo e dar um soco de verdade.

O olhar de Cal se estreita.

— Não me olhe assim. Não tenho tantos *daddy issues* quanto os outros dois.

— É porque você tem toda uma variedade de outros problemas.

— É o que me torna complexo.

— Não. É o que faz você precisar de terapia.

Ele ri enquanto puxa a cadeira de metal à minha frente.

— Já fiz. Descobri que, se você não estiver interessado em mudar, eles não têm muito como ajudar.

Balanço a cabeça.

— Que absurdo.

Ele sorri.

— Fiquei sabendo que você precisava dos meus serviços.

— Depende. Seus planos para as próximas semanas são flexíveis?

— Por você? Posso cancelar todos.

Solto um suspiro.

— Vou ficar te devendo uma, sério. Não consigo fazer muita coisa com essa órtese se eu demoro vinte minutos para digitar um parágrafo.

— Você vai se arrepender por ter pedido minha ajuda.

— Provavelmente porque você não consegue se concentrar em merda nenhuma, mas não tenho opção. Eu que não vou passar horas do lado de um estagiário. Pelo menos assim você pode tornar o meu trabalho um pouco mais suportável.

— Você sabe mesmo como lisonjear um homem.

— O Declan não parece ter problemas com isso.

— Porque, na maioria dos dias, ele mal pode ser classificado como humano, que dirá homem.

Ah, ele é um homem sim. Eu vi as evidências em detalhes exuberantes. Cal estremece com a expressão no meu rosto.

— Ai, Deus. Não sei que pensamento fez você fazer essa cara, mas esqueça. *Agora*.

***

O humor de Declan se deteriora nos dias seguintes. Fico quase hesitante em colocar meu plano em prática, mas, depois de todo o trabalho que tive, não posso voltar atrás agora.

— Por que estamos parando? — Declan estende a mão para apertar o botão de chamada do motorista, mas eu o impeço.

— Bem-vindo à primeira fase da Operação Namoro Falso.

Ele se vira no banco e me encara.

— Do que está falando?

— Esse é o meu plano. Juntos *nós* vamos acabar com todas as dúvidas sobre o nosso casamento, começando por hoje.

Seus lábios se curvam para baixo.

— Com um namoro falso? Que sentido isso faz se *nós* somos *casados*?

— É simples, na verdade.

— Estou morrendo de curiosidade aqui — ele diz, inexpressivo.

Ignoro seu humor.

— Planejei algumas aparições públicas para garantir que sejamos vistos por todas as pessoas importantes de Chicago.

— Parei de prestar atenção em aparições públicas. — Ele leva a mão ao botão de chamada, mas eu seguro a mão dele para impedi-lo.

Eu a solto no mesmo instante, com medo do frio que pode surgir em minha barriga se tocar nele por mais de um segundo.

— Sei que você quer se manter escondido em sua mansão chique, mas evitar a imprensa não vai resolver nenhum dos nossos problemas.

— Já funcionou antes.

— Tenho certeza de que sim, mas você está disposto a apostar sua herança de vinte e cinco milhões nisso?

Fico surpresa por ele conseguir dizer alguma palavra de tanto que seus dentes rangem.

— Não.

— Vou precisar que você confie em mim.

Ele continua em silêncio, então presumo que está disposto a me escutar.

— Fiz uma reserva para dois no La Luna em uma mesa com vista para o rio. Precisei dar um jeitinho para conseguir uma no último minuto, mas tenho meus contatos.

— O nome do seu contato é Benjamin Franklin, por acaso?

Sorrio.

— O suborno faz maravilhas. Foi você quem me ensinou.

É bom voltar à programação normal – mesmo que apenas por uma noite. Com ele me ignorando por dias, meio que senti falta de nossa interação.

— Por que você precisou de suborno? Poderia ter dito que era para mim.

— Você é presunçoso, hein?

Ele encolhe os ombros, e eu reviro os olhos.

— Fique sabendo que usar o seu nome não teria funcionado aqui porque eu tinha um pedido muito especial que exigia certa motivação monetária.

— Estou hesitando em perguntar, mas me sinto legalmente obrigado como seu marido.

Eu rio enquanto aperto uma mão na outra, com um ar mais de gênia diabólica do que angelical.

— Nossa mesa por acaso fica ao lado da mesa da colunista de fofoca principal do *Chicago Chronicle*.

Sua coluna se empertiga.

— Agora estou intrigado por um motivo muito diferente.

Eu o encaro.

— Não tive todo esse trabalho para você estragar tudo fazendo alguma besteira.

Ele solta um suspiro pesado.

— Como você pode ter certeza de que ela está aqui hoje?

— Se eu contasse, você viraria cúmplice do crime.

Ele balança a cabeça e olha pela janela, mas distingo um leve sorriso no reflexo.

— Você quer que eu me sente perto de uma pessoa que chamou você de chocadeira desmiolada e não faça nada a respeito?

— Ah. Você realmente pareceu ofendido por um segundo.

Ele murmura algo baixo.

— Escute. O plano é simples. Vamos jantar, tomar um drinque e fingir que estamos apaixonados.

— Porque é um namoro falso — ele responde, com a voz robótica.

Finalmente.

— Certo! Agora você está entendendo.

— Namorar você seria...

Eu o interrompo, ficando mais nervosa a cada olhar de julgamento que ele lança na minha direção.

— Doloroso. Não preciso que você me diga duas vezes.

Seus lábios se apertam enquanto ele fica em silêncio, observando meu rosto como se estivesse fazendo uma ressonância magnética da minha alma.

— Sim. Doloroso é exatamente como eu descreveria essa situação. — Sua voz é desprovida de qualquer emoção, e um calafrio perpassa minha pele.

Engulo em seco a incerteza e endireito a coluna.

— Ótimo. Agora que nós estamos na mesma página, você está pronto para ir? Vão dar nossa mesa para outras pessoas se não aparecermos nos próximos cinco minutos.

— Só estou concordando com esse plano porque você quebrou algumas leis para colocar em prática.

— Se eu for pega, que bom que tenho você para pagar a minha fiança.

— Quem disse que eu não estaria lá com você?

Meu sorriso pode fazer minhas bochechas doerem, mas o sorrisinho discreto dele faz meu peito todo doer.

Bom, não era para isso acontecer.

Evitar seus sentimentos não os torna menos reais.

Ah, cala a boca.

***

Planeje um encontro falso, eles disseram. *Vai ser fácil.*

Ninguém nunca disse isso.

A *hostess*, que está quinhentos dólares mais rica graças a mim, nos guia até nossa mesa ao lado da jornalista. Isso é tudo em que consigo pensar enquanto Declan assume seu ar de indiferença e sua mão encontra minha lombar. O calor que emana dele se infiltra na minha pele, e fico tentada a me aconchegar perto dele.

— Gostariam de mais alguma coisa, sr. e sra. Kane?

A jornalista ruiva ergue os olhos de seu cardápio. Um brilho de surpresa perpassa seus traços enquanto seus olhos observam Declan de cima a baixo.

Balanço a cabeça enquanto Declan responde por nós:

— Não, obrigado.

A mão de Declan sai das minhas costas enquanto ele puxa minha cadeira. Eu me sento, e ele me empurra para perto da mesa. Ao contrário das outras vezes, em vez de se afastar, ele se aproxima.

Seus lábios roçam na minha orelha quando ele cochicha:

— É melhor que você esteja certa em relação a isso.

Sinto um calafrio.

— Confie um pouco em mim.

— Fico meio hesitante considerando seu histórico. — Ele ri baixo, fazendo uma chama revirar minha barriga.

— Assim você me ofende.

— Desculpa. — Seus dentes roçam a ponta da minha orelha, fazendo outra corrente de energia me perpassar.

Isso faz parte do show? Fico extremamente confusa até notar os olhos de Declan encontrando os da jornalista.

Solto a respiração que estava segurando quando Declan se afasta e se senta na cadeira à minha frente. O peso de seu olhar aperta meu peito como uma bigorna, tornando cada inspiração progressivamente mais difícil.

Olho atrás dele na direção da jornalista. Ela digita no celular, ignorando completamente seu acompanhante.

Algo me diz que ela está anotando.

Hora de entregar a melhor atuação da sua vida.

— Eu queria que ainda estivéssemos em lua de mel.

Entre nessa, digo com os olhos.

— Eu também — ele diz, sem um pingo de sarcasmo.

Hm. Ele está falando sério ou está mentindo para agradar a plateia? O primeiro pensamento me faz querer insistir mais.

— Por quê?

— Até que tirar férias não é a pior coisa do mundo.

— Eu falei!

Seus lábios se curvam nos cantos, mas ele continua em silêncio.

— O que fez você mudar de ideia?

Ele se aproxima.

— Não ter que pensar em nada além de como vou te comer da próxima vez.

Minha inspiração súbita não é encenada. Nem a maneira como meu coração bate como um tambor de guerra no peito. Meus olhos alternam entre seu olhar ardente e o rosto corado da jornalista.

— O que está fazendo? — cochicho, com um sorriso forçado. Embora meu olhar esteja cravado no de Declan, consigo sentir os olhos da moça acompanhando todos os meus movimentos.

Ele estende a mão e ajeita uma trança atrás da minha orelha.

— Vendendo uma história — ele sussurra.

— Então sossegue, Romeu. É pra ser romance, não pornô.

O brilho em seus olhos não tem nada a ver com a luz de velas.

— Tá. — Ele fica mais atrevido com os toques quando seu polegar traça meu lábio inferior.

— Então, eu estava pensando... — digo mais alto, ganhando a atenção do alvo.

— Nunca vem coisa boa disso.

Rio enquanto empurro seu ombro.

— Cale a boca. Nós dois sabemos que você gosta é do meu cérebro.

— Gosto mais do seu coração.

Para alguém que é péssimo usando qualquer coisa além de resmungos e ordens para se comunicar, ele definitivamente sabe como fazer minhas entranhas derreterem com uma única frase.

Se bem que é tudo uma mentira.

— Que... fofo.

Seus lábios se apertam em uma linha fina. Me pergunto se ele faz isso para segurar o riso.

— Enfim... pensei que poderíamos fazer uma coisa divertida neste fim de semana.

— Defina *divertido*.

— Pensei em fazer uma reuniãozinha familiar.

Seus olhos fazem umas cem promessas tácitas. Duvido que ele aceite esse plano, mas é divertido fingir para a jornalista.

— Que tipo de reuniãozinha? — ele pergunta entre dentes.

— Para assistir à Fórmula Um! — Dessa vez meu sorriso é sincero. A ideia parece o jeito perfeito de ajudar Rowan e Declan a superarem seu desentendimento. Além disso, eu adoraria passar mais tempo com Zahra, mesmo que sejam algumas poucas horas.

— Não.

Franzo a testa.

— Por que não? O Rowan vai estar na cidade para uma reunião de orçamento, então é o momento perfeito para a gente se reunir.

Ele evita meu olhar enquanto observa o cardápio.

— Esse lance é só nosso.

A maneira como ele fala isso faz meu corpo vibrar.

— Se dependesse de você, tudo seria o *nosso lance* para que você nunca tivesse que me dividir com mais ninguém, seu homem das cavernas territorialista.

— Que bom que você finalmente entendeu. Até que demorou.

Pelo canto do olho, noto a jornalista sorrindo para nós.

— Pode relaxar um pouco. Somos casados agora. Ninguém vai me pegar e me levar para longe de você. Exceto...

— *Não.*

A repórter puxa a cadeira alguns centímetros.

— Só tem um homem por quem eu trocaria você.

Ele ergue a sobrancelha. A moça quase cai da cadeira de tanto que se inclina para a frente para nos escutar.

Ergo as mãos fingindo rendição.

— Tá, talvez dois homens. Três no máximo!

Ele suspira.

— A lista de pilotos de corrida parece estar crescendo a cada semana.

— A culpa é toda sua.

— Tenho total noção do meu descuido. Não tem um dia em que eu não me arrependa disso.

Meu sorriso se torna sedutor.

— Você *é* fofo quando fica todo possessivo. — Não falo sério, mas suas narinas se alargam mesmo assim.

— Não sei se você vai pensar o mesmo quando a gente chegar em casa.

Um rubor desce das minhas bochechas até o pescoço, sem que ele saiba. Pensei que Declan aceitaria um encontro falso porque sua reputação precisa disso, mas não pensei que ele provocaria tantas reações em mim. Meu corpo não parece entender que as promessas dele são todas falsas. Poxa, meu cérebro está com dificuldade de entender a maneira como seus olhos parecem escurecer, o preto de suas pupilas consumindo as íris castanho-escuras.

Engulo o nó na garganta e rezo para conseguir aguentar mais um pouco disso. No fundo, sei que isso não é real, mas meu corpo parece ter dificuldade para entender que as palavras dele não passam de promessas vazias.

Eu deveria saber que ter um encontro falso seria uma ideia ruim, mas não tenho muitas opções. A única coisa que consigo controlar é quanto tempo interajo com ele. Porque, se esta noite é algum indício de como pode ser o futuro, não sei se vou ter forças para resistir a ele. Pelo menos não quando ele diz e faz coisas que deixam meu coração acelerado e minha pele corada.

Então, o que acontece se nossa brincadeira de encontros falsos se transformar em algo mais? Tenho medo demais de responder a essa pergunta, embora ache que tenha uma boa ideia.

Sexo. Amor. E um coração partido.

CAPÍTULO VINTE E CINCO

Declan

Pensei que a ideia de Iris de ter um encontro falso era ridícula até realmente me sentar na frente dela e perceber que eu teria toda a sua atenção por pelo menos duas horas. Isso me faz lembrar de nossa lua de mel e do jantar que tivemos. Mas dessa vez ela está totalmente concentrada em atuar, enquanto eu estou mais interessado em conhecê-la. Não a pessoa que ela é no horário de expediente ou os vislumbres escondidos que tenho quando ela baixa a guarda, mas quem ela é de verdade.

Aproveito que a jornalista foi ao banheiro para tirar mais informações dela.

— Se não tivesse que trabalhar, o que você faria nos fins de semana?

Ela recua.

— Tipo, se eu tivesse um dia de folga?

— Você tem os domingos de folga.

— Normalmente estou morta demais até para me mexer, então prefiro vegetar no quarto. Só saio para buscar água e comida.

— Por quê?

— Porque estou exausta. Trabalhar para você suga toda a minha energia, então, quando chega o fim de semana, não tenho forças.

Essa conversa está voltando rapidamente ao trabalho, e dessa vez não tenho interesse em falar com Iris sobre esse assunto.

— Certo. O que você faria se não estivesse cansada nem trabalhando?

Ela ri.

— Sinceramente, não faço ideia. As coisas que eu fazia não se aplicam mais.

— Por exemplo?

— Almoçar com os amigos. Passar o dia todo no cinema. Observar as pessoas no zoológico. As opções são infinitas, na verdade. É bem fácil me entreter, desde que não exija pensar muito.

— Quando foi a última vez que você fez alguma dessas coisas?

Ela ergue os olhos para o teto.

— Hum. Cal e eu fomos ao cinema alguns meses atrás.

— Juntos?

— Não. Fomos em cinemas separados e ligamos um para o outro depois para comentar da trama. — Ela ri. — É claro que *nós* fomos juntos. Com quem mais eu iria?

— Um namorado?

— Depois que o último acabou em um pedido de casamento rejeitado, não.

Que pena.

— E uma amiga?

— Cal é meu amigo.

— Outro amigo? De preferência do mesmo *gênero?*

Sua risada é triste.

— Não tenho mais nenhuma.

— Por que não?

Ela baixa os olhos para o prato.

— Descobri que as pessoas param de convidar você para os lugares quando você só diz não.

— Por que você dizia não?

— Tínhamos estilos de vida muito diferentes. A maioria das minhas amigas trabalha das nove às cinco e só cinco dias por semana. No começo tentei acompanhar o ritmo delas, mas acabei me esgotando. Precisei escolher entre o trabalho e minha vida, e nós sabemos no que deu. — Ela aponta para mim.

A expressão no seu rosto me impede de perguntar qualquer outra coisa. Uma sensação estranha dentro de mim ganha vida, e só consigo dar um nome a ela.

Culpa. É culpa minha que ela não tem amigos. Quer dizer, nenhum amigo além de mim e Cal.

Foi você quem disse que não queria ser amigo dela.

Meu estômago revira quando penso no quanto rejeitei sua amizade. Com tão poucos amigos, tenho certeza de que ela os leva muito a sério.

Foi por isso que ela ajudou você desde o princípio. Ela realmente considera você um amigo.

Se bem que não quero ser amigo dela. Não quando ela provoca todos esses sentimentos dentro de mim que estão longe de ser platônicos.

Quem disse que você não pode ser as duas coisas?

* * *

Eu não devia ter pedido mais uma bebida depois que nossos pratos vazios foram retirados. O líquido âmbar serve como lembrete de meu momento de fraqueza. Iris estava pronta para ir embora assim que a jornalista pagou a conta e saiu, mas eu quis ficar.

Esse pensamento me dói mais do que eu gostaria de admitir.

Tomo um gole da minha bebida, permitindo que apenas uma quantidade pequena de líquido passe pelos meus lábios. Iris parece um tanto perturbada pelo fato de eu fazer uma dose de uísque durar mais que todos seus relacionamentos passados juntos. Sou egoísta por mantê-la na rua até tão tarde em uma noite de meio de semana, mas não consigo evitar. Vê-la falar sobre assuntos que não sejam trabalho é fascinante.

Ela fala até estar sem fôlego, preenchendo o silêncio a que me acostumei com seu falatório sem fim. Ela vai de um assunto a outro em que tocamos com paixão e curiosidade.

Uma casa em ruínas que ela viu no caminho para casa que parecia perfeita para uma reforma. Como ela se divertia visitando a sala de aula da mãe. Seu plano de assistir ao campeonato de *cornhole*, um jogo de acerte o alvo, da avó na semana seguinte na igreja.

Eu nem sabia que existia um campeonato de *cornhole*, que dirá que sua avó era a atual campeã.

Estou adorando meu tempo com Iris a ponto de não querer que acabe.

— Falta muito? — Iris interrompe meus pensamentos com a dura realidade.

— Para?

Ela olha feio para minha bebida.

— Seu copo caro de uísque.

— Eu posso pagar.

— Você tem a mesma garrafa em casa pela metade do preço.

Mas eu teria a mesma companhia? Provavelmente não. A ideia de beber sozinho hoje parece insuportável. Passei toda a vida sozinho, e, embora nunca tenha sido um problema antes, está se tornando intolerável.

— Estou gostando da vista.

Ela olha pela janela.

— Falou o homem que nem olhou pela janela.

— Não é dessa vista que estou falando.

Os olhos dela se voltam aos meus. Fico surpreso quando ela ergue a cabeça para trás e uma gargalhada escapa. É áspera e rouca, chamando a atenção de vários clientes. Um calor me perpassa com o som, mesmo sabendo que ela está rindo à minha custa.

Quando ela volta a olhar para mim, seus olhos têm um brilho úmido e ela parece não conseguir respirar o suficiente.

Minha mão aperta o copo enquanto tomo outro gole.

— O que foi isso?

Ela seca o canto dos olhos.

— A jornalista já foi embora. Não precisa mais fingir.

— Não estou fingindo.

— Isso é... *preocupante*.

— Não penso assim.

— Não.

— *Não?* — Do que é que ela está falando?

— Não. — Ela fala com a voz mais firme dessa vez. — Não é assim que as coisas devem funcionar.

— E como exatamente as coisas *devem funcionar*? — Não vou admitir que estou confuso, mas, nossa, como estou. Tudo nela me confunde. Desde o aperto no meu peito sempre que ela ri à atração que sinto por ela em todas as horas do dia.

— Nós trabalhamos juntos.

— E?

Seu suspiro fundo ecoa o que cresce dentro de mim.

— Nós temos um acordo.

— Você está afirmando o óbvio só para me irritar?

— É claro que não. Estou só apontando o que está em jogo. Muita coisa depende da nossa *relação* para fazermos besteira só porque estamos excitados e confusos.

Percebo que ela fala *nós* embora eu ache que *ela* mesma não tenha percebido.

— Não estou confuso. Longe disso, na verdade. Sei exatamente o que quero.

— E o que é?
— Você.

O jeito como ela ri me faz querer abafar seu riso com os lábios. Eu me conformo apertando a mão dela, o que a controla o bastante para fazê-la parar de rir de mim.

Ela tenta tirar a mão da minha, mas eu aperto.

— Essa deve ser alguma piada doentia.

Os músculos na minha mandíbula doem pela maneira como eu ranjo os dentes.

— Por quê?
— Você não pode me querer. Não nesse sentido, pelo menos.
— Por que não?
— Isso não deveria ser nada além de uma obrigação contratual.
— É o que nós dissermos que é. — Traço o diamante em seu dedo, tirando uma inspiração súbita dela.

Seus olhos se arregalam.

— Ai, meu Deus. Você está realmente sugerindo que a gente se pegue?

Sempre fui uma pessoa direta – até demais.

— Sim.
— Por quê?
— Porque eu quero.

Seu riso amargo faz uma onda de desconforto me atingir.

— Então tenho certeza de que vai ser extremamente difícil para você aceitar que minha resposta é não.
— Por que perder tempo negando o que nós dois já sabemos?
— Porque a última coisa de que nós precisamos é complicar ainda mais a situação.
— Sinto dizer, mas nossa relação *é complicada*.
— Não, Declan. Nossa relação é uma fachada.

Suas palavras são como um soco, e fico sem voz enquanto as processo. Ela se levanta e pega a bolsa. O pequeno sorriso que lança em minha direção parece completamente errado. Não quero que ela vá. Isso eu sei que é verdade, mas ela não parece notar a súplica silenciosa em meus olhos.

— Acho que é melhor fingirmos que esta noite nunca aconteceu. Pelo bem de nós dois. — Ela se agacha para beijar minha bochecha, e é como se tivesse gravado a marca de seus lábios na minha pele. — Te encontro no carro. Não precisa ter pressa.

Uma tensão no meu peito cresce a cada passo que ela dá para longe de mim. Odeio a sensação que brota aqui dentro como uma erva daninha, enrolando-se ao redor do meu coração como uma trepadeira, quase tanto quanto odeio Iris dando as costas para mim.

Esta noite pode não ter corrido como eu imaginava, mas não sou o tipo de homem que admite derrota.

Eu planejo. Ajo. Conquisto.

Iris pode ter rejeitado minha primeira oferta, mas vou encarar o desafio e provar que as coisas podem ser boas entre nós se ela me der uma chance.

Nosso casamento pode ser falso, mas esses sentimentos que queimam dentro de mim não têm nada de falso. É questão de tempo até ela ser minha. Ela só não sabe ainda.

* * *

O carro mal estaciona quando Iris escapa da garagem.

Harrison abre minha porta com os lábios apertados.

— Há quanto tempo você é casado? — Saio do carro e abotoo o paletó.

Ele se sobressalta como se eu nunca tivesse falado com ele antes. Podemos não ser confidentes, mas ele é meu motorista muito antes de eu ter habilitação. É claro que interajo com ele. Ele tem meu número pessoal, só para fins de coordenação.

— Quarenta anos já. — Ele sorri consigo mesmo como se a ideia o agradasse.

— De livre e espontânea vontade?

Em vez do quê? Um acordo contratual como o seu?

Ele ri.

— Ela poderia dizer que não, se o senhor perguntasse.

Inclino a cabeça.

— Por quê?

Ele olha para mim como se questionasse meu QI.

— Porque o casamento é uma coisa difícil e, segundo ela, não sou a pessoa mais fácil de conviver. Além disso, eu ronco.

Uma risada se prende na minha garganta.

— Faz sentido. — Eu me viro na direção da porta, mas as palavras de Harrison me interrompem.

— Posso dar um conselho?

Suspiro e olho para ele.

— Só se achar absolutamente crucial.

Seus olhos se enrugam nos cantos enquanto os lábios se curvam em um pequeno sorriso.

— O senhor pode ter começado pela ordem errada, mas nada o impede de recomeçar do zero e tentar de novo.

Minha nuca formiga como se pequenas agulhas se cravassem na minha pele.

— Você sabe.

— É claro que eu sei. Dirijo para o senhor desde antes de o senhor ter altura para alcançar os pedais. Se tem alguma coisa que o senhor me deve é não ofender minha inteligência assim.

— Você assinou um acordo de confidencialidade.

Ele balança a cabeça.

— Não tenho interesse em vender a sua história. Se tivesse, teria pegado o dinheiro que o seu pai me ofereceu e me aposentado com a Gerty em uma praia no México.

Minha máscara de indiferença cai.

— Ele queria pagar você?

— Não é essa a questão.

— Quanto? — Cerro os punhos no bolso.

Ele fecha a porta traseira.

— Também não é essa a questão.

— Por que você não aceitou a oferta dele?

— Porque não queria dar ao senhor mais um motivo para odiar o mundo.

— Você devia ter pegado o dinheiro, porque nada que fizer vai mudar minha opinião sobre a humanidade. Posso garantir.

— Provavelmente não, mas tem uma pessoa que pode.

Meu corpo fica rígido dentro do terno.

— Impossível.

Ele solta um riso grave.

— Não estou vendo a graça dessa conversa.

Ele seca os olhos com um lenço.

— É reconfortante saber que o homem mais inteligente que eu já conheci é um idiota como o resto de nós quando o assunto é mulher.

Minhas sobrancelhas se franzem.

— Você ainda quer manter o seu emprego?

— O senhor pode tentar me demitir, mas nós dois sabemos que a Iris me recontrataria na manhã seguinte.

Eu o encaro, o que só o faz sorrir.

— Eu só estava tentando dar um conselho porque alguma coisa me diz que o senhor poderia precisar. Mas estou vendo que esse não é o caso, então tenha uma boa noite, senhor. — Ele inclina o quepe e se volta para o carro.

— Harrison — chamo antes que consiga me conter. Como já passei vergonha, é melhor aproveitar seu conselho.

Ele pausa.

— Pois não, sr. Kane?

Devo estar tendo algum tipo de crise mental, porque nada mais explica o que faço na sequência.

— O que faria se você se sentisse atraído por uma mulher que não quer nada com você?

Ele ri de um jeito que me faz sentir que estou perdendo a segunda metade de uma piada.

— A sra. Kane pode dizer o que quiser, mas ela está, sim, interessada no senhor. Vi isso com meus próprios olhos.

— Com ou sem as lentes corretivas?

Ele bate nos óculos de aro grosso.

— As bifocais não mentem.

— Seja lá o que você viu, ela diz o contrário.

— Ah, tenho certeza de que sim. Mas é aí que o senhor entra.

— E faço o quê, exatamente?

Seus lábios finos se abrem em um sorriso sincero.

— O senhor corre atrás.

* * *

As palavras de Harrison ficam na minha cabeça enquanto subo para meu quarto. Passei a vida toda correndo atrás do que queria, então, embora o conceito não seja diferente, meu desejo de fazer isso com Iris é novo.

Mentira. Você sempre esteve interessado nela.

Mas meus pensamentos nunca foram além disso. *Interesse.* Correr atrás de Iris nunca foi uma opção antes, mas não tenho como continuar na mesma trajetória. Vou ficar maluco se resistir aos impulsos que ameaçam me consumir sempre que ela entra no quarto. Nos últimos tempos, parece que sou consumido pela sensação ardente nas minhas entranhas.

Tiro a gravata e a jogo em cima da cômoda antes de tirar a camisa rapidamente. Eu a atiro em um canto do banheiro, junto com a calça.

Eu tinha esperança de que um banho me acalmaria, mas estava errado.

Minha cabeça divaga, inventando um cenário completamente diferente do que poderia ter acontecido depois de nosso encontro se Iris estivesse disposta a aceitar minha oferta. A deixar que eu a encurralasse e a beijasse até ela perder a capacidade de fazer qualquer coisa além de me arrastar para meu quarto.

Tento evitar me masturbar. Minha mão não passa de uma solução temporária para o problema de uma vida. Um problema que me atormenta há anos, sem nunca satisfazer minha vontade.

Meu pau endurece enquanto imagino Iris explorando todo o meu corpo com as mãos. Em como ela ficaria ávida pelo meu corpo, passando as unhas na minha pele.

Aperto meu pau duro com a mão direita. Prometo a mim mesmo que essa é a última vez que vou usar a mão, mas sei que é mentira. Um suspiro me escapa enquanto bombo uma vez antes de tirar a gota de baba na ponta. Minha mente inventa uma série de sons que Iris poderia fazer quando minhas mãos apertassem seu quadril. Um gemido quando minha língua passasse pela sua. A inspiração súbita quando roço seu pescoço com os dentes. O gemido esbaforido quando meus dedos apertam sua bunda como se eu pudesse marcar a ponta dos meus dedos em sua pele.

Minha mão aperta meu pau com firmeza, cada movimento agressivo fazendo um calor descer pela minha espinha. É fácil fantasiar com o que poderia acontecer entre nós se eu a convencesse a aceitar sua nova realidade. Se Iris me implorasse para a comer lá mesmo como um animal irracional.

Imagino seu toque ficando desesperado enquanto memorizo seu corpo com os lábios. Ela retribuindo o favor, aprendendo cada curva do meu corpo com a ponta da língua. Meu pré-gozo vaza da pontinha enquanto considero suas unhas se cravando na minha pele a cada estocada. Eu usaria suas marquinhas em meia-lua como uma cicatriz orgulhosa de batalha, sabendo o que fiz para merecê-las.

Um calor se espalha pelas minhas veias sem ter nada a ver com a água quente que escorre pelo meu corpo. Coloco a palma da outra mão no azulejo, tentando apoiar meu peso enquanto minhas pernas tremem. A sensação ardente se torna insuportável à medida que minhas bombadas vão acelerando.

A fantasia do quarto muda para ela me flagrando no banho me masturbando desse jeito. Sua mão substituiria a minha enquanto ela ergueria os olhos grandes e castanhos para mim. A maneira como ela poderia hesitar ao me segurar, aprendendo a me agradar do jeito que eu gosto.

Só um gostinho, ela sussurraria antes de ajoelhar e colocá-lo na boca.

Não demoraria muito para me levar ao clímax. Algumas lambidas lentas no meu pau. As bochechas se encovando enquanto ela chuparia minha rola até engasgar. Seu gemido enquanto eu apertaria sua nuca e metesse fundo na garganta dela, fazendo-a arranhar minhas coxas e pedir trégua.

A ilusão se desfaz quando sou dominado pelo orgasmo. Manchas escurecem minha visão, e a porra quente escorre. Ela bate no ladrilho antes de escorrer pelo ralo. Balanço meu pau, descontando a raiva no meu membro amolecendo.

Minha respiração está irregular quando acabo. Encosto a cabeça no azulejo e me xingo, sabendo muito bem que nunca vou estar satisfeito até Iris ser minha.

Nem um pouco.

CAPÍTULO VINTE E SEIS

Iris

Demora três dias para a jornalista publicar uma matéria sobre nós. Eu tinha torcido para que os resultados fossem promissores, mas ela superou todas as minhas expectativas.

— Eu falei! — Coloco meu celular na mesa de Declan.

Ele o pega e lê a matéria que descreve que uma fonte interna descobriu um lado oculto de Declan Kane. Ao que parece, o homem mais frio de Chicago tem um fraco por uma única pessoa em todo o mundo.

Eu.

O jeito como a jornalista descreve nossa relação é algo tirado de um filme. Segredos murmurados à luz de velas. Olhares furtivos quando um de nós estava olhando para o outro lado. Um beijo sob as estrelas, com os dois ignorando completamente o mundo ao redor.

Ele franze a testa.

— Isso nunca aconteceu.

— É uma coluna de fofoca, não o Wall Street. Eles não estão aqui para apresentar os fatos.

— É uma surpresa que ainda estejam no mercado com essa mentalidade.

— Porque matérias como a nossa já têm um milhão de leituras até agora. Só o dinheiro da publicidade é suficiente para mantê-los funcionando.

Seus olhos se arregalam.

— Um milhão? Foi publicado há uma hora.

Sorrio enquanto me sento na cadeira à frente dele.

— Eu falei que daria certo.

— Nunca duvidei de você. — Ele fala com tanta sinceridade que meu peito se contrai em uma resposta silenciosa.

— É da natureza humana.

— Não, é da *sua* natureza.

— Me trouxe até aqui.

— Não. Isso é tudo graças ao fato de que o seu sobrenome está no prédio — provoco.

— *Nosso* sobrenome.

Reviro os olhos.

— Por enquanto.

— Já quer se livrar de mim, *esposa*?

Não sei como, mas essa palavrinha causa uma onda de calor em mim, da cabeça aos pés.

Perigo. Alerta vermelho. Guerra nuclear iminente.

Então faço o que sempre faço quando Declan provoca sentimentos no meu peito que não deveriam estar lá.

Fujo.

* * *

A verdade é que não tenho como evitar Declan por muito tempo, já que moramos na mesma casa. Ele não demora para me encontrar enquanto me atrapalho para escorrer uma panela de água fervente com uma mão só.

— Você está tentando ir parar na emergência de novo?

Não tenho tempo de explicar enquanto ele chega perto e tira a panela da minha mão.

Ele olha feio.

— Se você queria chamar minha atenção, essa não é a melhor maneira.

Fico de boca aberta.

— Eu *não* estava tentando chamar sua atenção. — Pelo contrário, estava tentando evitá-la a todo custo, incluindo queimaduras de terceiro grau.

— Então o que está fazendo? — Ele escorre o macarrão sem eu ter que pedir.

— Cozinhando. — Ranjo os dentes para não falar mais.

Por que será que, quando sou eu que não quer conversar, ele parece querer? Não deixo de notar essa injustiça.

Ele coloca a panela vazia de volta no fogão.

— Garanto a você que fazer macarrão não é cozinhar.

— Pode ir embora, por favor? Estou tentando comer em paz. — Lidar com ele no trabalho é uma coisa, mas tê-lo no meu espaço, fazendo papel de santo, não é como eu queria passar a noite.

Você só está brava porque gosta de estar perto dele.

Ele paira como uma sombra enquanto serve uma porção grande de macarrão no meu prato.

— Você devia ter pedido minha ajuda.

Eu me eriço.

— Não preciso da sua ajuda.

— Pois pareceu, pelo jeito desesperado como estava segurando o cabo.

— Você não tem outro lugar para estar? Talvez tenha algum documentário fascinante sobre planilhas ou algum relatório de despesas que possa te ajudar a pegar no sono?

Ele ri, e é como se as nuvens se abrissem e o céu nos agraciasse com um milagre.

Ah, Iris. É assim que tudo começa.

Reconheço o calor que atravessa meu peito quando ele sorri para mim. Odeio isso. Amo isso. Não consigo me impedir de querer mais.

Ele sorri.

— Na verdade, desci para comer.

— Ótimo. Vou deixar você à vontade, então. — Encho meu macarrão de molho antes de me afastar do balcão. Vou limpar a cozinha depois que Declan sair.

— Ou você pode ficar.

— Quê? — Fico encarando.

— Não falei que você precisava sair.

Merda. Se eu sair, vai parecer que não tenho forças para lidar com ele por longos períodos sem a supervisão de um adulto.

Provavelmente porque é verdade. Uma coisa é ficar com ele em um escritório; outra completamente diferente é interagir com ele dentro de nossa casa.

Balanço a cabeça.

— Ah, não. Eu já estava planejando comer lá em cima mesmo.

Ele baixa os olhos para o guardanapo e os talheres brilhantes que estão sobre a mesa. Quando ergue a cabeça, seus olhos parecem se iluminar.

— Eu deixo você nervosa?

— Não — digo, rápido demais.

Seu sorriso se alarga.

Não é de se admirar que ele não sorria muito. O mundo não teria a mínima chance se ele usasse seus sorrisos com mais frequência.

Ele abre o armário e pega um prato vazio antes de enchê-lo com uma quantidade generosa de macarrão.

— Se faz você se sentir melhor, podemos falar sobre trabalho.

Minha expressão de horror não dá para ser disfarçada.

— Como isso vai me fazer sentir melhor?

— Porque é normal.

— Pode ser normal, mas não é certo! — Dou risada.

A pele ao redor dos seus olhos se enruga.

— Tudo bem. Não vamos falar sobre trabalho.

— Tá. Mas só porque você parece desesperado por companhia. — Eu me sento no banquinho, com um ar derrotado. Durante o pouco tempo que Declan e eu interagimos na casa, nunca comemos juntos. Ele parece se ocupar no escritório enquanto eu preparo refeições tristes só para mim. E, ao contrário do nosso encontro falso, isso parece íntimo. Ao menos muito mais do que comer em um restaurante cheio de gente para manter as aparências.

Ele se coloca ao lado do jogo americano que estendi para mim.

— Então... — Pego meu garfo.

Os olhos refletem seu divertimento enquanto ele me deixa balbuciar no silêncio.

— Não gosto do jogo que você está jogando.

— E que jogo é esse? — Ele pega o garfo e o gira em seu macarrão. O cotovelo dele toca o meu, e inspiro fundo com a sensação que sobe pelo meu braço.

— Você sabe muito bem do que estou falando.

— Não faço a mínima ideia. — Ele abre as pernas, e uma de suas coxas encosta na minha.

Olho feio para ele enquanto ergo o garfo.

— Se você tocar na minha perna de novo, vou ser obrigada a me defender fisicamente.

Ele ergue a cabeça de tanto rir. A gargalhada de Declan é uma arma de sedução em massa, e sou seu maior alvo. É rouca e sem prática, e faz um formigamento descer pela minha espinha.

Eu derreto no banco, permitindo que o som me cubra como um dia quente de verão. Uma sensação de orgulho me atinge com a ideia de fazer alguém como ele rir desse jeito, considerando como ele resiste a isso. É como se fosse meu tipo particular de superpoder e um segredo que planejo proteger.

Declan fica sério, voltando à realidade enquanto dá uma garfada em seu jantar.

— Como está?

— Tem gosto de macarrão de caixinha.

Eu rio.

— Nunca cozinhei muito bem. Quando chego em casa, normalmente tenho sorte se tiver motivação para ferver água.

— Eu posso cozinhar amanhã, se você tiver interesse.

Fico boquiaberta. Essa conversa está mesmo acontecendo?

— Eu não sabia que você sabia cozinhar.

— Imagine se eu não soubesse. Estaria comendo macarrão fervido pelo resto da vida como alguém que eu conheço.

— Três anos.

Suas sobrancelhas se franzem

— Quê?

— Pelos próximos três anos. Não pelo resto da vida.

— Certo. — Sua voz é desprovida de emoção.

Dou uma cotovelada nele.

— Mas vou cobrar de você esse jantar amanhã. Acho que não aguentaria mais uma noite de macarrão mesmo.

— De todas as coisas para as quais você poderia me usar, vai escolher minhas habilidades culinárias?

— Não vejo por que não. Você não tem muitas outras qualidades. — Meu comentário é respondido com um olhar fatal.

— Você sabe mesmo fazer um homem se sentir especial. — Seus lábios se curvam, me levando de volta à noite em que nossas vidas mudaram.

— Especial é a última palavra que eu usaria para descrever você — repito suas palavras da nossa festa de noivado de volta para ele.

Seu olhar faz o meu de refém.

— Que palavra você usaria, então?

— Você é indecente.

— Melhor ainda.

Balanço a cabeça.

— Quem sabe outra hora.

— Então me pergunte que palavra eu usaria para descrever você.

Eu realmente não deveria, mas a curiosidade é maior do que eu.

— Tá. Que palavra?

Algo na maneira como ele olha para mim me dá um frio na barriga.

— *Yuánfèn*.

Fico encarando.

— Não entendi. Isso é *inglês*? — Já tenho uma grande desvantagem quando se trata da língua que falo todos os dias, que dirá uma estrangeira.

Ele parece estar fazendo uma piada interna.

— Não.

Tiro o celular do bolso e tento pesquisar a palavra com base em minha ortografia, mas devo estar assassinando a língua.

— Pode repetir? *Devagar*.

Ele diz de novo – dessa vez com uma separação fonética de consoantes e vogais –, e deve ser fácil para qualquer pessoa *menos* eu soletrar. Meus dedos pairam sobre as teclas, e me esforço ao máximo para escrever a palavra que ele disse, mas a única coisa que consigo é *iu ahn fã*.

— Quer ajuda? — Sua voz se abaixa, me fazendo sentir desamparada.

Quero atirar o celular na parede mais próxima. Lágrimas enchem meus olhos, mas pisco para contê-las. Mostrar fraqueza na frente de Declan é como balançar uma bandeira vermelha na frente de um touro. Eu me recuso a fazer isso.

— Tanto faz. Deve ser um palavrão mesmo. — Pego meu celular com um aperto ferrenho enquanto salto do banquinho.

— Para você, talvez seja.

Não vejo graça em sua piada. Estou descompensada demais para fazer qualquer coisa além de sair andando antes de admitir uma coisa que não estou pronta para compartilhar.

— Ei. O que você está fazendo?

— Vou dormir. — Não me dou ao trabalho de voltar o olhar para ele.

— Qual é o problema? — O barulho de sua banqueta me faz agir. Dou passadas longas. Já estou a meio caminho da escada quando sua mão aperta meu cotovelo.

— O que aconteceu agora há pouco?

Não consigo olhar nos olhos dele enquanto respondo.

— Nada. Só estou cansada. — Livro o braço de sua mão, e dessa vez ele me deixa escapar em paz.

Subo a escada dois degraus de cada vez enquanto os olhos de Declan queimam um buraco nas minhas costas. É só quando estou no conforto do meu quarto que boto tudo para fora. Pego um travesseiro, enfio a cara nele e deixo as lágrimas caírem.

Choro pela menina que sofreu bullying durante toda a vida escolar. Que virou uma piada recorrente na sala e era chamada de todos os xingamentos possíveis. Lágrimas escorrem pela versão de mim que era ridicularizada pelo pai até a mãe precisar intervir, mas acabava por vê-la destruída por palavras igualmente virulentas. A mesma pessoa que se transformou em uma profissional dedicada apesar de todas as pessoas que diziam que ela não chegaria a lugar nenhum porque não conseguia nem ler.

Passo a maior parte do tempo tentando provar que as pessoas estão erradas. Foram anos de aulas particulares para chegar aonde estou agora, e não vou permitir que um contratempo me desequilibre.

E daí se não consigo escrever uma maldita palavra estrangeira? Meu transtorno pode ser parte de mim, mas não me *define*. Não mais, pelo menos.

Meu celular vibra sobre o edredom. Eu o desbloqueio e encontro uma mensagem de Declan. O fato de ele enviar uma mensagem de uma palavra só não me choca, considerando sua preferência por usar cinco palavras ou menos em nossas conversas. É o conteúdo que me surpreende, e não porque preciso de três tentativas para finalmente lê-lo.

Declan: *Yuánfèn.*

Considero ignorar, mas a curiosidade é maior do que eu enquanto abro a barra de busca e digito a palavra na caixa com os dedos trêmulos. Os resultados são impressionantes.

Yuánfèn: Um infinito predestinado.

Quer dizer que Declan gosta de usar casualmente uma língua estrangeira sempre que quer evitar dizer como realmente se sente. Afinal, ele não tem como dizer na minha cara que pensa que eu sou seu *destino*.

Penso com cuidado na minha mensagem seguinte. Levo um tempo para encontrar a resposta perfeita para descrever como me sinto, e meu histórico de busca é cheio de variações de *palavras que não têm tradução em inglês*. Copio e colo a palavra que encontrei que descreve exatamente como me sinto e aperto enviar.

Eu: *Kilig.*[3]

Jogo o celular do outro lado da cama e não encosto nele até a manhã seguinte. É só quando já me vesti e me maquiei que crio coragem para ler a mensagem de Declan.

Declan: *Merak.*[4]

Copio e colo diretamente na barra de pesquisa, o que me faz derrubar meu celular no balcão do banheiro e estilhaçar a tela.

Um símbolo perfeito de como Declan está destruindo meus planos, um a um.

* * *

Declan e eu mal nos falamos pelo resto do dia seguinte. Eu me limito ao meu espaço e ele se limita ao dele, sem que nenhum de nós comente ou questione o que aconteceu entre nós na noite anterior. Fico grata por ele permanecer em silêncio. Juntos, estamos dançando em uma linha fina, e nenhum de nós quer mergulhar de cabeça.

É um verdadeiro caso de *mamihlapinatapai*[5] entre nós, com olhares furtivos na mesa de reunião sem nenhuma intenção de buscar mais. Pelo menos não da minha parte. Embora Declan com certeza esteja tentando. Sua última estratégia de me enlaçar com palavras estrangeiras sem tradução em inglês parece estar funcionando. Agora passo os intervalos pesquisando

---

3. Substantivo, tagalo: sensação de entusiasmo ou euforia provocada por uma experiência emocionante ou romântica.
4. Verbo, grego: fazer algo com prazer.
5. Substantivo, yagan: um olhar trocado entre duas pessoas, cada uma desejando que a outra inicie algo que as duas desejam, mas que nenhuma delas quer começar.

palavras novas e as acrescentando a uma lista que estou montando, para o caso de Declan tentar me superar com alguma.

Nunca pensei que poderia me divertir tanto com palavras, mas Declan parece estar me surpreendendo. Ele já me enviou duas hoje, nenhuma delas era romântica como ontem. Se bem que ambas me fizeram rir com base em nosso contexto.

A primeira mensagem quase revelou que eu estava trocando mensagens no meio da apresentação do pai dele na reunião bimestral do conselho. Não sei bem o que Declan tinha na cabeça para me enviar uma mensagem com a palavra *backpfeifengesicht*.[6] Engasguei com a água quando pesquisei a palavra e descobri o que significava. Estou convencida de que não existe outra palavra que combine mais com o pai de Declan, embora não consiga pronunciar nada além da primeira sílaba.

Pelo jeito, Declan tem, sim, um lado engraçado. Ele só é tão nerd que preciso do Google para me ajudar a entender suas piadas. Para ser sincera, é meio que divertido. As palavras são tão difíceis de pronunciar que nem preciso me estressar com elas. É o sentido por trás delas que importa.

Se eu continuar nesse caminho, prevejo que vou entrar ainda mais em território desconhecido com Declan. Então, embora eu possa me divertir, preciso levantar a guarda, porque algumas mensagens engraçadas não se traduzem em nada mais do que a realidade: duas pessoas que não podem ser mais do que amigos, em hipótese alguma.

* * *

— Por que está sorrindo para o celular? — Cal para de digitar para olhar para mim.

Merda.

— Nada. — Guardo o celular em uma gaveta.

Você está sorrindo? Controle-se e pare de reler as mensagens como uma adolescente apaixonada.

— *Certo.* Você acha que eu sou idiota?

— Tem certeza de que quer que eu responda?

---

6. Substantivo, alemão: um rosto que precisa muito de um soco.

O olhar fulminante dele me faz pensar em um golden retriever nervosinho.

— Acho interessante que o meu irmão está igualmente concentrado no celular. Em plena reunião do conselho.

Negue. Negue. Negue.

— Não faço ideia do que está falando.

— Sério? Porque, toda hora que ele guardava o celular, você pegava o seu.

— Evidências puramente circunstanciais, e olhe lá.

— Mas eu estava sentado bem do seu lado. Vi o nome dele aparecer na sua tela duas vezes em menos de cinco minutos.

Aponto o dedo para ele.

— É feio ler as mensagens dos outros.

— Não estou nem aí para as baboseiras esquisitas que vocês trocam por mensagem. Estou preocupado com os seus sentimentos.

Seu comentário tira uma risada de mim.

— Você não tem por que se preocupar.

— Que tipo de melhor amigo eu seria se não avisasse você para ficar longe do meu irmão?

— Justo. Só que você esquece que é meu trabalho saber tudo sobre o seu irmão. São pouquíssimas as coisas sobre as quais você poderia me alertar que eu já não saiba.

— Minha preocupação é exatamente essa. Você sabe tudo e ainda assim se ofereceu para se casar com ele.

— Porque eu me importo.

— Mas você já se perguntou *por que* se importa?

— Porque... — Eu poderia preencher essa lacuna com muitas respostas, todas igualmente questionáveis da perspectiva de Cal.

Declan me deu uma chance de aprender com meus erros, sendo que outros chefes me demitiram em menos de uma semana por erros de digitação "desleixados" e uma incapacidade de trabalhar com a rapidez necessária. Ele me incentivou a me esforçar mais e pensar no quadro geral, o que me ajudou a desenvolver autoconfiança suficiente. Sem saber, ele me ajudou a me transformar em uma mulher que acreditava em si mesma, e devo muito a ele por isso.

Cal suspira.

— Não tem problema você gostar dele. Não estou dizendo que não deveria, mas quero que você esteja preparada para a pior das hipóteses.
— E qual é exatamente? Ele me magoar?
— Pior. Ele fazer você se apaixonar por ele.

CAPÍTULO VINTE E SETE
Íris

As coisas entre Declan e eu parecem estar ficando mais intensas. Faz uma semana que tirei a órtese e Declan ainda não recuou. A cada dia ele parece mais insistente em passar mais tempo comigo. Quer seja jantando junto ou ele trabalhando em seu tablet enquanto assisto à TV na frente da lareira antes de dormir, não consigo me livrar dele.

Nunca pensei que ele gostaria de passar tanto tempo comigo por livre e espontânea vontade. Embora a maioria das pessoas pudesse não se incomodar em ficar perto de seus maridos de mentira, sinto que estou perdendo o foco. Como se estivesse esquecendo os motivos por que nunca daríamos um bom casal.

Para ser bem sincera comigo mesma, meus pensamentos vêm se distanciando lentamente da amizade e se dirigindo a um grande sinal de alerta vermelho conhecido como paixão. Nem estou falando sobre paixão física. Mais sobre a atração de almas que tenta a parte partida de mim a se abrir completamente a ele, sem me importar com as consequências.

É assustador pensar que posso estar disposta a deixar, por livre e espontânea vontade, que ele se aproxime.

Não que você tenha chance no caso do plano de hoje.

Mesmo se eu quisesse evitá-lo, o encontro falso de hoje à noite tornaria quase impossível fazer isso.

Bato na porta de seu escritório.

— Entre.

Nenhum homem deveria ter o poder de fazer meu coração bater mais forte no peito com poucas palavras. Respiro fundo antes de entrar em seu domínio. Depois de dias de contato limitado, eu me sinto desesperada pela atenção dele.

Desesperada pela atenção dele? Talvez você tenha síndrome de Estocolmo profissional.

Nossos olhares se encontram, e nenhum de nós desvia os olhos. Seu olhar desce do meu rosto para o meu corpo até pousar nos meus scarpins verde-limão. As tiras envolvem minhas pernas, me fazendo sentir como uma gladiadora romana, apesar do lacinho delicado na ponta. O olhar dele agita algo dentro de mim, fazendo um calor se acumular no meu ventre.

— Do que você precisa? — Sua voz áspera me tira de meu estupor. Ergo o queixo, me preparando para uma briga.

— Temos mais um encontro falso planejado para hoje.

— Um encontro falso. — O jeito como seus lábios se curvam com a frase me enche de trepidação.

— Você sabe. Porque precisamos parecer um casal feliz.

— Certo. Deus nos livre de realmente nos *sentirmos* como um, né?

Ai. Meu. Deus. Você precisa dar o fora daqui.

Solto uma gargalhada constrangida.

— Enfim... seu smoking voltou da lavanderia e está pronto para hoje. Esteja preparado às sete em ponto.

Eu me viro para a porta, mas paro quando ele me chama.

— Não tão rápido.

Minha garganta se fecha enquanto dou meia-volta e me viro para ele.

— Pois não?

— Aonde nós vamos?

Recupero a compostura.

— Baile de gala beneficente no Walton Hotel.

— Um baile de gala beneficente? — Seu nariz se franze de repulsa por um brevíssimo segundo, o que me faz sorrir.

— Vou fazer valer a pena.

— Como? — Ele se recosta na cadeira, a máscara fria de volta ao rosto. Se bem que seus olhos não conseguem esconder o que queima por trás da superfície.

O pobre coitado pensa que estou tentando seduzi-lo. A ideia me faz rir comigo mesma, o que só faz seu olhar escurecer quando desce para meus lábios.

— O advogado do seu avô vai estar lá.

— Não era essa a resposta que eu tinha em mente.

Meus olhos reviram.

— É claro que não.

— Se você quisesse fazer valer a pena, deveria ter escolhido alguma coisa um pouco mais... *tentadora*. — Ele afaga a barba rala no queixo e meu coração acelera.

— Estou confusa. Tem alguma coisa mais interessante do que ganhar a sua herança? — Escolho me fazer de inocente porque a alternativa parece arriscada com base na cara que Declan faz.

— Eu e você sabemos o que quero.

— Não quero transar com você — digo sem pensar.

Ai, Deus. Por que você disse isso?!

— Quem falou em transar? — Ele se levanta e abotoa o terno.

No fundo sei que, se ele chegar perto de mim, não vou conseguir me controlar. Seu olhar penetrante me incapacita, e não consigo dar nem um passo na direção da porta enquanto ele dá a volta em sua mesa. Fico parada como uma ovelha inocente à espera do abate enquanto ele corta a distância entre nós.

— Quero fazer um novo acordo. — Ele estende a mão e envolve minha nuca.

Calafrios se espalham pela minha pele.

— Não estou aberta a negociações.

Ele encolhe os ombros enquanto diz:

— *Strikhedonia.*[7]

Ele me priva de uma resposta quando seus lábios encontram os meus. Meus olhos permanecem abertos, o choque me deixando incapaz de processar tudo que acontece ao mesmo tempo. Declan deve sentir minha incapacidade de me conectar, porque seus dentes roçam meu lábio inferior em um comando silencioso para prestar atenção. Um de seus braços envolve minha cintura, me aprisionando contra ele enquanto me beija. Meu corpo estremece com um único raspar de seus dentes.

Fecho os olhos e me delicio com a sensação dos seus lábios nos meus. Ele aperta ligeiramente os dedos no meu pescoço enquanto meus lábios se abrem com um suspiro. O acesso dele à minha boca não é tratado como pouca coisa. Ele explora como um homem que tem uma missão, usando a língua como um tição em minha alma.

Tudo em seu beijo é egoísta. A maneira como seus dedos apertam minha pele. A sensação da sua língua na minha, afagando, testando, *possuindo*. A maneira como ele destrói qualquer aparência de normalidade com um *único movimento* que faz com o pau duro na minha barriga.

---

7. Substantivo, grego: o prazer de ser capaz de dizer "dane-se".

Acho que estou morrendo.

Acho que estou *voando*.

Sou tomada por uma onda de emoção após a outra, com cada aperto contra mim sem nenhum tipo de pausa. Não entendo o que está acontecendo.

Talvez você não queira entender.

Fico frustrada com minhas emoções contraditórias. Minha pele formiga e arde ao mesmo tempo, movida por uma necessidade primitiva de assumir o controle. Enfio as mãos no cabelo dele e puxo as raízes. Ele se delicia com isso como um homem faminto, e meus lábios abafam seu gemido.

Ele gosta do seu toque. As mãos dele descem pelas minhas curvas antes de apertarem meu quadril. Ele interrompe nosso beijo e quase gemo de protesto antes de ele seguir um caminho na direção da minha garganta. Sua língua traça meu pulso tremulante antes de chupar a pele. Cedo sob ele, o que só faz eu me pressionar mais contra seu membro firme.

Ai, Deus. Percebo que devo ter dito as palavras em voz alta porque ele ri contra minha pele. O som que me colocou nessa confusão faz algo estourar dentro de mim, e praticamente o empurro para longe. Nós dois estamos respirando com dificuldade, olhando fundo nos olhos um do outro.

O jeito como ele olha para mim... me faz sentir viva. Poderosa. *Desejada.*

Não consigo lidar com o peso do seu olhar, então passo os olhos pelo resto do seu corpo. Má ideia. O contorno do pau excitado dentro da calça enche minha boca d'água. Sou tomada por uma sensação de desejo tão forte que faz minha respiração se prender no fundo da garganta.

Metade de mim quer fugir enquanto a outra quer se ajoelhar e ver mais de perto. É a metade sã que vence.

Foge. Foge. Foge.

— Preciso atender o celular — digo com a voz rouca.

— Não estou escutando toque nenhum.

A tentação de tirar aquele sorrisinho idiota do rosto dele com um beijo é tão forte que me faz cair em mim. Ando a passos rápidos em direção à porta sem olhar para trás.

— Iris...

— Esteja pronto às sete. — Bato a porta atrás de mim, mas não rápido o suficiente para deixar de ouvir seu *merda* murmurado.

* * *

Minha caixinha de som toca música enquanto canto durante minha maquiagem. Embora Declan odeie bailes de gala, eu os adoro porque não vejo mal em me perder no brilho e glamour por uma noite. Antes, quando ele me chamava como sua acompanhante para que as mulheres não se aproximassem dele, eu passava a semana inteira procurando a roupa ideal.

Hoje não é diferente. Dedico um tempo extra me maquiando e pintando as unhas. Consigo entrar no meu vestido longo, tomando cuidado para não prender as tranças no zíper aberto. Por mais que eu tente, não consigo alcançar o zíper. Sou levada de volta à lembrança de minha noite de núpcias. No entanto, ao contrário de antes, não vejo mal em pedir uma ajudinha a Declan, desde que ele esteja completamente vestido.

Uma batida na porta me salva de ter que ir muito longe atrás de sua ajuda.

Pego a maçaneta e abro a porta.

— Oi.

Declan se recosta no batente, o cabelo perfeitamente penteado e o smoking moldado a seus músculos como se tivesse sido costurado diretamente em seu corpo. A única coisa desleixada nele é a gravata-borboleta que pende desfeita sobre a camisa.

Você tinha que se casar com o homem mais bonito de toda Chicago.

Chicago é o caramba. Está mais para o homem mais bonito do *mundo*.

Quero me afogar nos seus olhos cor de uísque e nunca subir para tomar ar. Tem alguma coisa na maneira como ele olha para mim que parece me desnudar, me privando de qualquer pensamento sensato. Alguns homens parecem um sonho. Outros, um pesadelo. Declan consegue ser uma combinação letal dos dois – tão bonito que deveria me apavorar. Ênfase em *deveria*, porque a verdade é que eu desejo mais. Especialmente depois do nosso beijo hoje cedo.

— Você está... — Ele pausa.

— Se você disser *bonitinha*, juro que vou fazer sua morte parecer um acidente.

— *Devastadora.*

Minha garganta aperta de emoção.

— Voltamos a usar palavras da nossa língua para descrever nossos sentimentos?

Seus olhos *cintilam*.

— Só esta noite.

Rompo o contato visual primeiro, sem conseguir encarar seu olhar.

— Você está pronta? — ele pergunta.

— Quase. Preciso da sua ajuda com uma coisa primeiro. — Eu me viro e puxo as tranças por sobre os ombros, revelando as costas expostas. — Não alcanço.

Minhas bochechas aquecem enquanto me lembro de nossa noite de núpcias. De alguma forma, vivo caindo nessa posição sem nem tentar.

Ele não faz menção de me ajudar, então olho para trás para ver se ainda está ali. Seus olhos estão fissurados nas minhas costas. Eles traçam a extensão da minha coluna como dedos invisíveis antes de parar nas covinhas de Vênus.

— Declan?

Seus olhos se voltam a mim.

— Deixe comigo. — Ele dá um passo à frente e estende a mão. Em vez de pegar o zíper na parte de baixo, seus dedos roçam a base do meu pescoço. Um calafrio perpassa meu corpo enquanto ele traça o punho pelas minhas costas. A maneira como ele prolonga a tarefa simples me faz me arrepender de ter pedido sua ajuda.

Por que você não escolheu um vestido sem zíper?

Inspiro fundo enquanto as pontas dos seus dedos pairam sobre uma das minhas covinhas. Meu pescoço aquece quando Declan solta um suspiro pesado, e o tecido de seda de seu smoking roçando nos meus braços nus faz outra corrente de energia me atravessar.

O que está acontecendo?

O atrito do zíper preenche o silêncio e, logo depois, seu calor nas minhas costas desaparece.

Ele arruma meu cabelo para mim e meu coração bate galopante em resposta.

— É melhor irmos.

— Espere. Você esqueceu isso.

Suas sobrancelhas se franzem enquanto dou um passo à frente e pego as pontas de sua gravata-borboleta. Puxo um lado antes de passar a parte mais comprida do laço pelo pescoço. Ele solta uma respiração trêmula quando meus dedos roçam sua pele, e ergo os olhos para encontrar seu olhar fixado em mim. O jeito como ele olha para mim me faz sentir...
Devastadora.
Acelero o resto do processo antes que eu faça alguma loucura como puxar seus lábios junto aos meus.
— Pronto. — Reajusto as laterais para que o nó fique centralizado.
Começo a me afastar, mas ele pega minhas mãos e as segura sobre seu peito.
— Obrigado.
Minha piscada lenta me dá um momento para processar.
— É só uma gravata-borboleta.
— Quero dizer por tudo. Os encontros falsos...
— As leis quebradas.
— E os narizes.
Rio.
— Isso foi você.
Seus lábios se curvam em um sorriso sedutor que faz meus joelhos *tremerem*. Ele estende a mão e traça minha bochecha com o polegar, e meu estômago revira de um jeito que me apavora.
Não importa como a noite de hoje vai correr, uma coisa é clara: Declan não vai desistir. Pelo contrário, nosso beijo só o deixou mais ousado. Não sei como vou sobreviver à noite de hoje sem fazer alguma besteira.
Só por Deus.

* * *

Declan e eu chegamos ao baile de gala sem nos beijarmos, sem brigar e sem conversar. É só quando ele sai do carro e estende o braço para mim que finalmente abre a boca.
— Quanto tempo temos que ficar?
Pego sua mão e saio do carro.
— Nem entramos ainda.
Ele bufa.

— Você sabe como eu me sinto sobre essas coisas.

— Até sei *como*, mas não sei *por quê*.

Os olhos dele me transpassam antes de pousarem no meu rosto.

— Tenho meus motivos.

— Tem alguma coisa a ver com a sua dificuldade para fingir que gosta de outras pessoas por duas horas seguidas?

— Quem dera fosse tão simples...

— O que você faria se não me tivesse para salvar você de horas de papo furado?

— Morte por faca de manteiga seria mais apropriado, considerando o ambiente.

Eu me apoio nele enquanto rio. Ele coloca o braço ao redor da minha cintura, e olho para ele com os olhos arregalados e um sorriso que ainda não se fechou. Seus lábios se entreabrem como se ele estivesse prestes a dizer alguma coisa, mas nosso momento é interrompido por um flash de câmera. Alguém grita o nome de Declan. Ele volta a si o suficiente para assimilar o ambiente e as diferentes pessoas rondando o tapete vermelho, entrevistando todo mundo que chega.

Dou um tapinha tranquilizador no seu peito.

— Vamos acabar logo com isso. Quanto antes entrarmos, antes podemos sair.

— Não precisa falar duas vezes.

Rio de novo, e sua mão aperta minha cintura.

Ele gosta da minha risada? A ideia parece cômica considerando a preferência de Declan pelo silêncio.

Minha teoria se prova correta mais tarde quando tenho outro acesso de riso e a mão de Declan aperta meu quadril em resposta. Uma onda de felicidade me atinge quando me defronto com essa revelação.

Interessante. Muito interessante.

CAPÍTULO VINTE E OITO
Iris

Não demoramos muito para avistar o advogado de Brady Kane. Ele seria difícil de ignorar, a julgar pela voz alta e o smoking bordado igualmente chamativo.

Declan faz menção de andar até o canto do salão onde está, mas eu o puxo para trás.

— É melhor agirmos com calma e esperar que ele venha até nós.

O gelo no copo de uísque de Declan tilinta enquanto ele toma um gole longo.

— Você quer esperar e fazer o quê, exatamente?

Dou uma risada sem jeito antes de tomar um golão de vinho.

— Conversar?

Ele faz uma careta.

— Então, como foi o trabalho hoje?

Ele me lança um olhar fulminante.

— Você estava lá.

— Não sigo você vinte e quatro horas por dia. Tem muitas coisas que eu não vejo, tipo você se atrapalhando com a impressora ou assediando um funcionário inocente por ter esquecido de usar a fonte Arial em um e-mail. Poxa, afinal, o que a Times New Roman fez contra você?

Seu rosto se fecha ainda mais.

— Não é culpa minha que não consigam seguir instruções simples.

— Acho que você ficaria surpreso por ver como as pessoas ficariam motivadas para trabalhar se você controlasse a sua atitude.

Ele desvia os olhos, bufando.

Sorrio.

— Sabe, como futuro CEO, você vai ter que aprender algumas coisas sobre liderança se quiser ter sucesso.

— Eu sei liderar.

— Será? Porque tem uma grande diferença entre dar ordens e liderar uma empresa.

Ele volta os olhos para os meus.

— Se o meu pai alcoólatra consegue, tenho certeza de que não vou fazer muita bobagem.

Tomo um gole da minha bebida enquanto considero minha próxima frase.

— Mas você não quer ser melhor do que ele?

Seu maxilar se cerra.

— Claro.

— Então o que quer fazer quando se tornar CEO?

— O que você quer dizer?

— Qual é o seu objetivo depois que isso acontecer? Onde acha que o seu pai erra?

— Eu levaria anos para corrigir todas as relações profissionais que o meu pai estragou.

— Porque você é péssimo em puxar saco?

Seu olhar fulminante me faz rir. A tensão ao redor dos seus olhos se suaviza, ao mesmo tempo que seus lábios se pressionam, como se quisesse se conter para que eles não refletissem o sorriso em seus olhos.

Ele quer sorrir por sua causa!

Meu cérebro talvez se sobrecarregue por todas as sensações que acontecem dentro de mim com a ideia de Declan sorrir por causa da *minha* risada.

— Olhe só quem está aqui! — Uma mão enrugada aperta o ombro de Declan. — Ouvi dizer que viria. — O advogado de Brady Kane sorri.

Declan não se dá ao trabalho de tentar sorrir, e o brilho de antes é substituído por uma indiferença fria.

— Leonid.

O advogado tem um calafrio, fazendo sua cabeleira grisalha chacoalhar.

— Por favor me chame de Leo. Você sabe o que acho de formalidades.

Leo volta os olhos para mim.

— E essa é a esposa de quem ouvi falar?

Um dos braços de Declan me cerca antes de me puxar junto a ele.

— Iris, esse é o Leo. Ele era o melhor amigo do meu avô.

Melhor amigo? Por que Declan não mencionou esse pequeno detalhe durante nossos milhares de conversas sobre o cara?

Provavelmente porque ele não tem melhores amigos, então não acha que isso seja importante.

Eu me controlo para não suspirar.

Leo estende a mão para mim. Eu a aperto, e ele me puxa dos braços de Declan para seu peito.

— Nada disso. Somos praticamente da família.

Somos mesmo? Perdi a parte em que esse homem compareceu ao nosso casamento?

Leo deve ler minha mente ou no mínimo a expressão no meu rosto.

— Sinto muito por não ter ido ao seu casamento. Fiquei fora do mapa por um mês enquanto escalava o monte Everest e, quando voltei, descobri que vocês já tinham se casado.

Se parece desconfiado de nosso casamento, ele não demonstra.

— *Você* escalou o monte Everest?

— Posso parecer velho, mas não me sinto. — Ele bate no coração com um sorriso largo.

— Falou o homem que chamou um helicóptero de emergência para ser resgatado depois de pensar que poderia competir no Tour de France — Declan responde.

— Aquilo foi ideia do seu avô. O filho da mãe vivia querendo exibir como estava em forma. Sempre odiei pedalar.

Algo brilha nos olhos de Declan, e isso me dá um aperto no peito. Pego sua mão para apertá-la. O movimento é instintivo, mas ainda assim encaro nossos dedos entrelaçados com surpresa.

Leo observa a coisa toda com um sorriso.

— Mas chega de falar sobre mim. Quero saber tudo sobre vocês dois.

— Não tem muito o que dizer. — Sorrio.

Ele coloca um braço ao redor do ombro de Declan e nos guia para uma mesa.

— Bobagem. Mas primeiro precisamos de um brinde para celebrar seu casamento. Todo mundo gosta de vodca?

O resmungo de Declan fica preso no fundo da garganta, e não consigo conter o riso que me escapa.

Leo não consegue segurar um sorriso enquanto seus olhos alternam entre nós dois.

— Vocês preferem alguma outra coisa?

— Não. Pode ser vodca — Declan fala entredentes.

Meu corpo estremece com uma risada silenciosa, e Leo me lança um olhar antes de nos deixar para buscar uma garrafa de vodca.

— Merda, odeio vodca. — Declan puxa a cadeira para mais perto de mim. Ele coloca o braço no dorso da minha cadeira como se fizéssemos isso o tempo todo. Seu braço roça na minha nuca, fazendo uma onda de calafrios percorrer meus braços.

— Você está com frio? — Ele franze a testa para mim.

Faço que sim com a cabeça, com medo de que minha voz revele como realmente me sinto com a proximidade dele.

Ele se levanta e tira o paletó.

— Tome.

Ele faz sinal para eu me inclinar para a frente. Obedeço, boquiaberta, enquanto ele coloca o tecido sobre meus ombros. Tem o cheiro dele – limpeza com um toque de especiarias. Sem dar muito na cara, dou uma segunda fungada, deixando que o aroma dele entre nos meus pulmões.

Minhas bochechas aquecem quando noto que seus olhos se cravaram em mim. A voz interior na minha cabeça grita para que eu me mantenha longe dele. Entoa que nada de bom pode sair se eu alimentar a atração crescente que se forma entre nós.

A voz interior vence, praticamente jogando sua gentileza pela janela.

— Quem diria que você seria bom nisso tudo?

— Bom em quê? — Seus lábios se curvam para baixo.

— Seu número de maridinho atencioso poderia enganar até *a mim mesma* se eu não tomasse cuidado. — Aponto para o paletó do smoking que ameaça me engolir inteira.

Seus olhos escurecem.

— Porra, nem tudo é atuação.

Eu me crispo com a acidez em sua voz.

Não era isso que você queria?

É claro que sim. Ele ser gentil não faz parte do protocolo.

Não existe protocolo. Esse é o problema.

Nenhum de nós tenta preencher o silêncio tenso, e só me resta torcer para Leo voltar com vodca suficiente para deixar seus ancestrais russos orgulhosos. Qualquer coisa que me salve dessa sensação dolorida que cresce no meu peito.

Minhas orações são atendidas quando Leo coloca a garrafa de líquido transparente na toalha de mesa alguns minutos depois.

— Lá vamos nós. — Ele faz sinal com os dedos para um garçom, que coloca três copos vazios ao lado da garrafa.

— É uma tradição familiar brindar aos recém-casados.

Eu assinto e pego o copo cheio que Leo estende para mim.

Leo dá um tapinha no ombro de Declan enquanto coloca um copo na mão dele.

— Se o seu avô estivesse aqui, provavelmente teria todo um discurso escrito, então vou ter que improvisar. — Ele ergue o próprio copo. — O casamento é como uma viagem de carro com a pessoa com quem você quer passar o resto da vida, com a diferença de que vocês *não* têm um mapa nem um sistema chique de GPS para ajudar. Vocês podem nem sempre concordar sobre qual música tocar ou em qual direção ir. Posso garantir que haverá momentos em que vão querer arrancar o próprio cabelo, ou o cabelo um do outro. Assim como haverá momentos que vão testar vocês, em que vocês pensam que talvez as coisas fossem mais fáceis se pegassem uma carona com alguma outra pessoa. Coisas como pneus murchos, becos sem saída e problemas mecânicos. Mas vocês podem aproveitar a jornada um com o outro ou chorar por nunca chegarem ao destino. Ninguém além de vocês pode tomar a decisão certa.

Ele chama *isso* de improviso? Nunca ouvi alguém descrever um casamento de um jeito *tão* puro. O olhar de Declan encontra o meu, e penso se ele concorda comigo. Porque, quaisquer que fossem nossas intenções quando assinamos a documentação que nos unia como marido e mulher, concordamos em fazer essa jornada juntos.

Leo bate o copo nos nossos.

— Aos recém-casados. — Ele e Declan levam os copos aos lábios, mas não consigo fazer nada além de encarar o meu.

Não sei se um dia vou estar pronta para um casamento como o que Leo descreve. Claro, posso estar casada com Declan para cumprir um contrato jurídico, mas não foi isso que Leo descreveu. Sua versão exige confiança e alguém sem uma SUV cheia de bagagem emocional.

Não preciso perguntar a Declan como ele se sente. As intenções estão estampadas em seu rosto – um retrato de seu coração que sei que ele revela apenas para mim.

Não estou pronta para me comprometer com uma viagem dessas. Ao menos não a que ele claramente quer. Se estivesse, eu teria dito sim a meu ex quando ele me pediu em casamento.

Declan não é como ele. Nem de perto.

Meu coração bate forte no peito, como uma ave aprisionada tentando escapar da gaiola. Um pensamento me atinge, vezes e mais vezes, enquanto bebo meu copo em silêncio.

Eu talvez tenha cometido o maior erro da minha vida ao me casar com Declan.

Puta que pariu.

CAPÍTULO VINTE E NOVE
Declan

Iris se levanta assim que Leo pede licença.

— Aonde você vai?

Ela não consegue nem me olhar nos olhos enquanto responde:

— Banheiro.

Eu me levanto e pego a mão dela, obrigando-a a baixar os olhos para mim.

— Está tudo bem? — Odeio fazer a pergunta quase tanto quanto odeio seu olhar assombrado. Um desespero sobe pela minha garganta, me impelindo a mantê-la do meu lado.

— Claro. — Ela abre um sorriso tenso. — Você pode pedir para o Harrison vir nos buscar enquanto espera?

Faço que sim.

— Ótimo. Volto em um segundo. — Seu corpo permanece rígido, a espinha ereta como uma flecha enquanto atravessa o salão de baile e desaparece em um corredor.

Considero o que pode tê-la assustado e só me resta supor que é algo relacionado ao que Leo disse. Ela parecia bem antes de ele desatar a falar sobre casamento...

Será que isso deixou as coisas reais demais para ela? É plausível, considerando sua aversão ao amor. Ela deixou suas visões sobre o assunto bem claras, e fui na onda dela porque era o que ela queria. Não que seja mais fácil para mim. Depois de ver meu pai destruir a família após a morte da minha mãe, eu não queria me colocar em uma posição parecida. Todas as pessoas que amo sempre me abandonam mesmo. Por que me dar ao trabalho de deixar que alguém se aproxime se não existe garantia de que essa pessoa vá ficar?

Mas você vai passar o resto da vida sozinho porque tem medo demais de se aproximar de alguém? Ainda é a mesma solidão independentemente de como você a retrate.

Minha nuca aquece, e eu me viro para encontrar os olhos de Iris focados em mim. Alguns homens param para olhar para ela, e preciso de todo o meu autocontrole para ignorá-los enquanto atravesso o salão.

— O Harrison já está lá embaixo esperan...

Sua pergunta é interrompida quando a puxo para meus braços.

— O que deu em você?

— O Leo passou e perguntou se vamos ficar para o leilão. Eu disse que sim.

Você é um cretino por mentir para ela.

Deixe que eu me sinto mal por isso. Hoje, vou aproveitar.

Ela resmunga.

— Por que você faria isso?

— Porque não quero dar motivo para ele pensar que só viemos aqui por causa dele.

Ela suspira enquanto passa os braços ao meu redor.

— Tem algum motivo específico para você estar me abraçando?

— Pensei ter visto alguém que conhecia.

Algum dia você vai parar de mentir quando o assunto é ela?

Só se algum dia eu desenvolver uma consciência. Considerando o número de mentiras que se acumulam ao meu redor, duvido que isso aconteça durante esta vida.

— Essa pessoa foi embora ou você planeja me abraçar a noite toda?

Bom, se eu tiver a opção...

Você não tem.

Suspiro enquanto a solto, relutante, mas pego sua mão em seguida.

— Vamos dançar.

— É a vodca falando?

Lanço um olhar para ela.

— Foi um copo.

Ela ri.

— Não precisa de mais do que isso. Você nem gosta de dançar.

Não solto a mão dela enquanto me abaixo e sussurro em seu ouvido:

— Continue dando um showzinho na frente de todo mundo e vou fazer você se arrepender depois.

Um calafrio a perpassa, e traço os pelos arrepiados de seu braço com um único dedo.

— Isso é promissor.

Sua boca se abre e se fecha diversas vezes enquanto a guio na direção do salão de dança. Coloco o braço ao redor de sua cintura, e ela responde entrelaçando os braços atrás do meu pescoço. Nossos rostos estão a poucos centímetros de distância enquanto balançamos em círculos ao som da música suave que sai das caixas de som.

— Se você queria dançar comigo, era só pedir. Não precisa usar ameaças vazias para me coagir.

— Seu erro é pensar que são vazias. — Eu me permito sorrir.

Ela inspira fundo, os olhos cravados nos meus lábios. Meus dedos contornam a curva suave da sua bunda. Um gemido fica preso na minha garganta quando ela tem um sobressalto à frente para evitar meus dedos, mas dá de encontro com meu pau endurecendo.

Seus olhos arregalados me encaram.

— Por favor me diga que é o seu celular no bolso da frente.

Ergo a cabeça para trás de tanto rir. Quando volto para tomar ar, encontro os olhos dela fixados em mim. Os dela e os de alguns outros ao nosso redor, todos agindo como se nunca tivessem ouvido um homem adulto rir antes.

— É uma pena que você não ria com mais frequência.

Ergo a mão e envolvo seu queixo.

— Talvez eu finalmente tenha um motivo para isso.

Seu rosto se suaviza, e seu corpo se dissolve no meu.

— Pare de olhar para mim desse jeito.

— Que jeito?

Ela escapa da minha pergunta e das minhas mãos ao mesmo tempo. Deixo que fuja, só porque ela encosta a bochecha na parte da frente do meu smoking, trazendo o corpo para perto do meu.

Quando a música lenta dá lugar a uma agitada, Iris solta um gritinho. Começo a escapar da pista de dança, mas ela pega minha mão e me puxa para trás.

— Adoro essa música!

— Por que não estou surpreso? — Finjo massagear as orelhas de dor.

Ela ri enquanto começa a pular para cima e para baixo como uma maníaca. Quase sou nocauteado quando ela ergue as mãos e balança o quadril no ritmo da batida. Noto alguns homens olhando para seu corpo se movendo ao som da música, e minha encarada os afugenta.

— Vamos sentar — digo abruptamente.

— Por favor. Mais uma música. — Ela pega minhas mãos e as puxa para seu quadril. — Olhe para mim.

Não consigo fazer nada *além* de olhar para ela. Estou em transe pelo jeito como ela rebola o corpo com a batida, mantendo a parte inferior do corpo a poucos centímetros de mim. A maneira como ela dança não tem a intenção de ser erótica, mas acabo ficando excitado mesmo assim.

Ela ergue um sorriso para mim.

— Você não está dançando.

Não sei nem se estou *respirando*.

Ela ri enquanto envolve os braços ao redor do meu pescoço e me puxa para mais perto.

— Mexa o quadril ao som da música.

Tento sem sucesso, o que a faz ter outro ataque de riso. Se é essa minha recompensa por fazer papel de idiota, que seja.

Ela dá meia-volta e coloca as palmas das mãos no quadril de novo.

— É só me imitar.

Mal consigo ouvir sua voz rouca com a batida do meu coração. Saio do transe e balanço o corpo como o dela, imitando seu movimento. Um calor atravessa meu corpo enquanto nos movemos ao som da música. Sua bunda roça no meu pau, e eu gemo em seu ouvido.

— Agora você pegou o jeito. — Ela ri enquanto sai do meu abraço.

Minhas mãos sentem falta do seu toque enquanto ela volta a dançar. Seus olhos se fecham, e ela se perde na música. Nem me esforço para tentar dançar. Estou imerso demais na maneira como ela se move para me importar com qualquer outra coisa. Todos ao nosso redor se movem ao som da música até a última nota tocar, e a multidão se dispersa, pondo um fim muito rápido a esse momento.

— Foi bem divertido! — Ela dá um passo em direção às mesas, mas eu a puxo para trás.

— Não tão rápido.

Seus lábios se abrem.

— Quer continuar dançando?

Aperto uma de suas mãos enquanto minha outra mão encontra sua lombar.

— Sim.

— Pensei que sempre odiasse dançar nesses lugares.

— Isso foi antes.

— Antes do quê?

— Antes de poder fazer isso. — Eu a puxo contra mim e dou um beijo delicado em seus lábios antes de recuar.

Deixe-a querendo mais.

Sua inspiração súbita me faz sorrir com o rosto em seu cabelo. Minha pele vibra enquanto ela me aperta e *nós* encontramos nosso ritmo, dois corpos balançando ao som da música. A música muda e as pessoas passam por nós, mas nenhuma se atreve a interromper o momento.

A única hora em que saímos da pista de dança é para buscar mais bebidas e participar do leilão de que não tenho interesse nenhum em tomar parte. Basta Iris dar um gritinho com a perspectiva de uma viagem ao México para eu começar a dar lances, erguendo a placa para superar todos no salão.

Iris envolve os braços ao redor do meu pescoço e beija minha bochecha quando o leiloeiro anuncia o número de nossa placa. Nem tenho a chance de processar seus lábios em minha pele antes de ela recuar e voltar a se acomodar em sua cadeira.

Foda-se. Fico revigorado pelos sorrisos que ela me lança. Algumas pessoas tentam me superar nas coisas que chamam a atenção de Iris, mas eu as venço toda vez. Quando o leiloeiro sai do pódio, gastei mais de cinquenta milhões de dólares só pela adrenalina que sinto sempre que Iris sorri.

Não é preciso muita persuasão da sua parte para me arrastar de volta à pista de dança depois que o leilão termina, embora eu dê uma parada no bar para ter forças para passar por isso. Continuamos dançando até a última música tocar e sermos o último casal no salão. Eu a solto com tristeza, mas ela sai mancando por alguns metros. Ela não reclama quando coloco um braço ao redor dela e apoio a maior parte de seu peso.

— Acho que preciso mandar amputar meus pés. — Ela se crispa quando perde o equilíbrio.

Não penso enquanto a ergo sobre o ombro, trazendo sua bunda na altura dos meus olhos.

— Problema resolvido.

— Declan! — ela grita às minhas costas. — O que você está fazendo?! — Ela bate os punhos pequenos na minha coluna, e eu resmungo.

— Sendo um cavalheiro.

— Está mais para homem das cavernas! Me coloque no chão agora! Que vergonha.

— Não tem ninguém aqui para ver você. — A ausência de outras bolsas torna meu trabalho de encontrar a bolsa de mão dela muito mais fácil. Eu passo para ela para que a segure enquanto caminho.

Sua cabeça se ergue enquanto ela observa o salão de baile vazio.

— Para onde todo mundo foi?

— Para casa.

— Então por que ainda estamos aqui?

— Perdi a noção do tempo.

Ela leva um susto quando olha para o celular.

— É meia-noite!

— Você vai chegar em casa antes de virar abóbora, princesa.

— Não é assim que a história acontece. — Seu riso é abafado pelo tecido do meu smoking enquanto a carrego pela porta.

— *É quase.*

— Você é uma vergonha para o seu sobrenome.

Dou um tapa na bunda dela por esse comentário.

— Você acabou de me bater?!

Minha mão arde para fazer isso de novo só para ouvir aquele gemidinho que ela solta quando a palma da minha mão encontra sua pele. Ela retribui o favor e bate na minha bunda com *força*. Quase a derrubo de espanto, mas me recupero com uma gargalhada.

— Ei! Não era para você gostar disso!

Eu me recomponho antes de atravessar o saguão com Iris sobre o ombro. O porteiro nos lança um olhar enquanto abre a porta, e eu inclino o queixo em sua direção.

Um transeunte aleatório tira uma foto enquanto assobia, e Iris mostra o dedo do meio para ele.

— Eu te odeio muito agora. — Ela bufa.

Os olhos de Harrison se arregalam enquanto ele abre a porta do carro para mim.

— Senhor. A sra. Kane está bem?

Iris acena.

— Tudo bem. Mas não posso dizer o mesmo sobre o meu marido quando chegarmos em casa.

Ela quase nunca me chama de marido, mas, quando me chama, faz uma onda de calor atravessar meu corpo.

Harrison ri quando Iris belisca minha bunda.

— Dá pra parar? Estou começando a ficar zonza.

Sem cerimônia, eu a jogo no banco de trás antes de dar a volta para o meu lado. Harrison sai pela estrada. Iris olha pela janela, observando o horizonte de Chicago passar por nós enquanto atravessamos a área residencial.

Passo o trajeto todo imaginando diferentes possibilidades do que exatamente pode acontecer quando chegarmos em casa. Quando Harrison estaciona, estou vibrando de ansiedade.

Meus pensamentos estão acelerados enquanto me viro para olhar para Iris. Seu corpo está recostado na porta, e seus olhos permanecem fechados enquanto ela inspira e expira profundamente.

Ela pegou no sono.

Depois de todo o papinho sobre se vingar, ela não conseguiu nem ficar acordada para buscar retaliação.

— Quer que eu a acorde? — Harrison olha para meu lado do carro.

— Deixe comigo. — Saio e dou a volta pela traseira. Tomo o cuidado de abrir a porta devagar para conseguir carregá-la antes que ela caia.

Ela não desperta enquanto a puxo em meus braços, aninhando-a como fiz na noite de nosso casamento. Não sei como, ela continua dormindo profundamente enquanto a levo para dentro da casa e escada acima. Tenho dificuldade para abrir a porta sem derrubá-la, mas consigo me posicionar para conseguir girar a maçaneta.

Sua porta bate na parede com um baque suave. Eu me dirijo à cama dela e a coloco em cima do colchão. Ela ajeita a mão embaixo da bochecha e se deita em posição fetal, sem se importar com o vestido ou a maquiagem.

Odeio a ideia de acordá-la, mas duvido que ela queira dormir vestida desse jeito. Não deve ser confortável.

— Iris. — Dou uma leve chacoalhada nela.

Sua mão voa na direção da minha cara. Solto um sopro de ar enquanto desvio, conseguindo escapar antes que ela acerte minha bochecha.

— Iris. Acorde.

Ela resmunga.

— *Shh*, Declan. Para de falar e faz aquele negócio com a língua de novo.

Meu pulso acelera em minhas veias junto com o aumento da minha frequência cardíaca. Ela está... sonhando comigo? Pestanejo, tentando entender se Iris está tendo um sonho erótico *comigo*.

Ela solta um gemido suave que sinto diretamente no meu pau. Considero as consequências de acordá-la e lhe mostrar como é a coisa para valer, mas acho melhor não.

Comece aos poucos e seja estratégico.

Tentar alguma coisa hoje não seria nada inteligente. Por mais que eu quisesse, preciso lidar com isso de um jeito que não a assuste. Os relacionamentos fracassados do passado dela são prova do que acontece quando as pessoas vão com muita sede ao pote.

Não passei essa longa caçada atrás dela para pôr tudo a perder por não conseguir controlar o meu pau. Minha paciência vai ser recompensada em breve. É questão de tempo até ela vir rastejando até mim, e eu planejo fazê-la se esforçar para conseguir o que quer.

A partir de amanhã.

CAPÍTULO TRINTA
Iris

Na manhã seguinte ao baile de gala, acordo com um vestido de estilista, a maquiagem borrada e um caso grave da síndrome de *como vim parar aqui*. Mexo os pés doloridos, notando algumas bolhas que não estavam lá na noite anterior.

Suspiro enquanto pego o celular da mesa de cabeceira.

— Merda!

Quase caio da cama quando vejo a hora. Palavrões escapam da minha boca com a mensagem não lida que Declan enviou horas antes. Destravo o celular com o dedo trêmulo, mas solto um suspiro de alívio com a mensagem.

> **Declan:** Hoje não tem trabalho.

Hoje não tem trabalho?! Releio a mensagem duas vezes para confirmar que meu cérebro está funcionando de novo e reorganizando todas as letras.

Aperto o aparelho junto ao peito e dou uma voltinha. A ideia de ter um sábado só para mim me faz querer sair cantando feito uma princesa de Dreamland. Juro que sou capaz de tocar as estrelas de tanto que me sinto nas alturas agora.

Enquanto tomo banho, repasso as lembranças da noite anterior. Leo e seu brinde. Declan e eu dançando até meia-noite. Ele me carregando de um lado para o outro feito um saco de batatas porque eu estava com dor nós pés.

Essa última me faz sorrir comigo mesma feito uma maluca.

Ai, Iris. Onde você foi se meter?

Tento encontrar respostas enquanto desço para tomar café, mas não consigo achar nenhuma. Não sei bem o que está acontecendo. O casamento em que aceitei entrar não é nada comparado com a realidade. Não era para Declan ser gentil. Definitivamente não era para ele ser todas as coisas diferentes que despertam um desejo em meu peito que nunca senti antes. Nem durante meus relacionamentos mais sérios eu não me sentia nem perto da vertigem que me domina quando Declan faz algo tão diferente de como costuma ser.

Tento bloquear os pensamentos colocando música alta nos ouvidos. Parece funcionar por um tempo, e entro dançando na cozinha enquanto canto a plenos pulmões.

O que encontro me faz parar de repente. Um dos meus fones escapa, a música alta quase inaudível com o som de Declan picando legumes.

A emoção é rapidamente substituída por nervosismo quando Declan ergue os olhos cheios de calor para mim. O que eu fiz para merecer *esse* tipo de olhar?

— Você está aqui — respondo depois do que parece um minuto inteiro em que nos encaramos.

— Estou. — Ele se vira para a tábua e volta a picar legumes.

— Você também vai tirar o dia de folga?

Corta. Corta. Corta.

— Não exatamente.

— Ah. — Um suspiro pesado me escapa.

— Planejei um encontro falso para nós.

Eu o encaro.

— Não entendi. Você acabou de dizer que planejou um *encontro falso*?

Seus lábios se contorcem.

— Sim.

— Uau. Isso é... inesperado.

— Precisamos sair daqui a uma hora.

Engatilho minha arma imaginária e finjo mirar.

— Quem é o alvo?

Seus lábios se pressionam.

— Depois te conto.

— Por que não antes?

— Quero que você aja com naturalidade.

Certo...

— E me contar quem nós vamos tentar impressionar pode atrapalhar isso?

— Sim.

— Uau. Deve ser uma pessoa bem importante se inspirou você a planejar algo.

A mão dele que segura a faca fica tensa.

— Eu consigo planejar um encontro.

— É claro que consegue, mas isso não quer dizer que você queira.

— Quem disse que não quero? — Sua pergunta é carregada demais para eu encarar sem café.

Então, em vez de pressionar Declan para me dar mais informações, eu o ajudo com o café da manhã. Pela maneira como ele fica me tocando enquanto nos movemos pela cozinha, seria de pensar que moramos em um apartamento do tamanho de uma caixa de sapato em vez de uma mansão. Tento ignorar o fato de que mil faíscas disparam pela minha pele sempre que seu corpo encosta no meu. Toda vez que inspiro fundo, o canto de seus lábios parece se curvar. Juro que ele faz isso tudo de propósito.

Mal consigo me concentrar em cozinhar, o que resulta em uma omelete meio queimada. Claro, pode não parecer o prato mais apetitoso, mas deve cumprir o objetivo. Calorias são calorias, certo?

— Dá licença? — resmungo quando seu peito encosta nas minhas costas.

— Sua técnica poderia melhorar. — Ele julga meu café da manhã com uma careta.

— Está bem, sr. Food Network. Por que não me mostra como se faz?

— Doeu engolir seu orgulho?

— Hum. Já engoli coisa pior.

Suas narinas se alargam.

Iris: 1. Declan: 0.

Sorrio enquanto dou um passo para trás e estendo a espátula, pensando que ele vai pegá-la. O ar escapa dos meus pulmões quando ele me encurrala contra o fogão, pegando minha mão que segura a espátula.

— Prefiro uma estratégia de ensino mais prática. — Seu quadril encosta na minha bunda.

— Falou o homem que me falava para *me virar ou arranjar um trabalho novo* sempre que eu precisava de ajuda.

Ele responde mordiscando a pele do meu pescoço.

Minha frase seguinte sai rouca.

— O que você está fazendo?

— Ajudando minha esposa.

Engulo em seco.

— Você está se acostumando demais com esse apelido para o meu gosto.

— Eu o uso para fazer você se lembrar do seu lugar.

— E qual é?

— Minha.

Minhas bochechas ardem, assim como a região abaixo da cintura. Ele ignora minha timidez súbita enquanto derrama a massa com a mão livre, me imobilizando entre seus braços.

— Seu primeiro erro foi colocar muito na frigideira de uma vez. — Seu hálito quente atinge meu pescoço, provocando calafrios por todo o meu corpo.

Os ovos chiam, combinando com a sensação nas minhas entranhas quando seu peito roça minhas costas. Nunca pensei que cozinhar pudesse ser considerado uma experiência erótica – pelo menos não antes de Declan. Ele faz preparar ovos parecer um tipo de preliminar.

Engulo em seco o nó na garganta.

— E agora?

Ele leva minha mão que segura a espátula na direção do fogão quente.

— Deixe os ovos cozinharem.

É uma tarefa simples, mas ele faz minha mão de refém enquanto empurramos os ovos vezes e mais vezes até a superfície deles ter engrossado. Cada minuto parece uma eternidade com o jeito como ele me envolve. Parece ser atraído pela curva de meu pescoço e me beija duas vezes antes de dar a próxima série de instruções.

— Agora você enche um lado com o recheio.

— Não os dois?

Seu riso grave faz meus ossos tremerem.

— Gulosa como sempre.

— Faminta, isso sim.

— Somos dois — ele responde com a voz rouca enquanto encosta o quadril na minha bunda.

Definitivamente *não* é um celular dessa vez. Disso eu tenho certeza.

— Acho que estamos falando de fomes diferentes aqui. — Não sei como as palavras saem pela minha garganta apertada.

Seu membro grosso aperta a costura da minha bunda, me dizendo exatamente o que ele pensa de *cozinhar*. Ele se afasta rápido demais, levando seu calor consigo enquanto aumenta a distância entre nós. Não entendo sua reação.

Por que você se importa? Isso só complicaria as coisas ainda mais.

Eu me importo mais do que gostaria de admitir.

Porque você também o deseja.

É um fato difícil de admitir. Eu o desejo. Eu o desejo pra caramba, mas não sei como correr atrás de algo assim. E, mais especificamente, não sei ao certo atrás do que eu quero correr. Sexo casual parece algo tão complicado quanto propor tentarmos algo mais. Qualquer opção mandaria todo o nosso plano para o inferno, e também não sei se quero isso. Minhas opções parecem tão impossíveis quanto minha capacidade de controlar nossa atração.

Se Declan tem noção do meu pânico interior, ele não revela.

— Esteja pronta daqui a trinta minutos. — Declan me lança um último olhar antes de pegar minha primeira omelete tosca e sair da cozinha.

Eu me apoio no balcão e respiro fundo algumas vezes.

Como é que você vai sobreviver a um encontro falso hoje se está se sentindo desse jeito?

* * *

Declan pega um par de chaves penduradas na parede.

— Você vai dirigir?

Ele gira as chaves no indicador.

— Dei o dia de folga para Harrison.

— Não sei exatamente o que fizemos para merecer esse tipo de tratamento, mas estou curtindo.

Declan não comenta enquanto anda até um conversível vintage cintilante que parece saído de um filme de espionagem.

Meu queixo cai.

— Esse é o nosso carro?

— Sim. Entre, senão vamos nos atrasar.

Fico passada enquanto ele rodeia o capô e abre a porta do passageiro para mim.

— Uau. Que demais! — Vou até meu lado e me sento no banco, completamente sem palavras enquanto passo a mão no couro. Declan fecha minha porta antes de voltar ao lado do motorista. Ele coloca as chaves na ignição e o motor ganha vida enquanto ele engata a primeira marcha.

Dou um suspiro.

— As coisas que eu faria para ter a chance de dirigir este carro.

Ele ri. É um som rouco, grave e que rouba toda a minha capacidade de respirar.

— Tem muitas coisas que você pode fazer, mas dirigir este carro não é uma delas.

— Me deixe adivinhar. É um *carro de homem*. — Reviro os olhos.

Seu sorriso desaparece de seu rosto.

— Está mais para um carro de mulher. Da minha mãe, para ser específico.

Sinto que alguém enfiou uma faca no meu peito e a girou.

— Da sua mãe?

Ele engole em seco.

— Pensei em dar uma volta com ele, já que faz um mês que não o dirijo.

Ele dá uma volta com esse carro todo mês? Meu peito fica apertado pelo homem que mantém a memória da mãe viva através do carro dela. Consigo ver como Declan se importa pela maneira como o carro é bem cuidado, desde o interior de couro lustroso ao exterior perfeitamente encerado.

Não consigo pensar em nada para dizer, minha língua espessa pela emoção. A imagem que Declan exibe para todos não é nada comparada à que ele esconde do mundo. Embora esteja muito longe de ser perfeito, ele ainda é humano. Ele sofre como o resto de nós.

Saímos pelo acesso até ele parar para abrir o portão. Desata a falar, e sorrio, porque nunca o vi tropeçar nas palavras antes.

— Ela provavelmente amava mais este carro do que amava meu pai, o que, se você os conhecesse antes de ela adoecer, era muito. Não sei o que ela via nele, mas acho que ele era diferente com todos nós antes da morte dela.

Não deixo de notar a maneira como ele se refere aos pais antes de ela adoecer. Como se a doença dela tivesse mudado a dinâmica da vida de todos, até mesmo de Seth. Meus lábios se curvam para baixo, e me odeio pelo pingo de compaixão que brota no meu coração pelo homem mais vil e implacável que existe. De algum modo, o amor parece humanizar até as piores almas.

— Pode me contar mais sobre ela? — É uma pergunta carregada. Que nem acho justo fazer, mas não consigo me segurar. Quero saber mais sobre o homem que pega o carro da mãe uma vez por mês como se ela pudesse voltar a qualquer minuto e pedi-lo de volta. Quero saber tudo a respeito disso.

Ele suspira, e sei no fundo do coração que está prestes a recusar. Por algum motivo, não consigo suportar a ideia, então faço uma bobagem. Algo tão incrivelmente idiota que tenho certeza de que vou me arrepender disso amanhã. Mas estou envolvida demais com sua história para me importar com o que pode acontecer.

— E se nós fizermos um acordo?

Os cantos dos seus lábios se erguem.

— Estou aberto a negociações.

— Diga uma coisa que você quer. — Coloco a bomba de volta no seu colo. Vou deixar que ele decida o que mais quer e ver se eu topo o desafio.

— Quero uma troca igualitária... — Ele pausa, e o ar se prende no meu peito.

Outro beijo? Um encontro de verdade? *Um boquete?* As opções são infinitas, na verdade. Um calor me percorre da cabeça aos pés com a ideia do que ele pode escolher.

— O que você tem em mente?

— Vou contar para você sobre a minha mãe se você me contar sobre as suas diferenças de aprendizado.

Se minha vida tivesse uma trilha sonora, esse seria o momento em que o DJ risca o disco, me fazendo sentir um completo fiasco. O ar escapa dos meus pulmões como um balão esvaziado. Que tipo de acordo é esse? E, mais especificamente, como foi que ele descobriu?

Cruzo os braços e ergo uma barreira.

— Quem te contou?

— Ninguém.

— Mentira. Foi o Cal? — Estou a ponto de pedir para Declan parar o carro e me deixar sair, só para que eu possa encontrar Cal e meter porrada nele.

Ele abana a cabeça.

— Descobri sozinho.

— *Como?*

— Eu conhecia os sinais.

Um riso amargo me escapa.

— Você espera que eu acredite nisso? Você me acha tão ingênua assim?

Seu rosto se suaviza.

— Minha mãe era igual.

— Sua mãe? A mesma que era formada em história?

Ele aperta o volante com os dedos brancos.

— Só porque ela tinha dificuldade com leitura não significa que ela odiasse ler.

Eu me senti uma babaca por supor o contrário. Para ser justa, está sendo difícil para mim dar conta de todas essas informações. Não tenho como processar que Declan sabe sobre minha dislexia e que sua mãe sofria com o mesmo transtorno em uma única conversa.

— Eu devia saber que você iria descobrir.

— Não havia motivo para esconder.

Cerro os punhos sobre o colo.

— Você não é ninguém para julgar as minhas escolhas.

— Só quero entender. — A suavidade em sua voz me corrói por dentro.

Fico em silêncio.

— *Por favor.*

Solto um suspiro trêmulo. Declan nunca pede *por favor*, então isso me deixa fraca o bastante para me abrir sobre meu passado.

Olho pela janela.

— Passei a vida toda me sentindo diferente de todos os outros. Primeiro, eu era alvo de piadas e gozação. Coisas pequenas como professores me chamando de preguiçosa ou colegas de classe fofocando sobre eu ser burra. Repeti um ano, o que causou mais vergonha, porque todos meus amigos passaram para a série seguinte sem mim. Depois de um tempo, as crianças foram ficando mais ousadas. As palavras ficaram mais duras, e as atitudes mais maldosas. Não demorou muito para uma pessoa como eu começar a acreditar naquelas palavras, especialmente quando meu próprio pai me chamava de idiota decepcionante todos os dias. — Minha voz embarga.

Declan estende a mão e força meu punho a se abrir para poder entrelaçar nossos dedos.

— Foi uma profecia que acabou se cumprindo. Com o divórcio dos meus pais e todo o estresse que veio disso, parei de me importar com as aulas, embora minha mãe se esforçasse ao máximo para me colocar em aulas particulares. Nada estava fazendo efeito, e acho que eu também estava perdendo a esperança. Minha vergonha e ansiedade aumentavam todos os dias antes da aula. Eu me fechei para todos, então minha mãe aproveitou uma chance e me arranjou um terapeuta para eu poder me abrir com alguém sobre o que estava acontecendo.

Sua mão me dá um aperto tranquilizador.

— Com a ajuda do terapeuta, comecei a me reconstruir e encontrei projetos em que era boa que não tinham nada a ver com a escola. Foi quando minha obsessão por plantas começou. Descobri que tinha vocação para trazer as plantas mortas da minha mãe de volta à vida.

— Pensei que a terapia servisse para resolver os problemas, não para criar outros.

A tensão no meu peito se alivia enquanto dou risada.

— Ajudou. Uma planta se transformou em duas, e, depois de um tempo, comecei a formar uma coleção. Meu terapeuta chamava de estratégia de enfrentamento.

— Imagino que pode ser considerada uma solução melhor do que as drogas.

Nossos olhos se encontram, os dele cheios de uma leveza que eu queria que durasse por longos períodos.

— Depois que resolvi os aspectos emocionais, estava muito mais aberta às aulas particulares. Demorou um tempo, mas finalmente comecei a ir bem na escola.

— E depois?

— Depois me formei no ensino médio com muita ajuda. Eu não estava pronta para me comprometer com uma universidade depois de todas as dificuldades que tinha enfrentado na escola, então foi assim que fui parar na agência de trabalho temporário com a qual você tem parceria.

— Então você deu azar e teve que vir trabalhar para mim.

Meu nariz se franze.

— Você trocava de assistente como quem troca de roupa.

— Não é culpa minha que eles não atendiam às minhas expectativas.

Balanço a cabeça.

— Sempre que você demitia alguém, o resto de nós era obrigado a colocar os nomes em um chapéu. Tive sorte até aquele ponto, mas então...

— Você foi escolhida — ele completa por mim.

Faço que sim.

— Cheguei ao seu escritório na segunda-feira sabendo que não duraria até o fim da semana. Mas daí...

— O quê? — Seus olhos se escurecem.

— Dava para ver nos seus olhos que você achava que eu iria fracassar.

— E?

— Passei a vida toda com pessoas me olhando daquele jeito. Algo deu um estalo dentro de mim quando você me disse que eu não precisava tirar as coisas da bolsa porque iria embora antes do fim da semana. Isso acendeu uma chama dentro de mim. Eu estava disposta a fazer o que fosse preciso para provar de uma vez por todas que era capaz de conseguir tudo o que queria, a começar pelo meu trabalho.

— Você não ficou com medo?

— É claro que fiquei. Sua reputação era tão terrível quanto o seu histórico com assistentes, mas eu sabia que nada que você poderia me dizer superaria as merdas que já tinha ouvido na infância.

O volante range sob a pressão de suas mãos.

— Se eu soubesse antes, teria segurado algumas das coisas que falei para você...

Minha risada o interrompe.

— Até parece. Nós dois sabemos que você teria me demitido se soubesse das minhas dificuldades.

Seu maxilar se cerra.

— Não é verdade.

— Por que não?

— Porque, se a minha mãe estivesse viva, ela teria ficado com vergonha de mim por fazer uma coisa dessas.

Sinto como se meu peito pudesse se abrir com suas palavras.

— Foi por isso que você me manteve todo esse tempo? Apesar dos meus erros de digitação e falhas e tempos de entrega mais lentos? — Minha voz é tão baixa e insegura que combina perfeitamente com a maneira como me sinto por Declan provocar todas essas emoções.

Ele inspira devagar.

— Eu mantive você porque você é fantástica no seu trabalho. Você sempre aceitou todos os desafios que eu jogava em cima de você, fossem ou não responsabilidade sua. Não achei, nenhuma vez, que suas diferenças atrapalhassem. Na verdade, acho que elas tornavam você dez vezes melhor no seu trabalho porque faziam com que pensasse diferente de mim. Basta olhar para o acordo com Yakura. Ele nunca teria aceitado a proposta sem os seus acréscimos ao meu modelo.

Uma onda de emoções dá um nó na minha garganta.

— Ah.

— Posso ser frio, grosso e distante, mas não sou cego. Todo o meu trabalho gira em torno de avaliar patrimônios, e você é o maior que eu tenho.

Nunca pensei que alguém falando sobre finanças comigo seria tão bonito a ponto de torcer meu coração.

Ele dá mais um aperto na minha mão como se para me lembrar de nossa conexão.

— Não há nada que eu não faria para manter você ao meu lado.

— Você não precisa se esforçar demais. Sou sua esposa, afinal.

— Mesmo que não fosse, eu não abriria mão de você. — O sorrisinho no seu rosto faz alguma coisa louca com minha frequência cardíaca.

Nunca pensei que alguém como ele seria capaz de pronunciar palavras tão doces.

— Quem diria que você era um cara tão legal por baixo de uma fachada tão rabugenta?

— Não saia contando por aí, senão as pessoas vão ficar desapontadas por descobrir que é só para você.

Parece que a jornalista *estava* certa. Declan tem um fraco por mim.

— Por quê?

— *Forelsket*.[8] — Sua voz rouca me faz sentir como se ele compartilhasse um segredo que não posso codificar.

— Soletre para mim. — Pego meu celular.

---

8. Substantivo, norueguês: aquela euforia arrebatadora exclusiva ao começo de uma paixão.

Ele balança a cabeça como se tentasse tirar o sorrisinho do rosto.

— Algumas palavras não devem ser traduzidas.

— Que mentira! Todas as suas palavras têm tradução.

— Correção. Algumas palavras não devem ser traduzidas por *você*.

Cruzo os braços.

— Onde você aprendeu todas essas palavras? Você não tem como saber tantas línguas.

Ele volta a cabeça para a estrada.

— Era um jogo que eu brincava com a minha mãe quando era pequeno.

Minha garganta arranha com o pensamento.

— Como?

— Sempre fui ruim em expressar sentimentos, muito antes de minha mãe ficar doente.

— Você? Não. Eu me recuso a acreditar nisso — digo com absoluta seriedade.

Sua encarada me faz rir.

— Ela me ensinou que algumas pessoas precisam de cem palavras para expressar um único pensamento, enquanto outras precisam de uma palavra para expressar cem pensamentos.

— Nunca pensei desse jeito.

Seus olhos ficam distantes.

— Virou o nosso código secreto. Se eu estivesse me sentindo de um determinado jeito, ela me pedia uma palavra.

Meu lábio treme.

— O que fez você começar a usá-las de novo?

Ele se vira e olha para mim.

— Não o quê, mas *quem*. Nós dois temos dificuldades com palavras, cada um à sua maneira. Eu em me expressar com elas, e você em ler. — Sua explicação deixa cada palavra que ele fala com mais significado.

A sensação ardente no meu peito se intensifica, revelando que meu coração quer jogar a cautela pelos ares. Isso me assusta mais do que eu gostaria de admitir, então me atenho a uma pergunta mais segura.

— O que fez você escolher palavras intraduzíveis?

— Nós começamos em inglês, mas, depois que meus irmãos começaram a notar e me copiar, fui mudando. Eles nunca conseguiriam dizer *kyoikumama*, que dirá soletrar.

— Sempre contra dividir, desde pequeno, hein?

— Você é filha única. Não faz ideia de como é crescer com irmãos sempre roubando suas coisas e imitando você.

— Bem que eu queria! Parece muito melhor do que passar a vida inteira sozinha.

— O silêncio devia ser agradável.

Eu rio.

— Cansava rápido. Se depender de mim, pretendo ter filhos suficientes para encher uma casa toda para eles nunca terem que crescer se sentindo como eu me sentia.

Ele empurra a alavanca de câmbio com um pouco mais de força que o necessário.

— Filhos?

— Uma minivan cheia se eu tiver sorte.

— Não sabia que você queria uma família grande. — A veia em seu pescoço lateja.

— Você nunca perguntou, e eu não pensei que importasse.

— Por que não?

— Porque só concordamos com um filho.

— E se não fosse esse o caso?

Eu me choco por sua pergunta.

— O que exatamente você está sugerindo?

Ele pausa, claramente pensando em uma resposta antes de balançar a cabeça.

— Nada.

Nada? Quero respostas, mas meu medo de sua resposta me impede de fazer qualquer pergunta. E, pela maneira como ele se fecha, sei que não vou conseguir resposta nenhuma hoje.

Talvez seja melhor assim.

CAPÍTULO TRINTA E UM
Iris

É impossível que o alvo de Declan estivesse no Jardim Botânico de Chicago em um sábado. Depois de toda a nossa conversa no carro, sei que ele planejou isso para mim. Não que ele vá admitir. Então, em vez de chamar a atenção dele, embarco em sua encenação. Estou animada demais para visitar o jardim para estragar isso chamando a atenção de Declan por sua mentira.

O jardim é meu lugar favorito do mundo – sinto muito, Dreamland. Tenho muitas lembranças queridas daqui, desde a infância. Eu, minha mãe e vovó vínhamos juntas depois de minhas aulas particulares de sábado. Eu e mamãe visitávamos todos os jardins enquanto vovó resmungava por causa do joelho dolorido, mas era facilmente seduzida pelas flores lindas e pelos espumantes com picolé.

Rio enquanto Declan pega um mapa do balcão de informações. Ele não pede minha ajuda, e não me dou ao trabalho de oferecer. Embora eu conheça todos os cantos deste lugar, observá-lo avaliar o mapa como se estivesse explorando um território desconhecido é divertido demais para deixar essa oportunidade passar.

Ele localiza nossa posição atual no mapa.

— Tem alguma estratégia para isso tudo?

— Estratégia? É um jardim, não um tabuleiro de xadrez. — Dou risada.

— Justo. Então existe alguma coisa em particular que você queira ver primeiro?

— Não deveríamos ir aonde a pessoa que você veio ver está? — Aperto os lábios para não me entregar.

— Não sei onde ela está. — Ele diz a mentira com tanta facilidade que me incomoda a ponto de pressionar para saber mais.

— Sabe, se eu soubesse como é essa pessoa, esse processo ficaria um pouco mais fácil. Como vou saber quando precisamos fingir?

Declan fecha o mapa, coloca-o no bolso e pega minha mão.

— Não sabemos.

Faíscas sobem pelo meu braço com o contato.

— E aí? Vamos só agir como um casal o tempo inteiro?

— Exatamente.

Finjo um resmungo.

— Mas este lugar é enorme. Podemos levar horas até encontrar a pessoa.

— Talvez até mais. — Ele não solta minha mão enquanto nos guia em direção ao começo da trilha.

Dou a ele mais uma oportunidade de confessar.

— Deve ser alguém bem importante para você ser capaz de se sujeitar a andar em um parque por horas de mãos dadas comigo.

— Você não faz ideia.

Viro a cabeça para ele não notar que estou sorrindo com sua mentira.

* * *

Declan coloca o braço ao redor da minha cintura como se nos tocássemos assim o tempo todo. O que aconteceu com o homem que tinha dificuldade para encostar em mim dois meses atrás? Porque parece que aquela versão de Declan se foi faz tempo, com ele usando o encontro falso de hoje como desculpa para me tocar como quer.

Estou tão perdida e obcecada pelo seu abraço que quase deixo de notar minha parte favorita de todo este lugar.

— Ah! Para! — Eu me afasto do braço de Declan.

Declan para, e cambaleio com o impulso.

— O que aconteceu? — Ele observa os arredores.

— Você está andando tão rápido que quase me esqueci da minha parte favorita.

Ele olha ao redor, sem notar a estufa enquanto observa os arbustos atrás de nós.

Aponto com a mão livre para a estrutura de vidro.

— Quer entrar lá?

— Sim! É o melhor lugar!

— Uma estufa?

Sorrio.

— Tem algum problema com isso?

— Só estou surpreso que você prefira isso ao ar livre.

— Vou mostrar por quê. — Praticamente o arrasto pelas portas. No mesmo instante, somos atingidos por uma rajada de ar úmido. Ventiladores espalham uma névoa morna por todas as plantas e somos pegos nesse fogo cruzado.

Uma ruga surge em suas sobrancelhas.

— Por que é tão abafado?

— Porque eles precisam recriar o clima tropical.

— Para quê?

Fico entusiasmada em saber mais sobre um assunto do que Declan, e me delicio com o fato de que ele não sabe tudo, afinal.

— Plantas como essas nunca sobreviveriam normalmente às estações aqui. Sem uma estufa, muito provavelmente morreriam, ainda mais em Chicago.

Ele me segue enquanto caminho pelas fileiras de palmeiras curtas.

— É esse o motivo de você manter todas as suas plantas dentro de casa?

— Preciso de um motivo melhor além de irritar você com elas?

Sua encarada me faz rir comigo mesma.

— Morar em um apartamento tinha muitas vantagens, mas uma estufa não é uma delas. Não tem espaço suficiente. — Eu o guio na direção do laguinho no fundo da estufa. — Sabe como você tem diferentes palavras para expressar seus sentimentos?

Ele faz que sim.

— As plantas também têm diferentes significados. — Aponto na direção dos caules de flor de lótus que saem da água turva. — Aquelas são minhas prediletas.

— Por quê? — Ele coloca as mãos no bolso e me encara sem nenhum sinal de emoção.

— Porque me espanta como a flor mais bonita consegue brotar nas piores condições possíveis. — Olho para meu reflexo na água turva. — Parece bobagem se identificar com uma flor...

— Não é.

Ergo os olhos para encontrar os seus focados em mim. O calor refletido neles me incentiva a me abrir sem me preocupar com as consequências.

— Passei muito tempo me subestimando para no fim me dar conta de que precisava superar as coisas ruins e encontrar a luz.

— É esse o motivo para você gostar de visitar a estufa? — Ele se demora ao meu lado para olhar as flores mais de perto.

— O principal.

— Tem outros?

— Você está olhando para eles. — Giro em um círculo com os braços estendidos, e minhas mãos roçam algumas folhas.

Seus lábios se apertam em uma tentativa fraca de esconder seu sorriso.

— Você é a louca das plantas.

— Até parece. Só vou merecer esse título quando tiver uma estufa só para mim.

— Você quer uma?

— Uma estufa?

— Os pesticidas estão subindo à sua cabeça ou você só está com dificuldade para entender minha pergunta?

— Vai ver estou com dificuldade para entender *o que* você está perguntando.

Seu peito arfa com uma respiração profunda.

— Você quer uma estufa?

— No seu quintal?

— Acho que podemos começar a chamar de nosso, já que você também mora lá.

Minha boca se abre antes de se fechar de novo.

— Você está oferecendo construir uma estufa para mim?

— Pelo menos para eu não tropeçar mais em vasos de planta no meio da noite quando quero um copo d'água.

— Claro. Que bobagem a minha pensar que você queria construir uma para me fazer feliz.

— Tudo que faço é unicamente para meu benefício. — Mas seu sorriso diz o contrário.

A sensação calorosa de seu sorriso me segue enquanto continuamos andando pela estufa. Paro para explicar todas as plantas diferentes para Declan. Para alguém que sempre assume a liderança, ele não parece se importar nem um pouco em me seguir.

Enquanto saímos da estufa e erguemos os olhos para o sol, Declan pergunta:

— Para onde agora?

Aponto para a trilha que vai nos levar para o lago.

— Por aqui.

Juntos, andamos de mãos dadas como se fosse a coisa mais natural do mundo. Declan me faz perguntas sobre plantas diferentes e eu respondo, ficando entusiasmada demais com assuntos como a diferença entre tropical e semitropical. Ele faz perguntas bobas, metade das quais tenho certeza de que são feitas de propósito para me fazer rir.

Sério, não acredito que me casei por livre e espontânea vontade com alguém que não sabe a diferença entre uma suculenta, e um cacto. Ele parece confuso com o fato de que todos os cactos são suculentas, mas nem todas as suculentas são cactos, e passo uma hora na Estufa Árida com ele explicando tudo o que sei sobre as diferentes plantas. Em momento algum ele parece entediado pela minha falação ininterrupta.

Declan, um homem que não conversa por mais do que períodos de cinco minutos de cada vez, conversou comigo por horas. Essa ideia me deixa mais alegrinha do que deveria.

É só quando o sol começa a se pôr que Declan nos guia em direção à saída.

— E aí, encontrou a pessoa?

— Quem?

Ergo nossas mãos entrelaçadas no ar para lembrá-lo da nossa obrigação.

— O jornalista para quem nós viemos fingir.

— Não.

— Eu sabia! Já pode parar de mentir.

— Mentir sobre o quê?

— Nós não viemos aqui para que um jornalista pudesse nos ver, viemos?

Seus olhos se iluminam.

— Por que outro motivo viríamos aqui?

— Porque você queria me levar para sair, mas não queria admitir que era isso para que eu não rejeitasse você, então inventou toda essa história elaborada para que eu não fizesse perguntas.

— O narcisismo é genético ou nosso filho está a salvo desse traço de personalidade horroroso?

O jeito como ele diz "nosso filho" me faz sentir uma onda de *alguma coisa* que me recuso a admitir.

— Depende. Se nos basearmos no histórico paterno, estamos ferrados desde o princípio.

Ele estende a mão e passa o polegar no meu lábio inferior.

— Tomara que ele herde o altruísmo da mãe, então.

Levanto a bandeira branca oficialmente quando fico na ponta dos pés e o beijo.

CAPÍTULO TRINTA E DOIS
Iris

Ficamos em silêncio durante o caminho todo de volta para casa. Não sei bem o que dizer, e Declan parece estar a um comentário de me comer no carro da mãe, então fico em silêncio.

Minha frequência cardíaca chega a um nível crítico quando ele entra na garagem, e perco o fôlego quando ele me tira do carro e me leva diretamente para a casa.

Ele se move muito rápido. Em um momento, estou erguendo os olhos fixos para ele, no outro, estou sendo empurrada contra a parede. Minha espinha formiga pelo impulso.

— Diga o que você quer. — Sua expressão ensandecida faz algo maluco com minhas entranhas.

Meu coração bate forte contra o peito, meu pulso acelerando a cada batida. Perco completamente a capacidade de falar. O jeito como ele me encara, com o maxilar cerrado e as narinas se alargando a cada respiração ofegante, me dá calafrios.

— Não sei.

Ele solta um resmungo enquanto dá um passo para trás.

Sinto falta de seu calor no mesmo instante.

— Declan... — Estendo a mão para tocar nele, mas ele aperta meus dois punhos e os prende sobre minha cabeça.

— Você não ganhou o direito de me tocar ainda.

— E você ganhou?

Ele traça a linha do meu pescoço com a mão livre, e meu corpo todo se acende como fogos de artifício.

— Não tenho medo de pegar o que é meu.

— Eu também não. — Não mais. Estou farta desse vaivém. A incerteza está me deixando maluca, e não é justo com ele. Ele planejou um encontro para mim e fingiu que era de mentira só para que eu fosse. Acho que ninguém nunca fez algo tão fofo por mim antes.

— Então prove. — Ele solta meus punhos.

— *Strikhedonia.* — Não tenho dúvida de que assassino a pronúncia, mas a palavra parece tirar um sorriso sincero de Declan mesmo assim.

Coloco a mão na sua nuca e puxo seus lábios na direção dos meus. Ao contrário de nosso primeiro beijo, Declan me deixa assumir o controle. É hesitante a princípio. Nada além de alguns toques suaves dos meus lábios nos dele, cada um se tornando mais e mais desesperado da minha parte. Ele não faz menção de tocar em mim, e minha pele anseia pelo contato. O desafio silencioso dele para provar o quanto o desejo fica se repetindo no fundo da minha mente enquanto traço seu lábio inferior com a ponta da língua.

Nunca pensei que desejaria o toque dele como desejo neste momento, e me pego ficando mais e mais irritada com o controle que ele exerce sobre a situação.

Assim não dá. As pontas dos meus dedos formigam com a necessidade de tocar nele *em todos os lugares.* Minhas mãos ficam mais ousadas enquanto desço os dedos pela sua camisa, indo diretamente ao volume embaixo da calça. Ele solta um suspiro trêmulo enquanto traço o contorno de seu membro. Uso a oportunidade para provocar sua língua com a minha, e os resultados são milagrosos.

Ele geme quando sua palma encontra minha nuca, me prendendo enquanto devora minha boca. Passo a palma da mão no seu pau. Seus beijos ficam mais descontrolados enquanto me apresso para tirar seu cinto e abrir seu zíper. Nossas línguas se enroscam, abafando seu gemido enquanto coloca a mão dentro de sua calça. Ele inspira fundo quando traço a ponta do seu pau. Tiro a gota de pré-gozo com o polegar antes de passá-la em círculos pela cabeça.

Ele morde meu lábio inferior, deixando um gosto metálico na minha boca.

Rio comigo mesma enquanto tiro a mão.

— Que tal isso como prova?

A mão ao redor da minha nuca se tensiona, e seu polegar pressiona meu pulso trovejante. Seu peito sobe e desce a cada respiração ofegante. Calafrios se espalham pela minha pele enquanto ele abre os olhos dilatados e os volta para mim.

— Não estou totalmente convencido.

Meus lábios se entreabrem.

— Você só fala...

Sou interrompida quando ele me joga sobre o ombro, me raptando antes que eu tenha a chance de fugir.

— Está de brincadeira comigo? Voltamos a isso de novo? — Bato o punho nas suas costas.

Ele se vira para a escada.

— Quero fazer uma análise mais completa.

— Você está maluco?

— Por você, nunca tive dúvida disso.

Rio enquanto ele me carrega por um milhão de degraus.

— Você sabe que eu sei andar, né?

— Bem até demais. Não quer dizer que eu vá deixar.

Dou risada.

— Por que não?

— Você corre o risco de fugir.

— Corro não!

— Se dependesse de mim, você usaria uma tornozeleira para que eu sempre pudesse saber onde está.

Meus olhos se arregalam.

— Isso é absolutamente aterrorizante.

— Nem me fale. Já pesquisei chips de GPS para o nosso filho.

Nosso filho. Essas duas palavras parecem estar apertando meu coração hoje.

— Você anda pensando muito em ser pai? — pergunto, com a voz trêmula.

— Mais do que deveria.

A ideia dele considerando a paternidade não me assusta tanto quanto deveria. Eu sabia em que estava me metendo quando assinei o acordo, mas esse parece um grande contraste comparado com o homem que precisava ser manipulado para aceitar a guarda compartilhada.

Ah, Iris. O que você está fazendo?

Declan parece responder por mim quando entra em seu quarto. Aperto sua camisa com as palmas das mãos suadas, desesperada por algo em que me segurar.

Meu mundo vira de cabeça para baixo quando ele me joga na cama. Solto um *hunf* quando minhas costas batem no colchão, e todo o ar é tirado de mim por um motivo que nada tem a ver com ser jogada de um lado para o outro. As mãos de Declan apertam minhas coxas enquanto ele me arrasta para a beira da cama. O tecido de meu vestido desliza para cima, e a barra se aproxima perigosamente da minha calcinha.

Ele para e me encara de um jeito que faz parecer que está me dissecando parte por parte.

— Vamos fazer um jogo.

— Você e seus joguinhos. Juro que parece que você foi privado de diversão quando era criança.

Seus lábios se contorcem enquanto ele sobe as palmas das mãos pelas minhas coxas. Elas tremem sob seu toque, e encosto uma na outra para esconder o tremor.

— Desse você vai gostar. Prometo. — Ele é rápido para tirar meus tênis e meias, que acertam o carpete como uma armadura de batalha sendo despida.

Eu me apoio nos cotovelos.

— Quais são as regras?

Seus olhos ficam pretos.

— Só existe uma.

— Parece fácil.

Ele estala a língua enquanto sobe um pouco mais a barra do meu vestido. Minha respiração sai mais áspera, o que só parece o estimular.

— Implore.

Olho feio para ele.

— Se você acha que eu vou implorar pelo seu pau, pode esperar sentado.

Um canto da sua boca se ergue em um sorriso irônico.

— Quem falou alguma coisa sobre o meu pau?

— Então pelo que exatamente você quer que eu implore...

Os dedos de Declan apertam as pontas da minha calcinha e a puxam para baixo. Ele não tem pressa, transformando a retirada da minha roupa em um evento. Mal aguento seus toques demorados e olhares ardentes.

— Não gosto desse jogo — resmungo, ficando mais impaciente a cada segundo que passa.

Ele puxa meu vestido mais para cima e abre minhas coxas.

— Tenho certeza de que consigo fazer você mudar de ideia daqui a pouco.

Qualquer resposta que eu pudesse ter é roubada quando ele encosta a palma da mão no meu peito e me empurra para trás. Ele fica de joelhos e me puxa na direção de seu rosto.

Ai, Deus. Bastaria essa visão para deixar uma mulher à beira do orgasmo. Pela maneira como a parte de baixo de meu corpo lateja, não seria preciso muito para me levar ao clímax. Ainda mais com o jeito como ele me encara. Seu olhar me assusta na mesma medida em que me hipnotiza, e alterno entre as duas sensações enquanto seus dedos me abrem para ele. Meu corpo todo zumbe enquanto ele coloca a língua para fora, me provocando. Arqueio as costas em resposta, e minhas coxas apertam sua cabeça entre elas. Seu riso baixo faz meu clitóris vibrar. Meus dedos apertam o edredom enquanto ele destrói minha capacidade de pensar em qualquer coisa além da sua língua mergulhando dentro de mim.

Acho que nunca estive tão excitada na vida. Tudo nele é sensual, desde a maneira como suas unhas se cravam nas minhas coxas enquanto ele me provoca à maneira como geme dentro de mim a cada suspiro meu. Tudo se perde quando ele enfia um dedo em mim. Seus lábios envolvem meu clitóris, sugando a ponto de doer. Ele para toda vez que chego perto do ápice. Eu o xingo na mesma frase em que o elogio, o que só parece fazê-lo prolongar tudo ainda mais.

Nenhum homem nunca fez eu me sentir *devorada* desse jeito. Quero que ele me faça parar de arder assim como quero que ele nunca pare de me foder.

Quase cedo e imploro para ele terminar o que começou, mas me seguro. Se ele acha que vou me entregar, vou fazê-lo se esforçar para provar algo.

Não vou ceder a ele. Nem em uma sala de reuniões nem no quarto.

Declan encara o desafio com vigor. Meu clitóris sensível arde, pedindo clemência. Declan não desiste. Estou descontrolada enquanto me debato nos lençóis. Ele não tem pressa, me deixando à beira do clímax antes de recuar. Minha frustração cresce até eu desistir, e duas palavras me dão as chaves para o paraíso.

— *Por favor.* — Minhas bochechas estão úmidas por lágrimas que eu não sabia que haviam caído.

Seu riso faz outra onda de excitação me perpassar.

— Você resistiu bem. Vai ser recompensada por isso.

Gemo enquanto ele coloca um segundo dedo dentro de mim, curvando os dois de modo que deslizem pelo meu ponto G. O jeito como ele chupa meu clitóris combinado com a tortura de seus dedos me leva ao clímax.

Meu corpo estremece enquanto Declan continua a me foder com a língua. Ele toca meu corpo como seu instrumento favorito, prolongando meu orgasmo pelo maior tempo possível. Penso que vai parar quando estou voltando, mas seus movimentos só ficam mais desesperados.

Minha voz é rouca enquanto grito seu nome, e isso parece deixá-lo *maluco*. Seus dedos apertam minha bunda enquanto ele me puxa para a frente, enfiando a língua dentro de mim como eu gostaria que ele fizesse com seu pau. Agarro seu cabelo e puxo os fios. Ele geme, apertando o polegar no meu clitóris inchado. A maneira como ele circula a carne me faz subir pelas paredes até perseguir meu segundo orgasmo como uma estrela cadente.

Declan abandona meu clitóris e me puxa em seu abraço. Ele aspira meus gritos enquanto sua boca se encaixa na minha, tirando outra respiração trêmula de mim. Meus lábios se entreabrem e ele roça a língua na minha, me fazendo sentir o gosto do quanto o desejo. Seus dedos apertam minha nuca, e seu polegar acaricia o ponto do meu pulso acelerado.

Seu beijo vai ficando menos frenético conforme vou voltando das alturas. Sua agressividade vai ficando mais suave, com o leve traçar da língua no meu lábio inferior se tornando meu fim.

Eu me sinto zonza, como se ainda não tivesse voltado completamente.

— Tem certeza de que você é virgem?

Ele dá um tapinha na minha vagina.

— O que disse?

Levo um susto.

— Estou brincando!

— Só porque não saio com ninguém há muito tempo não quer dizer que esqueci como as coisas funcionam.

— Por que não? Por que você não sai com ninguém? — Eu nunca devia ter feito essa pergunta. Foi má ideia, mas não consegui me conter, como tem sido o hábito perto de Declan ultimamente.

— Não parecia certo.

— Porque você era obcecado por mim? — Alimento a chama em seus olhos com fluido de isqueiro verbal.

Seus lábios apertam os meus.

— Que narcisista da sua parte.

Sorrio.

— Deve ser contagioso por aqui.

Ele me beija até eu ficar completamente mole, esperando pelo próximo passo.

Qual é *o próximo passo*?

— Não deveríamos conversar sobre o que acontece agora?

Ele pega minha mão e a pressiona em sua calça jeans, sobre seu pau duro como uma rocha. Seus lábios traçam uma linha de beijos pela minha garganta.

Massageio sua ereção com a mão antes de recuar.

— *É isso*? Transamos?

Ele mordisca a pele sensível na curva do meu pescoço.

— Nem tudo precisa de um plano.

— Mas...

Ele passa a mão sobre o meu corpo e acaricia a borda do meu seio.

— Você quer ou não?

Sinto como se tivesse uma arma carregada na mão.

— Isso vai complicar as coisas.

— Tenho certeza de que sim. — Seu toque fica mais ousado enquanto ele traça o mamilo sensível através do tecido de meu vestido. — Agora que resolvemos tudo, tenho permissão para te comer?

— Você parece animado demais com a ideia.

Ele sorri de um jeito que faz seu rosto todo se iluminar. Guardo seu olhar na memória para poder me obcecar por ele mais tarde. Seu corpo se pressiona sobre o meu no colchão enquanto ele se inclina para a frente. Coloco os braços ao redor de seu pescoço e o beijo até não aguentar mais. Até estar zonza e desesperada querendo mais.

Minhas mãos empurram seu peito. Ele tira o peso de cima de mim e se levanta.

— Que...

Eu o interrompo enquanto me levanto e pego a bainha de sua camisa.

— Tire — ordeno.

Ele obedece ao meu comando, revelando um peitoral pálido e musculoso. Suspiro com a visão. Seu corpo merece um monumento nacional. Se eu não sofresse de um nível insano de inveja, eu mesma o indicaria.

— Gosta do que está vendo?

Sorrio.

— Depende. É só para exibir ou você tem resistência para sustentar isso tudo?

Ele me abre um sorriso de lado que sinto diretamente no coração.

— Juro que você gosta de me provocar.

— Só porque eu gosto de desvendar você. — Passo as mãos no seu abdome, traçando cada curva com a ponta dos dedos.

Ele estremece quando minhas mãos se estendem para tirar seu cinto. Fico de joelhos, e um suspiro escapa dele.

— Relaxe — digo com toda a confiança, apesar da batida rápida do meu coração. Não demoro para descer seu jeans pelas suas coxas, revelando o volume no tecido da cueca.

O contorno do seu pau me deixa com água na boca. Fico ensandecida enquanto desço sua cueca até seu pau saltar na minha frente. Uma gota de excitação escorre da ponta. Perco a noção enquanto o lambo da base de sua vara até a ponta, traçando a língua sobre a gota branca perolada.

Em vez de apertar minha cabeça, ele segura meu queixo e me obriga a erguer os olhos para ele.

— É melhor do que eu poderia ter imaginado.

Minhas bochechas coram.

— Você pensa em mim com frequência?

— Infelizmente.

Ele vai ver só esse *infelizmente.* Pego um dos laços que prendem meu vestido e puxo o cordão. Nossos olhos continuam fixados um no outro enquanto tiro a outra alça, puxando o fio até os dois lados do meu vestido caírem. O tecido escorrega ao redor do meu colo como uma auréola.

Seus olhos se arregalam ao descerem para meus peitos.

— Olhos nos olhos. — Estalo os dedos e aponto para meu rosto antes de colocar seu pau na boca.

Ele silva enquanto alterno entre chupar e o traçar com a ponta da língua.

— Você pensou nisso? — Ergo a mão e aperto uma das suas bolas, tirando um gemido antes de colocá-lo na boca de novo. Ele enfia o pau mais fundo na minha garganta. Já me senti poderosa em muitas situações, mas nada se compara à emoção de observar Declan se perder no prazer do meu toque. — Ou nisso? — Vou mais fundo do que nunca enquanto inspiro longas tragadas de ar para conter o reflexo de engasgar. Seu gosto salgado cobre minha língua, e chupo sua ponta para ter outro gostinho.

— É mais nisso que eu penso. — Ele recua, levando seu pau consigo. Fico boquiaberta enquanto ele me pega e me joga na cama de novo.

Ele é rápido em tirar meu vestido, me deixando com os olhos fixos no teto, nua e esperando. Deslizo pelo edredom quando ele me puxa para a beira da cama. Minhas pernas moles caem para o lado, penduradas enquanto ele as abre.

Ele enfia um dedo dentro de mim, puxando-o para trás e para a frente antes de acrescentar outro.

— Quem diria que você gosta tanto de chupar pau?

Eu me apoio nos cotovelos.

— Deixar você maluco tem algo de viciante.

Pelo sorriso no seu rosto quando ele se afasta de mim e pega uma camisinha na mesa de cabeceira, acho que ele gostou da minha resposta. Só me resta torcer para que eu seja recompensada pela minha honestidade.

Eu o observo colocar a camisinha e sou tomada por mais uma onda de admiração por ele. Saber que está disposto a deixar seu objetivo de me engravidar de lado faz meu corpo todo arder.

Ele entra entre minhas pernas de novo e se encaixa na minha entrada. Perco o fôlego enquanto ele mete, batendo o quadril no meu. Lágrimas ardem nos meus olhos pela sensação abrasadora dele me abrindo.

Ele envolve minhas pernas trêmulas em sua cintura, e solto um silvo com a tensão.

— Eu te odeio — digo entre dentes.

— Estou louco para te comer até você parar de mentir. — O brilho ávido em seus olhos faz um calafrio descer pela minha espinha. Suas unhas apertam meu quadril enquanto ele recua, para logo depois entrar deslizando de novo dentro de mim. O ar é arrancado dos meus pulmões enquanto seu ritmo muda para uma coisa que só consigo descrever como insaciável.

Sua investida destrói qualquer sensação de controle que eu pudesse ter sobre a situação. Ele coloca uma das minhas pernas trêmulas sobre o ombro antes de colocar a outra, mudando nossa posição para que eu sofra mais de sua agressividade.

Uma sensação ardente na metade inferior do meu corpo se intensifica a cada batida do seu quadril no meu. Agarro os lençóis. Seu peito. Suas coxas. Qualquer coisa para me firmar enquanto ele memoriza meu corpo como uma língua que só ele consegue traduzir.

Suas estocadas nunca cessam, e o orgasmo começa a se aproximar dentro de mim. Ele passa o polegar sobre meu clitóris antes de fazer pequenos círculos com o dedo. Detono como uma bomba, um calor explodindo no peito enquanto ele me leva ao clímax sem ter como voltar. Meus olhos se fecham, mas reabrem quando ele belisca meu clitóris.

— Olhe para mim. — O sussurro áspero de seu comando faz outra onda de fogo líquido me perpassar. Eu me estilhaço ao redor do seu pau sem quebrar o contato visual. Meu orgasmo parece provocar o dele. Seus dedos se cravam na minha pele enquanto seu pau entra e sai de dentro de mim como se ele fosse um homem possuído. Ele geme, os dedos me apertando enquanto ele ergue a cabeça para trás e goza. A imagem dele se entregando devasta qualquer última esperança que eu pudesse ter de mantê-lo longe.

Encontrei meu mais novo vício, que por acaso é meu marido de mentira.

CAPÍTULO TRINTA E TRÊS
Declan

— Por que você usou camisinha? — Iris pergunta enquanto veste uma camiseta limpa.

Eu me ocupo revirando uma gaveta.

— Não queria estragar o momento perguntando se você estava a fim de tentar ter um bebê.

Ela ri.

— Agradeço a consideração, mas sei o que assinei.

— Então, o quê, transar é só um jeito de você cumprir sua parte do contrato? — Meu tom é mais ácido do que eu pretendia.

— Não foi isso que eu disse.

— Então o que foi que disse? — retruco.

— Quero dizer que eu sei que *nós* concordamos em ter um filho *in vitro*, mas, se sentimos atração um pelo outro, talvez... — Ela vai perdendo a voz.

Ela está tirando uma com a minha cara? Se sentimos *atração* um pelo outro. A maneira como ela minimiza nossa conexão me faz querer jogá-la de volta na cama e mostrar para ela a *atração* que ela sente por mim. Que palhaçada.

Você está com raiva de si mesmo porque está desenvolvendo sentimentos e ela não.

Puta que pariu, estou com raiva, sim. Odeio esse incômodo que cresce no meu peito a cada respiração ofegante tanto quanto odeio o fato de ela ser a única pessoa que não consigo controlar.

Fecho a gaveta com força, o que a faz se crispar. Sua reação só agrava meu mau humor.

Controle seu temperamento antes que faça algo de que se arrependa.

Sou rápido em colocar uma calça de moletom e uma camiseta antes de pegar a carteira.

— Me deixe explicar. — Ela pega meu braço, mas me solto dela.

— Não quero explicação.

O que eu quero é silêncio e um tempo para pensar sozinho por que algo que estou fazendo não está dando certo. Corri atrás. Conquistei. Mas ela ainda não admite os sentimentos óbvios que crescem entre nós.

— Aonde você vai? — Ela me segue pelo corredor.

— Vou sair. — Não olho para trás enquanto desço a escada em alta velocidade.

— Está tarde. — Sua voz beira o pânico enquanto ela me segue.

Quase dou meia-volta, mas não consigo. Não quando me sinto *assim*. Nem sei o que é essa sensação, mas quero abrir o peito até ter a capacidade de arrancar meu coração imprestável.

— Não vá. Não desse jeito. — Ela pega meu queixo em sua mão e me obriga a olhar para ela.

— Por que você não quer que eu vá?

— Não é certo. — Sua resposta é instantânea.

— Por quê? — insisto.

Ela morde o lábio e desvia o olhar.

— Porque você está chateado.

— Tente outra vez.

Mais uma chance, depois você vai embora.

— Porque eu não quero que você vá.

— Melhor, mas não bom o bastante. — Eu me inclino para a frente e beijo o topo da cabeça dela antes de sair de casa.

Ela não me detém de novo, por mais que eu queira.

* * *

Dirijo por Chicago sem destino. O vazio no meu peito só se intensifica a cada quilômetro que me afasto de Iris, para minha frustração. Não quero ficar longe dela, mas não quero estar perto dela também. Não quando me sinto fora de controle e a uma frase de destruir todo o progresso que criamos até agora.

Eu me recuso a dar a ela mais um motivo para questionar nossa relação, mesmo que ela não saiba que estamos em uma. Mas como convencer minha esposa por contrato de que estamos destinados a ficar juntos por escolha própria?

A pergunta me atormenta por uma hora. Nada que eu pense parece bom o bastante, sempre volto à mesma questão.

Estou perdido e desesperado quando bato na porta de Cal.

Ele abre menos de um minuto depois.

— Estava me perguntando quando você apareceria.

— Ela te ligou.

Sua falta de sorriso é a única confirmação de que preciso.

— Seja lá o que você tenha feito, volte e resolva.

— Por que você acha que fui eu que fiz algo errado?

— Você está me fazendo essa pergunta seriamente?

— Sim.

Ele suspira.

— Entre. Você está com cara de quem precisa de alguém com quem conversar.

Passo por ele e entro em seu apartamento. Ele mantém o lugar impecável, ao contrário do que se poderia imaginar considerando o caos de sua vida pessoal.

— Quer beber alguma coisa?

— Pode ser água.

Cal age como um bom anfitrião, me trazendo um copo d'água e um copo do meu uísque favorito.

— Pensei que poderia precisar dos dois.

— Você nem gosta de uísque.

— Não, mas gosto do meu irmão. Às vezes. — Ele pega a garrafa e a coloca do lado do copo por via das dúvidas.

Seguro o copo de água e deixo o uísque na mesa de centro. O álcool só vai piorar as coisas, e preciso da cabeça clara.

— Embora eu fique lisonjeado por você ter vindo me pedir conselhos, não sei se vou ser de grande ajuda.

— Por quê?

— A Iris é minha melhor amiga. Não vou ajudar você se isso significar magoá-la.

— Não estou tentando magoá-la, palhaço. Estou tentando mostrar que gosto dela — estouro.

Os olhos de Cal se arregalam.

— Puta merda.

É em momentos como esse que eu gostaria que a vida tivesse um botão de voltar no tempo.

— Você gosta dela? *Sério?* — A expressão perplexa em seu rosto me faz lembrar do dia em que contei para ele que o Papai Noel não existia.

Aperto os lábios um no outro para evitar dizer algo mais.

Ele pega meu copo de uísque, dá um gole e, sem cerimônia, cospe de volta no mesmo copo.

E pensar que somos parentes.

— Bom, isso muda tudo.

— Como?

— Pensei que você a faria se apaixonar por você, não o contrário. — Ele ergue a cabeça para trás enquanto ri, com a voz rouca.

— Nunca falei nada sobre amor.

Ele dá risada.

Meus dentes rangem.

— Já acabou?

— Desculpa. É bom demais. Você se casou com ela pensando que ela deixaria sua vida mais fácil, mas descobriu que gosta dela. E muito.

Cal me faz sentir como se eu fosse o motivo de alguma piada.

— Não sei por que pensei que vir aqui seria uma boa ideia. — Eu me levanto.

— Espere. — Ele ergue a mão. — Desculpa. Foi feio rir de você quando você está obviamente passando por um momento difícil.

Mas bem que seus olhos *cintilam* com uma gargalhada contida.

— Vou embora.

Ele bloqueia minha saída.

— Pare. Vou te ajudar.

Ergo a sobrancelha.

— Estou começando a duvidar que você saiba como.

— Você pode não gostar do meu conselho, mas, se estiver disposto a tentar, acho que vai ficar feliz com os resultados.

— Sou todo ouvidos. — Volto a me sentar.

— A Iris é como qualquer outra mulher. Ela tem desejos, necessidades e medos.

— E pensar que achei que você seria útil.

Ele me encara.

— Se quiser que ela se apaixone por você, precisa provar que é diferente de todos os homens com quem ela já saiu.

— Não deve ser tão difícil. Eles eram todos terrivelmente medianos em todos os aspectos.

— Infelizmente para você, você cai na mesma categoria.

Minha testa se franze mais.

— Duvido muito.

— Você pode discordar de cada argumento meu ou pode calar a boca e escutar alguém pela primeira vez na vida.

Dou uma única piscada lenta.

— Sempre havia alguma coisa que a impedia de mergulhar de cabeça, mas todos os motivos se baseavam no mesmo problema.

— Que era?

— Eles nunca mereceram plenamente a confiança dela.

— Tudo que fiz foi dar motivos para ela confiar em mim.

— Seu relacionamento inteiro *é uma mentira*.

Olho feio para ele.

— Não, não é.

— Não sou eu que você precisa convencer.

— O que sugere que eu faça?

— Fácil. Comece pela verdade e parta daí.

— Que verdade?

— O fato de que deve haver uma parte de você que é apaixonada por ela há muito tempo, antes de você assinar um contrato de casamento.

Lá vem ele de novo falando de paixão. Isso poderia explicar minha necessidade insana de manter Iris por perto e protegê-la de qualquer perigo. O fato de eu sentir meu peito apertado quando ela vai embora. Como meu coração bate mais rápido sempre que ela está no mesmo ambiente que eu. Minha necessidade intensa de controlar as palavras para não machucá-la.

Merda.

Estou me apaixonando por Iris. Os sinais estavam todos lá e eu os ignorei porque não os entendia de verdade.

Em vez de uma onda intensa de pânico com a ideia de amar Iris, sinto calma. Com o amor eu consigo lidar. Posso não saber como, mas estou disposto a aprender. Por ela e *apenas* por ela.

Troco a água pelo uísque.

— Acho que vou precisar de algo mais forte para o resto desta conversa.

***

Quem quer que tenha dito que *a verdade liberta* é um idiota. Minhas pernas parecem presas a blocos de cimento invisíveis enquanto entro em casa. Jogo as chaves no balcão e me dirijo à escada, mas mudo de direção rumo à luz forte do outro lado da casa.

Uma lâmpada no canto da sala lança uma luz baixa sobre o espaço.

Iris, ainda vestindo minha camiseta, está deitada no sofá com uma coberta sobre a metade inferior do corpo. Uma de suas mãos ainda segura o celular como se ela estivesse esperando uma ligação.

Ela ficou acordada esperando por você.

Eu me arrependo imediatamente de minha decisão de desligar o celular depois que ela me ligou pela primeira vez. Foi uma escolha precipitada feita no calor do momento, mas claramente errada.

Eu a ergo nos braços com delicadeza, tomando cuidado para não a acordar com nenhum movimento súbito. Ela murmura algo enquanto se aconchega junto a meu peito. Meu coração aperta enquanto baixo os olhos para ela, sem saber como vim parar em um casamento com uma mulher como ela.

Você sabe como.

Meus dentes rangem enquanto solto um suspiro agitado. A cabeça de Iris se ergue com o movimento, mas ela não desperta.

Eu a carrego escada acima em direção a meu quarto. Não sei como, mas consigo colocá-la na cama sem a acordar, embora ela murmure algumas coisas sobre a mãe enquanto dorme.

Tomo um banho antes de deitar na cama e abraçar Iris junto a mim. Entrelaço as pernas dela nas minhas, prendendo-a ao meu corpo para que não consiga escapar de mim de manhã.

CAPÍTULO TRINTA E QUATRO
Iris

Acordo suando e sem conseguir mexer nada além da cabeça. Não sei como vim parar na cama de Declan, presa nos braços e pernas dele.

A audácia desse homem não tem limites. Tento escapar de seu aperto, mas isso só parece piorar as coisas. Seus braços me apertam mais enquanto ele murmura algo ininteligível no meu cabelo.

— Declan. — Empurro seu peito.

— *Shh*. — Ele beija o topo da minha testa antes de soltar um suspiro baixo.

— Acorda. — Eu o empurro com um pouco mais de força, o que parece fazer efeito.

Ele pisca para o teto antes de olhar para mim.

— Bom dia. — Seus braços continuam me prendendo a seu lado.

— Pode pegar seu *bom-dia* e enfiar no rabo.

Ele ri, e fico instantaneamente incomodada pela maneira como o som aquece minhas entranhas como álcool no auge do inverno.

— Tem algum motivo para eu estar na sua cama?

— Porque eu queria poder fazer isso.

Minhas costas acertam o colchão logo antes de seus lábios apertarem os meus. O beijo é um completo contraste com o desespero de ontem, e me sinto frustrada pela maneira como Declan parece controlado. É suave, doce e manso demais depois do sexo que tivemos.

Como ele pode me beijar dessa forma depois de me deixar falando sozinha? O sangue corre pelas minhas orelhas, deixando as pontas quentes.

Empurro seu peito.

— Me larga.

— Não posso.

— Como assim?

— Vou fazer você de refém até você me escutar.

Fico boquiaberta. Tento me mexer, mas ele criou uma gaiola com os braços e pernas.

Você caiu no truque mais antigo que existe.

Em vez de beijá-lo, eu devia estar tentando sair de debaixo dele. Declan me deixou hipnotizada com sua rola.

— Pare de brigar e me dê oito minutos.

— Você não merece oito segundos, que dirá oito minutos do meu tempo.

— Que tal oito palavras, então?

Eu rio.

— Eu gostaria de ver você tentar.

— Estou me apaixonando por você, Iris Elizabeth Kane.

Eu o encaro. Ou ainda estou dormindo ou não devo ter ouvido direito, porque duvido que Declan Kane tenha acabado de admitir que está se apaixonando por *mim*.

Nem fodendo.

Certo?

Fecho bem os olhos como se isso pudesse apagar as palavras de minha memória.

— Você está de brincadeira.

— Não estou.

— É só mais uma parte do seu jogo. — Tento empurrá-lo, mas ele não cede.

— Deixou de ser um jogo para mim há muito tempo.

— Você está mentindo.

Suas sobrancelhas se franzem.

— Pergunte por que eu odeio quando as pessoas usam Times New Roman em vez de Arial.

— Você está falando sério? O que isso tem a ver?

— Porque eu escolhi para *você*.

— Como *assim*?

— Li na internet que as fontes sem serifa são mais fáceis para pessoas com dislexia lerem, então mudei minhas exigências. Obriguei todo mundo que está sob a minha supervisão a mudar ou enfrentar minha fúria. Tudo porque eu queria *te ajudar*.

Emoções apertam minha garganta, impedindo minha capacidade de responder. O que eu poderia dizer que pudesse se comparar a *isso*?

Declan não me dá opção enquanto continua.

— Quer saber por que eu mantive o cacto?

Faço que sim.

— Porque foi a primeira vez que alguém me deu um presente que me fez rir.

Se corações pudessem derreter em poças, o meu estaria liquefeito agora. Os olhos dele desviam do meu rosto.

— Pergunte por que você teve sua transferência de cargo negada.

Não.

Não pode ser.

— Não me diga que você…

Seus lábios se apertam em uma linha branca.

— Eu não consegui deixar você ir.

— Não estou acreditando. — Empurro seus ombros, mas é o mesmo que empurrar uma pedra.

— Se vale de alguma coisa, não me orgulho disso.

— Você me sabotou. — Minha voz embarga.

O rosto dele se suaviza.

— Desculpa.

— Desculpa? Passei meses na minha apresentação, aperfeiçoando-a a ponto de ficar obcecada, mas fui rejeitada porque você era egoísta demais para me deixar ir? Quem faz esse tipo de coisa?

— Alguém que não entende nada sobre amor, mas está disposto a aprender se você me der uma chance.

— Você quer que eu te dê uma chance depois de tudo? Acha que eu sou burra?

Ele se crispa, e parte da minha raiva evapora com sua vulnerabilidade.

— Inteligência não tem nada a ver com isso.

— Fácil para você dizer quando não é você que se sente um idiota.

— Sério? Porque, pela sua reação hoje, estou me sentindo bem idiota por ter admitido que estou me apaixonando por você. — Ele sai da cama, me deixando com frio nos ossos.

— Declan… — Estendo a mão, mas ele dá um passo para trás.

Meus olhos ardem com sua rejeição. *Machuca.*

— Não estou pedindo para você retribuir meu amor. Não estou esperando isso e não sei se um dia vou esperar, porque não sou nem um pouco digno de amor. Sou egoísta, grosseiro e não sei nada sobre como é estar numa relação com alguém. Mas isso não quer dizer que eu não esteja disposto a tentar se você me permitir.

Como vou ficar brava com ele se ele pensa que é *indigno de amor*? Uma dor dilacera meu peito com a ideia dele falando sobre si mesmo dessa forma.

Saio da cama e ando diretamente até seu peito. Os braços dele ficam engessados ao lado do corpo, então os pego e os coloco ao redor da minha cintura.

— Só porque você faz *escolhas* egoístas não quer dizer que *seja* egoísta. Pelo menos não completamente. — O homem protegeu os irmãos do pai alcoólatra por anos sem nenhum tipo de recompensa. Se isso não é um sacrifício altruísta, não sei o que é.

— Sua lógica é meia-boca, para dizer o mínimo.

— A sua também, considerando que você disse que é indigno de amor.

Seu corpo fica tenso.

— Só estou citando fatos.

— Não sei que merda seu pai te falou ao longo dos anos, mas não é verdade. Seus irmãos te amam.

— Eles são obrigados.

— Ninguém é *obrigado* a amar ninguém. Sendo ou não do mesmo sangue.

Ele respira fundo.

— Você tem razão.

Ergo um sorriso para ele.

— Você poderia dizer essas palavras com mais frequência.

Ele ergue a mão e envolve minha bochecha.

— Se você me der uma chance, vou falar todos os dias para você.

Suspiro e desvio os olhos.

— Não sei.

— Diga o que te impede.

— Você não tem relacionamentos.

— Que bom que sou casado, então.

Balanço a cabeça.

— Nosso casamento não é nem de verdade.

— Um pedaço de papel não define o que nós somos. Sentimentos sim, e os meus são cem por cento genuínos.

Evito seu olhar penetrante.

— E se os meus sentimentos estiverem me dizendo para fugir?

— É fofo você achar que consegue correr mais rápido do que eu, mas vou te dar uma vantagem só para deixar as coisas mais interessantes.

Balbucio.

— Você sempre tem resposta para tudo?

— Não para aquilo que mais importa. — O jeito como ele me olha desperta algo lá no fundo de mim.

Desejo.

Quero dar uma chance para ele, apesar das consequências em potencial.

Você pode se machucar.

Posso, mas posso perder a chance de ter uma coisa especial por medo dos *e se*. Estou farta de ser essa pessoa. Mesmo que signifique me machucar, eu preferiria tentar e fracassar a nunca tentar.

Fico na ponta dos pés e encosto os lábios nos dele. Ele me abraça junto ao peito, como se tivesse medo de me soltar.

Eu recuo, mas aperto seu queixo com a barba por fazer.

— Isso pode acabar em desastre, mas estou disposta a tentar.

Ele me cala pressionando os lábios nos meus, selando nosso novo acordo. O jeito como ele me beija é diferente de qualquer outro. Ele envolve meu rosto com as palmas das mãos enquanto seus lábios se moldam aos meus, me provocando até eu me sentir zonza. Seu polegar roça minha bochecha para trás e para a frente, e um calor desce pela minha espinha, diretamente na direção do meu ventre. Ele me faz sentir valorizada. Protegida. Amada de uma forma que me faz querer nunca mais voltar à realidade.

Eu poderia ficar para sempre sendo beijada assim e ainda sentir que não é o bastante. Embora Declan possa não ser o melhor com as palavras, seu beijo diz tudo.

Ele está se apaixonando por mim. Isso não precisa ser traduzido.

CAPÍTULO TRINTA E CINCO
Iris

No fim de semana seguinte, acordo com um completo caos no andar de baixo. Saio da cama de Declan, corro até meu quarto para colocar algo que não seja uma de suas camisetas e me lavo no banheiro.

Não preciso ser uma superdetetive para descobrir de onde está vindo toda a algazarra. Atravesso a casa, seguindo o som da voz de Cal.

— Olha quem finalmente decidiu se juntar a nós! — Cal bate palmas quando entro na sala.

— O que está acontecendo? — Dou uma olhada no bufê habitual de donuts, mimosas, charutos e outros materiais de contrabando.

Declan nem se dá ao trabalho de me responder enquanto encara a TV. Pela maneira como analisa a tela preta, parece até que ela estava ligada.

— Seu marido aqui convidou a gente para assistir à Fórmula Um.

— A gente *quem*?

— Rowan e Zahra estão atrasados. — Cal pega um donut e demonstra o que pensa que eles estão fazendo.

— Eles estão vindo *pra cá*?

— Surpresa? — Cal olha para o homem em questão.

— A pilha acabou. — Ele anuncia antes de sair da sala. Se eu estava esperando respostas, não é dele que vou conseguir.

— Ele não te contou?

— Não. Ele deve ter esquecido. — *Ou queria surpreender você.*

Meu coração poderia talvez explodir com a realidade de que Declan planejou isso tudo para mim. Deixei a ideia de lado depois que ele a contestou, então saber que ele se deu ao trabalho de planejar mesmo assim...

Me faz querer dar um beijo nele.

Ou transar com ele.

Ou beijar *e* transar com ele.

Cal ergue a garrafa de sidra de maçã espumante com um nariz franzido.

— Você tem alguma notícia que queria me contar ou isto aqui é só para me ofender?

Rio.

— Não estou grávida.

Declan volta a entrar na sala.

— Não ainda, pelo menos.

Sinto meu corpo todo uns dez graus mais quente. O jeito como esse homem olha para mim me faz me questionar se é possível engravidar por olhares intensos e desejo visível. Mentes curiosas querem saber.

— Bom, essa é minha deixa para buscar uma coisa mais forte para beber. Antes que segurar vela para dois casais me faça querer cortar meu próprio pau.

Declan lança um olhar fulminante para Cal enquanto ele sai da sala.

— Então... — começo.

Ele usa o controle remoto, que agora está funcionando, para ligar a TV e encontrar o canal certo.

— Qual é o verdadeiro motivo para você ter planejado isso tudo?

Os músculos de suas costas se mexem sob a camiseta.

— *Gezelligheid*.[9]

Pego o celular do bolso e encaro a barra de busca com a expressão franzida.

— G-E-Z-E-L-L-I-G-H-E-I-D. — Ele soletra devagar sem que eu tenha que pedir.

— Onde você aprendeu essa?

— Durante o mês que estudei na Holanda.

Rio quando a página carrega.

— *Aconchegante*? É esse o motivo?

Ele balança a cabeça.

— É mais do que isso. Tem a ver com criar um lugar onde as pessoas possam relaxar e se sentir felizes.

— Desde quando você se importa em fazer as pessoas felizes?

— Não dou a mínima para a felicidade de ninguém além da sua.

Meu peito aperta com sua confissão.

— Essa deve ser uma das coisas mais bonitas, e mais doidas, que alguém já me disse.

---

9. Substantivo, holandês: a sensação calorosa de estar cercado por entes queridos; o estado ou fato de estar aconchegado.

— Doida por quê? — Ele parece confuso de verdade pelo meu comentário.

— Porque você deveria fazer coisas legais porque quer, não porque acha que me fariam feliz.

— Eu *quero* deixar você feliz, por isso faço coisas legais.

Bom, não posso exatamente discutir com seu tipo de lógica sobre isso, especialmente quando me faz querer beijá-lo até nós dois ficarmos sem fôlego.

Mordo o lábio.

— O que acontece quando o que me faz feliz vai contra o que você quer?

Seu olhar fica sombrio.

— Convenço você do contrário.

Minha cabeça se inclina.

— Não é assim que um relacionamento funciona.

— Não somos um relacionamento típico, portanto as mesmas regras não se aplicam aqui.

— Pode chegar um momento na sua vida em que você não consiga me convencer. E aí?

— Em se tratando de você, não sou contra usar todos os meios necessários.

— Incluindo tortura?

Ele envolve minha bochecha e me puxa na direção dele.

— Ainda é considerado tortura se eu deixar você gozar?

— Eu libertei um monstro sexual.

Ele ri enquanto me puxa em um beijo abrasador que faz os dedos dos meus pés se curvarem. Com a carícia da sua língua na minha, nossa conversa é apagada da memória recente.

A campainha toca, e Declan hesita em me soltar. Ele me puxa na direção dele para um último beijo.

A campainha toca outra vez, e rio enquanto deixo Declan carrancudo para trás para atender a porta. Eu a abro e encontro Rowan e Zahra de mãos dadas no alpendre.

Zahra ergue os olhos para mim com um sorriso.

— Ei! — Ela nem me dá a chance de dizer nada antes de pular em cima de mim e colocar os braços ao redor do meu tronco. — Estou tão animada para passar um tempo com você!

— Eu também — digo, arquejando.

A sombra de Declan parece deixar todos paralisados.

— Declan. — Rowan inclina o queixo.

— Obrigado por vir. — Ele estende a mão para Rowan apertar.

Os lábios de Rowan se contorcem enquanto ele a ignora e coloca um braço nas costas dele e dá um tapinha.

— Suas ameaças me deixaram curioso.

— Ameaças? — pergunto.

Declan não presta atenção à minha pergunta enquanto lança um olhar mortal para Rowan.

Rowan volta os olhos para mim, e um sorriso ilumina seu rosto todo.

— Vou me divertir muito com isso tudo.

— Você ama Fórmula Um?

Ele olha para Declan enquanto responde à minha pergunta.

— Super. Adoro ver as pessoas se espatifarem.

— Que horror. — Zahra dá um tapinha no braço de Rowan.

O maxilar de Declan se cerra.

— Bom, por mais divertido que seja essa disputa de masculinidade, alguns de nós vieram aqui pelas mimosas. — Zahra encaixa o braço no meu e me puxa para longe de Declan e Rowan. — Mostre o caminho.

Fico de olho neles por sobre o ombro. Declan aperta um dedo no peito de Rowan enquanto invade seu espaço. Rowan não parece nem um pouco incomodado; pelo contrário, ele está rindo e dizendo algo que não consigo escutar de tão longe.

Zahra dá um tapinha na minha mão.

— Não ligue para eles. O Rowan está querendo se vingar do Declan desde toda a discussão sobre Dreamland. Era questão de tempo até eles botarem tudo pra fora.

Não sei bem se uma simples conversa vai resolver tudo, considerando como Declan ficou irritado quando Rowan decidiu se mudar para Dreamland em vez de ajudá-lo com a empresa.

Eu me volto para Zahra.

— Você sabe dessa história?

Ela ri.

— Ah, sim. O Rowan me contou depois que decidiu ficar em Dreamland.

— Uau.

— Por mais que eu adore que ele tenha feito isso, não sou muito fã de dramas familiares, então prefiro que eles resolvam as coisas o quanto antes. Pelo bem do Rowan, pelo menos. Ele finge que não se importa com a raiva do Declan, mas eu o conheço. Ele ama o irmão.

— Se vale de alguma coisa, acho que o Declan também sente falta dele.

— Ou sente falta de atormentar o irmão caçula.

Cal chega, vindo da sala de estar.

— O Declan encontrou outra pessoa para torturar agora, acho que estamos livres da fúria dele, desde que a Iris o controle.

Engasgo com minha inspiração.

— Não sei do que está falando.

— Eu vi vocês dois se beijando hoje.

Os olhos de Zahra se arregalam.

— Você o beijou.

Minhas bochechas ardem enquanto desvio os olhos.

— Ai, meu Deus. Precisamos conversar. Agora. — Ela me puxa na direção da escada, mas faço um desvio rápido para pegar duas mimosas. Tenho um pressentimento de que vamos precisar de um pouco de álcool para essa conversa.

* * *

Zahra e eu nos dirigimos a meu quarto com as bebidas em mãos. Pela primeira vez desde que me mudei para esta casa, finalmente uso a área de estar perto da janela enorme.

— Lindo quarto. É muito diferente do que eu imaginava — ela diz enquanto olha ao redor.

— Estão limpando a masmorra, então essa é a segunda melhor opção.

Ela ri.

— Desculpa. Tenho o costume de pensar alto e esquecer a educação.

Tomo um gole da minha bebida.

— Não se preocupe. Tenho certeza de que está curiosa sobre tudo.

Seu rosto todo se ilumina.

— Sim! Estou louca para perguntar sobre o seu casamento falso, mas a cerimônia não parecia o lugar mais adequado.

— Para fins jurídicos, tenho que pedir para você não repetir essa conversa para ninguém.

Ela ri.

— Esse discursinho funciona com algum dos seus amigos?

Encolho os ombros.

— Não tenho como saber. Além do Cal, que já sabe tudo, não tenho nenhum amigo.

Ela faz biquinho.

— Que triste.

Suspiro.

— Não é nada demais.

— Não?

— Pensei que você tivesse vindo aqui para falar sobre o meu casamento. — Minha mudança de assunto deixaria Declan orgulhoso.

Ela encosta a taça na minha antes de tomar um gole.

— Assunto delicado. Entendi.

Eu me sinto imediatamente mal por ter sido ríspida.

— Desculpa. Não queria ser grosseira.

— Não se preocupe com isso. Não estou aqui para julgar você.

— Nem um pouco?

— Por quê?

Olho ao redor.

— Você não acha minha situação um pouco... estranha?

Seu peito treme com uma risada silenciosa.

— Nem um pouco. Na verdade, é meio romântica, considerando que ele nos convidou aqui para passar tempo com você.

— Isso por si só é confuso.

— Por quê?

— Eu pedi um tempo atrás e ele me disse que não queria.

Seus lábios formam um O.

— Entendi.

— Fique à vontade para dizer o que pensa.

— Não tem muita coisa. Você queria uma coisa e ele fez acontecer. Pelo menos ele aprende rápido. O Rowan demorou meses para entender que se importava mais com meus sentimentos do que com os dele próprio.

Rio.

— Opa. Ninguém falou nada sobre sentimentos.

Ela revira os olhos.

— Nem vem. Você deve saber que ele tem algum tipo de sentimento por você.

— Ele mesmo me disse que tem.

— Então qual é o problema?

— Eu. — É difícil admitir, mas é a verdade. Não sei se um dia vou conseguir confiar plenamente em alguém. Talvez eu seja problemática demais.

— Ah. Tudo faz sentido agora.

— O que faz sentido?

— É normal ter medo de uma coisa nova. Eu era como você, assustada e insegura sobre namorar de novo depois de ter sido muito traumatizada.

— Era? — Eu não associaria a energia positiva dela com alguém que tinha dificuldade em confiar nas pessoas.

— Ah, sim. Passei por um término difícil com alguém com quem pensava que me casaria um dia. Descobri que ele estava me traindo com uma das princesas de Dreamland.

— Eita. — Eu me crispo.

O sorriso dela vacila.

— Na época, senti que meu mundo estava acabando. Mas agora sei que foi a melhor coisa que poderia ter me acontecido.

— Porque você encontrou o Rowan?

Ela faz que não.

— Porque eu me encontrei.

— Sinto que vou precisar de muito mais do que uma mimosa para esse tipo de conversa.

Ela ri.

— Profunda demais para um domingo de manhã?

Faço que sim.

— Definitivamente.

Temos um ataque de riso. Entramos em assuntos mais seguros que não têm nada a ver com minha relação com Declan. Fico grata que ele tenha planejado a reunião familiar de hoje, pelo menos porque posso passar mais tempo com Zahra e ouvir a opinião de outra pessoa sobre meu casamento. Embora Cal tenha boas intenções, ele não é exatamente um guru em termos de relacionamentos. Daí sua resistência a entrar em contato com Alana embora precise para sua herança.

Falando no diabo, ele abre a porta do quarto com um ar dramático.

— Odeio interromper esse momento de vínculo, mas a corrida está para começar e o Declan está ficando nervoso.

— Ele só está irritado por ter que conversar com você por vinte minutos.

— Ver como ele tem dificuldade para bater papo sobre assuntos que não têm nada a ver com trabalho ou nossas heranças é muito mais divertido do que eu imaginava.

Dou o braço para Zahra.

— Vamos acabar logo com o sofrimento do Declan.

Cal ri.

— Eu sei que você é tendenciosa por ser a esposa dele, mas o cara sofre desde o dia em que nasceu.

Zahra dá uma piscadinha.

— Tenho a impressão de que isso está para mudar.

CAPÍTULO TRINTA E SEIS
Declan

Basta um único e-mail para estragar todo o meu ano.

— Iris!

Ela entra correndo na minha sala, seguida pelo meu irmão.

— Quê?

Nem me dou ao trabalho de perguntar o que ele está fazendo aqui. Pelo que conheço dele, deve ter a ver com fugir de suas responsabilidades.

— Você viu o último e-mail do Yakura? — Bato o dedo no mouse, fechando o e-mail antes que eu tenha um derrame.

— Não. O que aconteceu?

Meu rosto todo parece estar em chamas.

— Ele recebeu uma ligação do meu pai.

— *Merda.* — Cal passa a mão no rosto.

Exatamente o que pensei.

— Yakura está ameaçando cancelar o projeto.

Ela afunda na cadeira à minha frente.

— Por quê?

— Ele não entrou em nenhum detalhe específico, mas sua frase sobre como *nossos objetivos não parecem estar alinhados* foi uma boa sugestão.

Não é preciso ser um gênio para entender o que aconteceu. Com a personalidade de meu pai e seu desespero para continuar como CEO, não tenho dúvida de que mexeu os pauzinhos para fazer meu projeto parecer inadequado. Porque, no fim, as finanças da Companhia Kane não importam desde que ele permaneça no poder, mesmo que seja preciso estragar um acordo que nos daria bilhões.

Ele quer me fazer parecer fraco e inexperiente comparado a ele, e essa é sua melhor chance de destruir toda a credibilidade que tenho com o conselho de administração até agora. Os executivos sabem que trabalhei muito nesse projeto. Se ele cair por terra, as consequências podem ser prejudiciais para minha transição.

— Podemos dar um jeito nisso. Vou entrar em contato com Yakura. — Iris joga os ombros para trás e ergue o queixo. Ela tem uma capacidade única de comandar a situação e aliviar a tensão crescente nos meus ombros.

— E dizer o quê? "Desculpa, meu pai é um escroto. Ele não estava falando sério" — Cal sugere.

Suas sobrancelhas se franzem.

— Claro que não. Você acha que eu sou o quê? Amadora?

— Então como planeja conquistá-lo?

Iris se volta para mim.

— Vamos mostrar para ele que os nossos objetivos estão, sim, alinhados.

— E vocês lá sabem que objetivos são esses? — Cal alterna a cabeça de um lado para o outro entre mim e Iris.

Meu rosto está tão vazio quanto meus pensamentos. Pensei que o objetivo de Yakura fosse construir um parque digno de seu terreno, mas esse não parece ser o caso.

— Tenho uma ideia, mas não sei se é boa... — A voz de Iris se perde.

— Não parece promissor. — Cal faz uma careta.

Lanço um olhar para Cal que diz para ele ficar de boca fechada.

— Continue.

Ela se empertiga diante do meu interesse óbvio.

— Quando apresentamos a ideia de construir Dreamland Tóquio pela primeira vez, a primeira pergunta de Yakura não tinha nada a ver com lucros. Achei estranho que alguém tão bem-sucedido quanto ele não se importasse tanto com quanto dinheiro ele tem a ganhar.

— O que ele perguntou? — Cal se volta para Iris.

— Se conseguiríamos fazer Dreamland Tóquio acontecer antes que ele ficasse velho demais para desfrutar dela com os netos.

— Não me lembro disso — respondo. Esqueci dessa parte da reunião.

Ela revira os olhos.

— É claro que não. Você estava focado demais em abrir o próximo slide que discutia a previsão de lucros.

— Então ele se importa com a família — Cal diz.

Ela faz que sim.

— Estamos ferrados. Nunca que o Declan pode trabalhar com alguém assim.

— Discordo. Porque, embora seu pai possa ser esperto, ele esqueceu de um pequeno detalhe.
— Qual?
— Eu. — O sorriso dela é mais brilhante que o sol.

O que faz sentido, porque carboniza todo o resto de minha raiva contra meu pai. Em seu lugar, sou preenchido por uma esperança renovada. Posso convencer Yakura a seguir em frente com o projeto desde que Iris me ajude. Ela consegue apelar à humanidade de qualquer pessoa, até à minha.

Cal assobia.
— Alguém está se achando aqui.

Quero dar um tapa atrás da cabeça dele, mas me contenho. Eu odiaria estragar seus últimos neurônios com um ato impulsivo.
— Conheço minhas qualidades, e arrumar as bagunças de Declan é um dos meus pontos fortes.
— Então, qual é o plano? — meu irmão pergunta.
— Fácil. Mostramos para ele exatamente o que Dreamland tem a oferecer. — Os olhos dela brilham.
— Como vamos fazer isso? — Eu me recosto na cadeira e considero sua ideia.
— Nós o levamos aonde tudo começou e mostramos o que ele perderia se desistisse desse acordo.
— Está sugerindo fazer uma viagem em família para Dreamland? — Cal pergunta.

Ela faz que sim, e o sorriso dele desaparece do rosto. Eu me sinto da mesma forma. Ao contrário de Rowan, nenhum de nós quer ter nada a ver com o parque. Todas as memórias de nossa vida com nossa mãe estão associadas àquele lugar. As únicas vezes em que fui foram unicamente a trabalho, e fiz de tudo para que se mantivesse assim.
— Como isso vai fazê-lo mudar de ideia? — Minha voz sai mais áspera do que eu pretendia.
— Yakura é um homem de família. Precisamos mostrar que, ao contrário do seu pai, você também é.

A risada de Cal me dá nos nervos.
— Qual é a graça? — Meus dentes rangem.
— A ideia de você brincando de homem de família é boa demais para deixar passar. Pode contar que eu vou.

— Quem disse que você foi convidado? — Ela olha para ele como um inseto embaixo do sapato, e eu poderia dar um beijo nela por isso.

Ele aponta a mão para o próprio corpo.

— Sou parte do pacote promocional.

— Não vai rolar — respondo por ela.

Ele olha para Iris em busca de ajuda e ela dá de ombros.

— Ele é o chefe.

Beijar nada. Eu poderia transar com ela por ficar do meu lado em vez do de Cal em algo assim.

— Não gosto de vocês dois se juntando contra mim. — Ele revira os olhos.

Ela dá um tapinha na mão dele.

— É para o seu próprio bem. Você odeia conversas sobre negócios mesmo.

Ele suspira.

— Você tem razão. Mesmo assim, é uma merda que você seja minha melhor amiga.

— E ele é meu marido. Não me faça escolher entre vocês dois.

Meu mundo parece tombar para o lado quando ela diz essas palavras. O peso por trás delas me derruba, e eu aperto os braços da cadeira com força.

— Esse amorzinho entre vocês está um nojo. — O lábio de Cal se curva.

Ela ri.

— Ninguém disse nada sobre amor.

O fato de ela desprezar a fala dele me dá a sensação de que alguém perfurou meu peito com uma faca serrilhada. Meu peito arde tão forte quanto meu estômago se revira.

Dê tempo para ela mudar de ideia.

Eu já vi o jeito como ela olha para mim. Duvido que não me ame, mesmo que não tenha processado isso ainda.

— Tem uma chance de ele dizer não — resmungo baixo. Estou quase torcendo para isso acontecer, nem que seja só para evitar visitar Dreamland.

— Depois de todo esse tempo, você ainda duvida de mim? — Iris parece mesmo um pouco magoada pela ideia.

— Não é com você que estou preocupado — emendo. É com tudo que Dreamland pode provocar em mim.

— Deixa comigo.

＊＊＊

— Iris deixa uma pilha de papéis na minha mesa.

— Aqui.

— O que é isso?

— O itinerário da viagem da semana que vem. Já me adiantei e liberei sua agenda, assim vamos ter tempo suficiente para nos adaptarmos a Dreamland antes que Yakura visite.

Puta merda. Ela conseguiu.

Você realmente duvidava dela?

Não. É claro que não. Embora eu estivesse preocupado com o estrago que meu pai causou e como Iris venceria esse desafio, dela eu nunca duvidei.

Pego a pilha de papéis e os folheio. O primeiro maço inclui informações sobre nosso piloto e nossa agenda em Dreamland, desde um tour com Rowan e Zahra a reuniões com as diferentes equipes criativas na propriedade. Ela até providenciou um escritório particular onde eu possa trabalhar.

Passo os olhos pelo pacote seguinte, que inclui tudo sobre Yakura. Desde todas as suas preferências a uma árvore genealógica inteira, Iris investigou até o último pormenor.

— Por favor, diga que fez tudo isso dentro da lei.

— Depende. Você considera ilegal desviar os planos de viagem de Yakura para o Grand Canyon e pagar alguém para pousar o avião dele na Flórida?

Aperto a ponte do nariz.

— Você não fez uma coisa dessas.

Ela ri, o que causa algo estranho na minha frequência cardíaca.

— É claro que não! Mas fico lisonjeada por você pensar que eu poderia tentar uma loucura dessas.

— Não duvido que seja capaz de tudo a que se dedica.

Seu sorriso vacila.

— Não me diga coisas fofas no trabalho.

— Por que não?

— Porque me dá vontade de fazer algo inapropriado.

Eu me recosto na cadeira e jogo os papéis na mesa.

— Tipo o quê?

Ela abana o dedo.

— Não. Sou proibida para você durante o horário de trabalho.

O sangue corre diretamente para o meu pau.

— Podemos dizer que estamos doentes.

O que está fazendo ao sugerir que os dois matem o trabalho?

Ela ri.

— Estamos no meio de um dia de trabalho, e você vai se reunir com o chefe de desenvolvimento do parque daqui a dez minutos.

Olho a hora no computador.

— O tempo está passando, então.

Aperto o botão de trava automática embaixo da mesa, e o som de clique faz as sobrancelhas dela se erguerem.

— O que você está...

Pego a mão dela e a puxo diretamente para o meu colo.

— Você perdeu a cabeça.

— Então tomara que eu nunca a encontre de novo. — Coloco os lábios nos dela, silenciando qualquer protesto. Uma sensação elétrica se espalha pela minha pele enquanto ela retribui meu beijo com tanta intensidade que faz minha cabeça girar. Beijá-la me dá a sensação de que dei um jeitinho de entrar no céu, e planejo aproveitar cada segundo.

Nós nos separamos enquanto ela monta no meu colo. Jogo a cabeça para trás contra a cadeira enquanto ela se pressiona sobre meu pau, rebolando o quadril de uma forma que me deixa doido de tesão. Aperto seu quadril com firmeza para que ela continue pressionada a mim. Ela me beija até a curva do meu pescoço antes de chupar o ponto que faz meu quadril pular para a frente.

Um ponto úmido se acumula na frente da minha calça enquanto ela balança para a frente e para trás sobre meu pau duro. Não penso enquanto a empurro para cima e para baixo, mudando de direção e fazendo-a gemer enquanto roça em mim de um ângulo diferente.

O toque agudo de seu celular ameaça destruir esse momento. Ela se afasta, mas não solto as mãos de seu quadril.

— Tenho que atender. — Sua voz rouca faz uma nova onda de excitação me atravessar.

— Deixe cair na caixa postal. — Aperto seu queixo e puxo sua boca na direção da minha.

Ela vira a cabeça no último segundo, me dando a bochecha dela.

— Pode ser importante.

— Não tanto quanto isso. — Eu a ajudo a se levantar antes de virá-la na direção da mesa. — Fique de quatro com as mãos na mesa. — Aperto a palma da mão na lombar dela e empurro.

Ela deve notar meu autocontrole se perdendo porque faz o que digo sem questionar. Suas mãos apertam a madeira enquanto ela se inclina para a frente, fazendo a barra de seu vestido se levantar a uma altura provocante. Sua inspiração súbita preenche o silêncio enquanto passo as pontas dos dedos na parte posterior de suas coxas. Ergo seu vestido, revelando sua bunda.

— Você vestiu isso para mim? — Meu pau está duro como uma pedra sob a calça social enquanto brinco com a faixa de renda da calcinha verde de íris. Se essa não era minha cor favorita antes, agora é.

Ela vira a cabeça para poder me olhar feio por sobre o ombro.

— Seu narcisismo está aparecendo de novo.

— Por quê?

— Verde é a *minha* cor favorita.

— Desde quando?

— Desde muito antes de você adotar como sua. — Seu riso me dá a sensação de ser banhado pela luz do sol.

Balanço a cabeça e recupero o controle da situação.

— Sabe o que eu acho?

— Fique à vontade para guardar para você.

Iris inspira fundo enquanto passo os dedos para cima e para baixo de suas coxas.

— Acho que você torcia para uma coisa assim acontecer.

Seus olhos são duas esferas castanhas cintilantes.

— Quanta presunção da sua parte.

— Então você não quer? — Provoco o triângulo úmido de tecido antes de recuar, e ela me encara com um brilho assassino nos olhos.

— Eu não diria isso.

Rio baixo enquanto pego a lateral de sua calcinha e a desço por suas pernas. Ela ergue cada pé para mim, e me agacho para pegar a calcinha.

Sua sobrancelha se arqueia enquanto ela me vê colocando a calcinha no bolso.

— Nunca imaginei que você era do tipo que guardava lembrancinhas.

— Por que eu precisaria de uma lembrancinha quando posso ter o que quero a qualquer momento? — Abro suas pernas mais um pouco uma última vez. Ela morde o lábio para abafar um gemido enquanto traço o indicador por sua vagina, colhendo sua excitação. Meu coração bate forte nos ouvidos, ficando mais alto a cada segundo que passa. Afundo um dedo dentro dela, mas o tiro um segundo depois, fazendo-a silvar.

Ela empina a bunda.

— Por favor.

— Por favor o quê? — Saio de seu alcance, e ela rebola no ar.

— Me faz gozar.

Seu olhar mortal se transforma em tesão enquanto enfio dois dedos dentro dela. Meu pau arde para assumir o lugar deles, e meus movimentos ficam desesperados para acompanhar. Seus dentes se cravam no seu lábio inferior, silenciando seus gemidos. Aperto o polegar no seu clitóris e o massageio em círculos lentos. Meus dedos roçam seu ponto G, e seus joelhos cedem enquanto ela aperta a mesa para se estabilizar. Ela desaba, suas pernas cedendo embaixo dela enquanto goza.

Ela está completamente zonza enquanto abro a fivela do meu cinto e desço a calça. Sou rápido em colocar a camisinha, ignorando o fato de que meu peito aperta com a ideia de preterir meu dever por ela.

É questão de tempo até ela mudar de ideia. Dê tempo para ela.

Enfio o pau duro em sua abertura. Ela se levanta de sobressalto, mas eu a empurro contra a mesa.

Eu me inclino para a frente e pressiono o peito em suas costas.

— Eu poderia gozar só de olhar para você, com a bunda para cima, a cara para baixo e molhadinha para mim.

— Seria bem decepcionante, para dizer o mínimo.

Ela solta uma respiração pesada enquanto empurro seu cabelo para o lado, revelando seu pescoço. Beijo o ponto que parece deixá-la maluca. Ela cede sob mim, empurrando a ponta do meu pau dentro dela. Mordo o lado de dentro da bochecha para conter um gemido, embora meus olhos revirem para trás. Nunca senti esse tipo de conexão com alguém antes. Ao longo dos anos, esqueci como era a sensação de desejar alguém. De ser movido pela necessidade de possuir uma pessoa em todos os sentidos possíveis.

Tenho uma reunião daqui a cinco minutos e estou ocupado demais transando com ela para me preparar. Na verdade, fico excitado em considerar que estão me esperando do lado de fora, escutando como faço Iris se sentir bem.

Iris não parece satisfeita com minha falta de ação enquanto usa a ponta da mesa para se empurrar para trás e me fazer afundar mais dentro dela.

Aperto seu quadril.

— Você não está no comando aqui.

— Ah, querido. Eu sempre estive no comando. Você só estava absorto demais em si mesmo para perceber quem estava conduzindo tudo por aqui. — Seu sorriso largo tira meu ar.

Meto dentro dela, e sua perda de fôlego me faz sorrir.

— O que disse?

Ela *ri*.

Isso provoca o lado selvagem que mantenho fechado a sete chaves. Recuo só para voltar a meter nela com uma força punitiva. Seus olhos dilatados ainda refletem um divertimento, e me deixa selvagem que ela não pareça nem um pouco abalada por essa conexão. Um desespero sobe no meu peito para mostrar a ela quem dos dois detém o poder.

Desconto minha frustração em seu corpo. Minhas mãos apertam sua cintura enquanto meto nela de novo e de novo. Sua respiração fica mais irregular, e suas mãos na beira da mesa escorregam enquanto ela perde o controle.

Você não está no comando aqui, porra.

Uma batida na porta faz os olhos de Iris se arregalarem.

— Sr. Kane? Queria avisar que estou aqui para nossa reunião das três horas.

Eu me inclino para a frente e aperto a ponta do polegar no seu clitóris.

— Fale.

— Oi, sr. Davis. Vamos estar prontos daqui a alguns minutos. — Sua voz animada não combina com a excitação nos seus olhos.

Ela tenta se afastar de mim, mas a prendo no lugar.

— O que está fazendo? — ela sussurra.

— Você não está dispensada ainda.

— Meu cu.

Tiro o pau e traço a linha de sua bunda com a pontinha.

— Quer dizer que *é uma possibilidade?*

— Mato você com um lápis sem ponta se tentar.

Dou de ombros.

— Pena. Quem sabe na próxima.

Sorrio enquanto volto a meter nela sem avisar. Seu gemido me enche de orgulho enquanto o tremor em suas pernas me deixa ensandecido. Comer Iris está rapidamente se tornando meu passatempo favorito, em que cada rodada parece uma batalha de quem vai se render primeiro.

Um formigamento desce pela minha espinha enquanto resisto ao impulso de gozar. Trabalho com afinco para tirar cada suspiro e gemido que sai dos seus lábios, e me sinto vitorioso quando ela goza em volta do meu pau. Suas pernas cedem, e eu a ergo enquanto meto nela de novo e de novo até encontrar meu orgasmo.

O alívio é devorador, enchendo minha visão com manchas pretas enquanto gozo. Ela agarra a mesa quando dou uma última estocada. Minhas pernas ameaçam ceder, mas me recuso a tirar ainda. Não quero destruir essa conexão, independentemente de quem esteja esperando do outro lado da porta.

Eu me inclino para a frente e beijo seu pescoço.

— Lembre-se disso quando pensar que está no controle aqui. — É uma mentira da minha parte. Perdi o controle há semanas, e agora não sou nada além de um escravo das sensações que ela provoca em mim.

— Nunca mais vou olhar para essa mesa com os mesmos olhos. — Ela suspira.

— Falou a mulher que não tem que trabalhar perto de marcas de unhas daqui para a frente.

Ela limpa as lascas de madeira como se isso mudasse alguma coisa.

— Pelo menos vai trazer boas lembranças para você.

— Ou uma ereção.

— Por que não as duas coisas? — Ela ri, e eu sorrio em sua pele, amando o fato de provocar esse tipo de reação nela.

Fodido. Você está completamente fodido.

CAPÍTULO TRINTA E SETE
Iris

Finalmente chegamos a Dreamland. O cheiro de biscoitos recém-saídos do forno me dá água na boca. Nosso carrinho de golfe de três bancos atravessa os pavimentos de tijolos, percorrendo as ruas vazias com facilidade. Passamos por funcionários sorridentes, princesas e príncipes fantasiados e lojas se preparando para mais um dia agitado de trabalho no parque.

Meu entusiasmo só aumenta à medida que nos aproximamos do castelo de princesa imenso no meio de tudo.

Declan coloca a palma da mão na minha coxa agitada.

Sorrio.

— Só estou animada.

Sua testa se enruga ao se franzir.

— Quando foi a última vez que visitou o parque? — Zahra vira o corpo para poder olhar para nós.

Meu sorriso vacila.

— Viemos aqui uma vez a trabalho.

— Você veio a Dreamland uma vez, e a trabalho? — Seu rosto é de terror absoluto.

A mão de Declan na minha coxa se aperta em um gesto silencioso de *olhe para mim*, mas não olho. Não quero ver a compaixão no seu rosto.

Considero a possibilidade de mentir, mas acho melhor não.

— Minha mãe não podia comprar ingressos para nós. Com os voos, ingressos e tarifas de entrada, dava para pagar as compras de um mês pelo preço de uma viagem para cá.

— O que a sua mãe faz?

— Ela é professora de arte.

Zahra aperta o braço de Rowan.

— Precisamos oferecer descontos para professores. E descontos para filhos de professores. E descontos para adultos que nunca foram a Dreamland na infância.

Ele lança um olhar para ela.

— Nesse ritmo, não vamos ganhar dinheiro nenhum.

— Existem adultos por aí que nunca foram a Dreamland, Rowan. Agora não é hora de ser mesquinho.

Ele olha para Declan em busca de ajuda, mas Declan está olhando apenas para mim.

— Não sabia que você nunca tinha vindo.

Dou de ombros.

— Você nunca perguntou.

Ele aperta a mão na minha coxa com mais firmeza. Volto os olhos para Declan, e a expressão no seu rosto faz um calafrio descer pelas minhas costas.

— Gostaria de conhecer o parque?

— A trabalho?

— Não. Por diversão.

A ideia me faz rir.

— Você odeia este lugar.

— Estou disposto a fingir que não por um dia.

— E a preparação para o nosso tour com Yakura?

— O parque ainda vai estar aqui amanhã. Podemos falar de trabalho depois.

Um calor se espalha no meu peito. Envolvo os braços ao redor do seu pescoço e dou um aperto nele.

— Eu adoraria.

Declan fala para o resto do grupo.

— Os planos mudaram.

Zahra dá um gritinho de alegria e, de repente, nosso dia é completamente alterado porque Declan declarou que seria.

Tudo por minha causa.

* * *

Zahra é nossa melhor guia pelo tour. Descubro que ela faz parte de Dreamland desde a infância, então sabe tudo sobre o lugar. Com seu conhecimento e a capacidade de Rowan de ajudar a cortar qualquer fila, não há nada que nos impeça de explorar o parque todo em um dia. Bom, nada além de mim. Eu me esforço ao máximo para me manter focada, mas me distraio de tantos em tantos metros pelos diferentes vasos de flores e plantas. A variedade de cores chama minha atenção, e não consigo evitar parar toda vez para olhar as topiarias de diferentes personagens de Dreamland esculpidas com perfeição.

Declan se assoma sobre mim como uma sombra, avaliando todos os meus movimentos.

Eu me viro para ele com as bochechas vermelhas.

— Quê?

— Eu devia imaginar que você iria se importar mais com as plantas do que com os brinquedos.

— Olha isso! É arte! — Ergo uma mão para a escultura de Iggy, o Alien, o primeiro personagem icônico de Brady Kane. A coisa toda é feita de folhas verdes podadas e uma bola de arame.

— Arte? — Sua voz tem uma nota de diversão, apesar do rosto inexpressivo.

Zahra vem até nós, saltitante.

— Sabe, se você tiver interesse, podemos levar você para conhecer o departamento de horticultura.

Meus olhos se arregalam.

— Sério?

Ela sorri.

— Claro. Não seria problema algum.

— Ai, meu Deus. Eu adoraria!

— Com você tirando fotos e encarando as plantas deles, eles vão se sentir astros do rock.

— É porque eles *são* astros do rock.

Ela tira o celular do bolso e clica na tela.

— Você tem um tempo livre amanhã? O chefe do departamento vai estar lá e teria o maior prazer em te mostrar o lugar. Talvez eles estejam um pouco mais ocupados que o normal porque estão se preparando para o Festival das Flores, mas adorariam mostrar os bastidores para você.

Perco o fôlego.

— O chefe do departamento vai me mostrar o lugar?

Seu peito chacoalha com um riso contido.

— Sim. Ele mesmo disse. — Ela vira o celular para eu poder ver a troca de mensagens com meus próprios olhos.

Declan limpa a garganta.

Merda. Essa não é uma viagem pessoal, lembra? Hoje já é um desvio do protocolo. A última coisa de que Declan precisa é que eu me distraia com coisas que não são importantes agora. Posso voltar e visitar Dreamland outra hora, mas só temos uma chance de convencer Yakura a trabalhar conosco. As plantas podem esperar.

Faço que não.

— Hum. Na verdade, amanhã não posso. Diga que eu peço desculpas e quem sabe na próxima eu consigo encontrar um espaço na agenda para uma visita.

O sorriso dela se fecha.

— Ah. Sem problemas.

Declan puxa meu cotovelo.

— Por que está recusando?

— Porque nós temos que nos preparar para o nosso tour. Yakura vai estar aqui daqui a alguns dias e nós precisamos estar prontos para qualquer pergunta que ele possa fazer.

— Não vai ser nada diferente do que você viu hoje.

Franzo a testa.

— Mas *nós* somos uma equipe.

— Tenho certeza de que consigo sobreviver a algumas horas sem você enquanto vai ver umas plantas.

— Até parece. Durante o trabalho, você não consegue passar trinta minutos sem encontrar algum motivo para passar na minha mesa.

— Gosto de dar instruções verbais para você.

— Por quê?

— Preciso de um motivo melhor do que o fato de que eu gosto de ver como seus olhos brilham ao me desafiar?

— Você é um mentiroso.

Seu olho direito se contrai.

— Fiz uma pesquisa e descobri que pessoas com diferenças de aprendizado como a sua se dão melhor com instruções verbais e escritas.

Meus joelhos tremem.

— Aprendeu mais alguma coisa?

Seu braço envolve minha cintura, o que deve ser melhor considerando que minhas pernas estão a duas confissões de cederem.

— Mensagens de voz ou ligações funcionam melhor.

Eu rio, apesar do nó de emoção que se forma na minha garganta.

— E eu aqui pensando que você odiava escrever mensagens.

Seus lábios se erguem de leve nos cantos.

— Odeio, sim, escrever mensagens. Não se engane pensando que isso tinha a ver com você.

— Cala a boca. — Rio enquanto dou um empurrão no seu peito.

Seus braços não saem do lugar, mas os lábios se curvam para cima em um sorriso.

— Zahra, pode ir em frente e agendar as atividades de amanhã. Pode ser difícil para ela, mas a Iris consegue sobreviver a um dia sem mim.

Mostro a língua para ele.

— Vai ser um favor para mim. Acho que você não passa um dia inteiro de trabalho sem mim há três anos.

Sua voz baixa enquanto seus olhos escuros capturam os meus em um transe.

— E não planejo fazer isso tão cedo.

* * *

Eu me aconchego no peito de Declan enquanto ele coloca o edredom sobre nossos corpos entrelaçados. Fico grata por ele tomar a iniciativa, porque meus músculos estão doloridos depois de dar a volta no parque inteiro *duas* vezes.

Traço desenhos distraídos no seu peito.

— Obrigada por hoje.

— Não precisa me agradecer toda vez que faço algo gentil.

— Li em algum lugar que reforçar bons comportamentos aumenta a probabilidade de acontecerem de novo.

— Existem jeitos melhores de reforçar bons comportamentos. — Sua voz rouca transforma minhas entranhas em lava borbulhante.

— Por mais tentador que me pareça transar agora, acho que não consigo mexer nenhum músculo.

— Eu faço todo o trabalho.

— Quem diria que você era tão proativo?

— Dizem que a prática leva à perfeição, então estou tentando ter todas as aulas possíveis.

Rio tanto que fico com medo de fazer xixi se não parar.

— Você não precisa de mais prática. Confie em mim. — Para alguém que evitou mulheres por sabe Deus quanto tempo, Declan sabe muito bem o que faz no quarto. Ou no escritório. Ou no chuveiro. Praticamente nenhum lugar com uma superfície para transar está a salvo.

— Meu ego agradece, mas estou falando sobre praticar para fazer um bebê, não transar.

Meus olhos se arregalam. Não falamos sobre camisinhas desde nossa conversa algumas semanas atrás, quando Declan me deixou falando sozinha no meio de nossa discussão. Nenhum de nós se atreveu a abordar o assunto, então não paramos de usá-las.

— Você está sugerindo... — Perco a voz. Mal consigo colocar as palavras para fora.

— Estou pronto para quando você quiser começar seu pequeno time de futebol.

— Quem falou alguma coisa sobre time de futebol?

— Você.

— Quê? Quando?

— Se não me engano, acredito que você disse que queria uma minivan cheia de crianças.

Não sei se estou respirando quando digo:

— Mas só concordamos sobre uma criança.

— As pessoas mudam de planos.

— Você não queria nem um filho. Como acha que eu vou acreditar que agora quer um time inteiro de futebol?

— Quero porque faria você feliz.

— Não é por isso que as pessoas devem ter filhos. Eles são um compromisso para a vida toda...

Ele coloca os lábios nos meus para me calar.

— Exatamente.

— Mas...

Ele me beija de novo, e meu corpo derrete no colchão.

— Podemos ter um filho ou cinco, desde que você só os tenha comigo. Vou te dar a vida de minivan só porque é isso que você quer.

— E se eu não estiver pronta? E se for muita coisa ao mesmo tempo e eu não conseguir lidar com um relacionamento novo e um bebê?

Ele engole em seco.

— Então vamos esperar.

— Mesmo que isso signifique esperar um pouco para se tornar CEO?

— Mesmo assim.

Sou tomada por uma onda de emoção tão forte que meus olhos umedecem. Uma única lágrima me escorre pelo rosto antes de pousar no travesseiro embaixo de mim. Nem em um milhão de anos eu esperava ouvir essas palavras saírem de sua boca.

Ele me beija até meus lábios formigarem e minhas pernas tremerem ao redor de sua cintura. Nossas roupas caem em uma pilha no chão. Quando ele estende a mão para pegar uma camisinha na cômoda, cubro sua mão com a minha e balanço a cabeça.

— Tem certeza? — Ele baixa os olhos para mim com a expressão franzida.

Faço que sim, com medo de falar. Ele geme enquanto me beija, dessa vez com calor suficiente para deixar meus lábios em chamas. Seus movimentos não têm pressa enquanto ele toca meu corpo como se fosse a primeira vez.

Eu me sinto acariciada enquanto seus lábios traçam um caminho da minha boca ao meu peito. Ele coloca meu mamilo na boca, provocando a ponta com a língua. Eu me sobressalto pelo arrepio que desce pela minha espinha. Sua garganta vibra na minha pele enquanto ele ri, mas seu divertimento desaparece enquanto sua boca volta a torturar meu peito. Ele passa para o outro, concentrando-se em me levar à insanidade.

Eu me esfrego nele, tentando buscar alívio. Uma pressão cresce dentro só por ele chupar, lamber e mordiscar meus seios, mas não consigo encontrar o orgasmo.

Gemo de frustração e puxo seu cabelo.

— Alguém está impaciente.

— Alguém vai acabar terminando isso com as próprias mãos se você não andar logo.

Seu riso me enche de um tipo diferente de calor que borbulha no meu ventre. Ele desce pela cama, bagunçando nossos lençóis enquanto abre bem minhas pernas. Nossos olhares continuam fixados ao mesmo tempo que ele afunda a língua dentro de mim. Minhas costas se arqueiam, mas sua mão me mantém deitada na cama enquanto ele me fode com a língua.

Vai ser sempre assim tão bom?

Seu riso baixo faz outra vibração subir pelo meu corpo, e me dou conta de que devo ter dito isso em voz alta.

— Só com você. — Seus dedos me provocam, trabalhando em uníssono com sua língua enquanto ele tira prazer de mim a cada estocada. Seu polegar massageia meu clitóris, e gemo enquanto sou tomada pelo orgasmo.

Declan só para quando me deixo cair na cama, estendida e à espera dele.

— Você é linda. — Ele sobe sobre mim e envolve meu rosto. Suas mãos abrem minhas pernas ainda mais, dando espaço para ele se acomodar entre elas. — Eu poderia passar o resto da eternidade com você e ainda não seria tempo suficiente para terminar tudo que planejei para nós.

— São muitos planos.

— Vamos começar com esse.

Estremeço enquanto ele encaixa o pau na minha entrada. Ele traça a ponta para cima e para baixo, coletando minha excitação a cada passada. Sua respiração trêmula me enche de orgulho.

Envolvo as pernas ao redor dele, encorajando-o a continuar.

— Tem certeza disso? — Sua voz é hesitante.

— Só se você tiver.

— Não mereço você. Nunca mereci e nunca vou merecer, enquanto estiver vivo.

— Você merece coisas boas.

Nossos olhos não desviam uns dos outros enquanto seu pau me preenche centímetro por centímetro. Nós dois tremBmos enquanto ele se coloca dentro de mim, e seus olhos se fecham enquanto ele respira fundo.

— Caralho — ele diz entre dentes.

Caralho mesmo. Estou com medo que ele nunca mais volte a se mover, mas ele parece se controlar e começa a bombar para dentro e para fora.

A cada movimento de seu quadril, vou subindo mais e mais. Seus movimentos são ensandecidos. Descontrolados. Primitivos de um jeito que nunca senti antes. Minha cabeça rodopia por todas as sensações que estou tendo ao mesmo tempo. Uma sensação de leveza me domina, e sinto como se estivesse tendo uma experiência extracorpórea.

Declan parece estar quase também. Seus olhos estão completamente pretos enquanto ele penetra meu corpo como se fosse seu, deixando marcas onde suas mãos me imobilizam na posição certa para seu prazer. Me faz me sentir usada da melhor maneira possível.

Ele me curva de um jeito que faz seu pau deslizar pelo ponto que me tira o fôlego. Seu polegar encontra meu clitóris de novo, e bastam alguns círculos lentos para me fazer explodir de êxtase.

Ele me fode durante meu orgasmo até eu estar me contorcendo embaixo dele de novo. Quando finalmente chega ao clímax, ele solta um gemido que sinto diretamente no clitóris. Seu quadril não para de se mover enquanto ele goza dentro de mim. Ele desce para se apoiar nos cotovelos, com cuidado para não me esmagar enquanto me beija antes de encostar a testa na minha.

Nenhum de nós quer se mover e estragar o momento. Então ficamos assim até ele ser forçado a sair, e parte de seu esperma se derrama.

— Caralho. — Ele parece fascinado enquanto colhe um pouco de sua porra e a usa como lubrificante no meu clitóris.

Suspiro enquanto um formigamento desce até a ponta dos meus pés.

— Esse deve ser o som mais sexy que eu já escutei. — Sua voz rouca faz algo poderoso com minha libido.

Pensei que ele tivesse parado por hoje, mas continua a me tocar até eu estar pedindo desesperadamente por ele de novo.

Na segunda vez que ele me penetra, seus movimentos são lentos, doces. *Amorosos*. Ele pede desculpas pela brutalidade anterior com beijos delicados e um toque reverente. Nunca me senti tão amada na vida, e isso tem tudo a ver com o jeito como ele me fode dessa segunda vez.

Ele beija meu pescoço, meus ombros, meus seios, minha testa. Nem minha alma ele deixa de tocar enquanto sussurra palavras estrangeiras no meu ouvido. Não faço ideia do que elas significam, mas a maneira como ele as diz faz calafrios atravessarem minha pele.

— *Daisuki*.[10] — Sua estocada funda tira meu fôlego. — *Szeretlek*.[11] — Ele encosta os lábios na minha testa. Meu pulso palpita com o gesto, fazendo uma onda de prazer descer até os pés. — *Ich liebe dich*.[12]

Nossos olhares se encontram. Meu arrepio não tem nada a ver com seu toque, mas com o jeito como ele me olha.

---

10. Japonês: eu te amo.
11. Húngaro: eu te amo.
12. Alemão: eu te amo.

Posso não conseguir recitar palavras estrangeiras para ele, mas entendo tom e linguagem corporal, e seja lá o que ele diz me faz sentir o coração tão cheio que posso explodir.

Você está se apaixonando por ele.

Pela primeira vez na vida, não tenho medo do amor. Se é essa a sensação, estou disposta a tentar, danem-se as consequências.

CAPÍTULO TRINTA E OITO
Declan

É claro que o dia que Iris tira de folga é o dia em que dá merda.

— Temos um problema — Rowan diz assim que atendo o celular.

— O que foi? — Rearrumo a gravata no espelho.

— Yakura acabou de aparecer no meu escritório.

— Merda. — Pego minha carteira na cômoda e calço os sapatos.

— Não *é só isso*. Adivinha quem veio com ele.

— Não.

— O pai está esperando com ele no saguão. Venha para cá. *Agora*.

Não tenho chance de entrar em pânico enquanto saio correndo pela porta de meu quarto de hotel. Sou rápido em abrir o contato de Iris e ligar para ela.

Cai na caixa postal, então ligo de novo. Ela atende no quarto toque, o que é raro vindo dela.

— Ei! — Ela ri para alguém que está falando no fundo. — Me dá um segundo.

Alguém vaia, e o som se parece muito com Zahra. Sou atingido por uma pontada de culpa. Vou mesmo tirá-la de perto de Zahra para que possa vir me ajudar a resolver a confusão de meu pai? Não é culpa dela que ele continue a estragar nossos planos. E, para ser sincero, não a quero nem perto dele. Não porque eu não ache que ela consiga se controlar, mais porque não quero que ele a use para me atingir. Ele já a feriu demais.

— Já está com saudade?

Abro a boca para contar o que está acontecendo, mas me contenho. Relembro nossa lua de mel e sua reação ao ser forçada a trabalhar em seu dia de folga.

Passei três anos da minha vida cuidando de você, mesmo que significasse sacrificar minha felicidade.

Não, não posso obrigá-la a sair agora. Ela já sacrificou coisas demais por mim, e não é culpa dela que meu pai não pare de me atacar.

Respiro fundo e aceito minha escolha.

— Liguei para saber como você está. Como é aí? — Aperto o botão do elevador e espero.

— É como o Jardim Botânico de Chicago, só que depois de tomar bomba. Eles têm quinze estufas. Já me perdi *duas vezes*!

Ela parece tão animada que isso consolida meu plano. Não posso tirar esse dia dela. Não se a única opção que tenho é botá-la no meio de uma briga de família que ela não merece. É a última coisa que quero para ela. Meu pai não tem limites quando o assunto é Iris, e me recuso a submetê-la a esse tipo de abuso depois de tudo que já passou na vida.

— Parece que nós precisamos investir naquela tornozeleira.

— Queria que você pudesse estar aqui. — A saudade em sua voz me faz sentir ainda pior pelo dia de hoje.

— Eu também. — Se eu não tivesse uma montanha de responsabilidades, poderia tirar o dia de folga e passá-lo com ela. Um homem normal faria isso.

Mas você não é um homem normal.

É melhor eu me acostumar com esse tipo de sensação, porque só tende a piorar depois que me tornar CEO.

Zahra chama o nome de Iris.

— Zahra está perguntando se nós ainda vamos jantar com seu irmão.

— Só porque você me manipulou com sexo para aceitar.

— Você não estava reclamando ontem à noite.

— Estou guardando tudo para depois.

Ela ri.

— Seja bonzinho com o seu irmão hoje.

— Não prometo nada.

— Declan...

— Está bem. Mas só porque você me pediu.

O elevador apita e duas portas se abrem à minha frente.

— Merda. Preciso ir.

— Eu também. Vamos visitar os carros alegóricos do Festival das Flores depois. Te mando fotos!

Seu entusiasmo é contagioso, e sorrio comigo mesmo sabendo que tomei a decisão certa. Não posso tirar essa oportunidade dela. Posso não ser um marido normal, mas isso não faz de mim um marido idiota. Pelo menos eu espero que não.

— Divirta-se — digo antes de a ligação terminar.

É bom saber que pelo menos um de nós vai se divertir. Mesmo que não seja eu.

* * *

O sr. Yakura aparecer dois dias antes do esperado é um problema com o qual consigo lidar.

Meu pai decidir vir junto para se redimir é uma questão completamente diferente que me deixa desconfiado desde o princípio. Embora eu possa não saber todas as partes do plano dele, sou inteligente o bastante para juntar as peças. Não é preciso muito esforço, considerando que encontro meu pai conversando com Yakura sobre adiantar o cronograma.

O cretino quer roubar meu negócio.

Rowan me lança um olhar que diz: *Você precisa resolver isso.*

— Sr. Yakura.

O homem mais velho olha para mim com um sorriso. Seu cabelo branco está penteado com perfeição, e seu terno habitual foi substituído por uma camisa havaiana e uma calça cáqui.

— Declan. Exatamente quem eu queria ver.

Estendo a mão e ele a aperta.

— Que surpresa.

Ele sorri.

— Estava contando para o seu pai aqui que estava ansioso demais.

— Cadê sua esposa?

Ele faz que não tem importância.

— Não queria chateá-la com os pormenores, então eu e ela vamos explorar o parque juntos amanhã. Ela é o verdadeiro motivo por termos concordado com essa reunião, aliás. Não me deixaria recusar uma viagem a Dreamland.

Vou pedir para Iris enviar algum tipo de presente especial a ela para expressar minha gratidão.

— Podemos arranjar passaportes VIPs para vocês — meu pai diz.

Olho feio para ele, que me ignora com um sorriso.

Yakura ergue uma sobrancelha para meu pai. É um gesto minúsculo, mas me enche de confiança.

Eles ainda não estão se entendendo. Não importa que tipo de cronograma meu pai queira, Yakura não está mordendo a isca.

Parece que meu acordo não está perdido ainda.

Abro um sorriso sincero.

— Então, estamos prontos para ir?

Yakura aponta a mão para a porta da frente.

— Depois de você.

Rowan e eu trocamos um olhar que diz a ele para manter meu pai ocupado custe o que custar. Ele assente, e jogo os ombros para trás.

Pelo menos tenho uma pessoa em minha equipe hoje, porque já sei que vou precisar.

***

Meu pai não me deixa liderar por muito tempo. Depois que mostro a Yakura a Rua da História e a entrada do castelo da princesa Cara, meu pai intervém com algo de que eu nem tinha conhecimento.

— Eu adoraria mostrar a você uma parte escondida do castelo, se estiver disposto a subir alguns degraus.

Rowan olha para mim e balança a cabeça.

Merda.

— Tenho certeza de que isso pode esperar até darmos a volta pelo parque.

O sorriso de meu pai brilha mais forte.

— É melhor já aproveitarmos que estamos aqui.

Yakura parece desconfiado em relação a meu pai, mas faz que sim com a cabeça.

Rowan aperta a parte de cima do nariz.

Merda.

Meu pai guia o grupo por uma entrada secreta do castelo. Ele faz sinal para Rowan usar seu cartão-chave para abrir a porta, e meu irmão obedece enquanto me lança um olhar desconsolado.

Meu pai e Yakura sobem os primeiros degraus, então fico para trás com Rowan enquanto ele fecha a porta. Não quero deixar meu pai sozinho com Yakura por mais tempo do que o necessário, mas preciso ter todas as informações para poder planejar meu ataque.

— O que ele está fazendo? — sussurro enquanto meu pai e Yakura desaparecem na primeira curva da escadaria.

— Mostrando a torre secreta para ele.

— *Que torre secreta?*

Os olhos de Rowan se dirigem aos degraus vazios.

— A que o vovô mandou construir para a vovó antes de ela falecer. Como ela nunca chegou a vê-la, ele nunca a mostrou para mais ninguém.

Yakura tem um fraco por histórias tristes. Tudo que meu pai precisa é usar a história de como sua mãe nunca teve a chance de ver o parque se tornar o que é hoje. Yakura vai se deixar comover graças ao desejo dele de desenvolver um parque de que possa desfrutar com a família enquanto ainda está vivo.

Você está fodido.

— E você nunca pensou em mencionar essa história durante as inúmeras conversas que tivemos sobre este lugar?

— Não achei que fosse importante.

— Está na cara que você estava errado, o que parece ser comum nos últimos tempos — retruco.

Eu disse a mim mesmo que não comentaria mais sua decisão de se mudar para Dreamland, mas não posso evitar. A raiva me deixa idiota e maldoso.

Um péssimo traço de personalidade que você herdou do mesmo homem que não suporta.

Rowan franze a testa.

— Não desconte a sua irritação em mim.

— Irritação não chega nem perto de descrever como me sinto agora. Você tinha um único trabalho a fazer. E pensar que largou tudo por esse cargo e nem isso você consegue fazer direito. Você é uma porra de uma vergonha.

É um golpe baixo contra ele e sua decisão de ficar aqui. Não me orgulho de deixar a raiva me dominar, mas não consigo me conter. Não quando posso perder tudo logo para meu pai.

— Vai se foder e enfia esse tour no rabo. — Meu irmão joga o cartão-chave no meu peito antes de sair pela porta pela qual entramos. — Se vira para não se perder pelo parque, cuzão.

Digo a mim mesmo que está tudo bem e que não preciso dele. Que, se eu não conseguir garantir um acordo com Yakura sozinho, então não mereço o cargo de CEO. São esses pensamentos que me movem a subir dois degraus de cada vez.

Está na hora de provar a mim mesmo que tenho o necessário para usurpar meu pai. Pode não ser um jogo justo, mas só vai tornar minha vitória ainda melhor.

* * *

Deixo meu pai ter seu momento. Como previ, Yakura se comove com a história de minha avó e sua morte prematura antes mesmo de Dreamland abrir as portas. Minha vitória está escapando pelos meus dedos a cada manipulação de meu pai sobre o coração de Yakura. Ele sabe falar para as pessoas o que elas querem ouvir. Embora eu tenha aprendido a habilidade depois de observá-lo usando o mesmo truque em todas as pessoas em seu caminho, seu domínio sobre as emoções dos outros é incomparável.

Meu pai se regozija enquanto saímos do castelo. Fico grato por ele esperar até Yakura pedir licença para usar o banheiro para só então esfregar na minha cara.

— Achou que poderia planejar esta viagenzinha sem que eu descobrisse?

— Esse acordo não é seu.

— Sou o CEO. Todos os assuntos ligados à companhia são meus.

Mantenho os punhos escondidos no bolso.

— Mas esse só vai começar quando *eu* for CEO.

— Não se eu puder evitar. — Seu sorriso é genuíno, o que torna tudo ainda mais irritante. Ele se alimenta de minhas fraquezas.

— Você nem queria esse negócio.

— Não até você pensar que poderia me chantagear e sair impune. Vou ter o maior prazer em arrancar esse projeto das suas mãos, só para mostrar o CEO patético que você seria.

Fui um idiota em pensar que poderia passar por esse processo sem Iris. Não tenho como administrar as estratégias de manipulação de meu pai e as necessidades de Yakura ao mesmo tempo.

Sou rápido em pegar o celular, mas hesito antes de apertar o botão de ligar.

Você vai mesmo estragar o dia dela de novo?

Não tenho muita escolha. Sem ela, posso perder esse negócio.

Mas, se a trouxer de novo, pode acabar perdendo todo o progresso que conseguiu.

Dane-se. Se tem uma pessoa em quem posso confiar para resolver isso, é ela.

— Ligando para sua esposa para pedir socorro?

Eu o ignoro completamente enquanto levo o celular à orelha.

Ele ri consigo mesmo.

— Você é patético se precisa da esposa para salvar o dia.

Ele tenta me alfinetar, mas me recuso a ceder. Não sou menos homem por admitir que preciso da ajuda de Iris. Ela é a pessoa que melhor entende Yakura, e eu seria idiota de pensar o contrário. Mesmo que isso signifique roubá-la de novo.

Ela atende no segundo toque.

— Ei. Eu estava pensando em você agora enquanto olhava um...

— Preciso de você!

— Qual é o problema?

Eu me sinto imediatamente culpado pela preocupação na voz dela.

— Yakura e meu pai chegaram antes do previsto.

— Ah. — Essa única palavra consegue transmitir mais decepção do que todo um discurso.

Considero pedir que ela esqueça, mas ela não me deixa terminar a frase.

— Mande sua localização e vou encontrar vocês.

CAPÍTULO TRINTA E NOVE
Iris

Meus ombros afundam enquanto encerro a ligação. Não consigo ignorar a culpa que atinge meu peito, sabendo que Zahra planejou esse dia todo para que acabasse sendo arruinado por causa de trabalho.

Mais um plano deixado para trás por trabalhar para Declan. Sei que não é culpa de Declan que seu pai tenha armado uma dessas, então me sinto mal até por pensar isso.

Não é culpa dele que você não impõe limites. Cal avisou que algo assim aconteceria, mas você permaneceu mesmo assim.

Se eu estivesse trabalhando para qualquer outra pessoa e ela me ligasse em um dia de folga, eu iria mandar se ferrar. Com Declan, não tenho escolha.

Solto um suspiro pesado. Meus pés se arrastam pela calçada enquanto volto a entrar na estufa.

Zahra me chama.

— Olhe só isso. Eles esperaram seis anos para ela brotar. Seis!

Olho para o jarro-titã com a testa franzida.

— Vou precisar cancelar os planos de hoje. Desculpa, mas surgiu um problema.

O sorriso de Zahra se fecha.

— Ah, não, você está se sentindo bem?

Balanço a cabeça.

— Estou me sentindo... para ser franca, não sei como estou me sentindo.

Estou desapontada pelo dia de hoje. Sinto que estou caindo no mesmo padrão de sempre.

— Posso ajudar?

— Pode, dizendo como faço para voltar a Dreamland. O Seth apareceu e preciso ir ajudar o Declan antes que alguma coisa aconteça.

— O Seth está aqui? — Seu olhar se obscurece.

— E o sr. Yakura.

— *Juntos?*

— Não tenho ideia de como isso aconteceu, mas não duvido que o Seth esteja por trás disso.

— Bom, não podemos deixar que ele vença, né? — Ela traça uma linha reta para fora da estufa.

Zahra chama o nome de alguém e pede as chaves. Um funcionário aleatório as joga para ela, que liga um carrinho de golfe que ainda tem algumas plantas na traseira.

— Você vai me levar?

— Você precisa chegar ao parque de algum jeito, não? Espero que não pense que eu deixaria você ir andando até lá.

— Obrigada. — Subo no carrinho e Zahra põe o pé no acelerador.

— É para isso que servem os amigos.

— Você não fica chateada por eu ter que cancelar?

Ela encolhe os ombros.

— Podemos voltar outra hora.

— Desculpa de novo.

— Não precisa pedir desculpas. Eu entendo. Vivem aparecendo coisas de última hora para o Rowan.

Suspiro.

— Isso nunca te chateia?

— Ah, sim. Às vezes eu quero pegar o celular dele e jogar na privada mais próxima.

Rio.

— Mas você não faz isso.

— Só por causa do autocontrole e de um orgasmo de despedida provocado pelo Rowan antes de ele sair para resolver a última crise que tiver surgido.

— Acho que é um meio de apaziguar a parceira.

— Você não faz ideia. Se você pedisse para o Declan, tenho certeza de que ele teria o maior prazer em seguir a mesma regra.

Suspiro.

— Acho que sim.

Ela cutuca meu ombro com o dela.

— Qual é o problema de verdade? Alguma coisa está me dizendo que não tem nada a ver com orgasmo.

— É só que... — Perco a voz.

Ela fica em silêncio, guiando o carrinho de golfe pelas calçadas curvas e túneis subterrâneos. Tento pensar em como expressar meus sentimentos, mas eles parecem pequenos em comparação ao fator de estresse. Como parceira de Declan, eu deveria largar tudo para ajudá-lo. Entendo isso e estou mais do que disposta. Mas me preocupo com o que pode acontecer se isso continuar como um padrão.

— É difícil para mim não ficar chateada com ele por coisas assim. Ser assistente dele é ótimo, não me entenda mal, mas é exaustivo. Fico com receio de que as coisas só piorem depois que ele virar CEO. Não consigo deixar de me preocupar com a maneira como isso vai nos afastar como casal, aumentando um ressentimento que nem deveria existir se eu não fosse funcionária dele além de esposa.

— E se vocês tiverem um bebê...

— Eu nunca iria conseguir engravidar e acompanhar a agenda maluca dele. Eu passaria mais tempo dormindo na mesa do que trabalhando nela.

Ela ri.

— Você pensa em encontrar um substituto em breve?

— Não sei bem... nem considerei isso desde que pensei em me transferir de cargo.

— Seria bom voltar a pensar, ainda mais se vocês estão mais firmes como casal agora. Às vezes o que parece errado em um momento pode ser perfeito mais adiante.

— Ele não vai querer me deixar sair.

— Ele pode até não querer, mas isso é esperado. Ouvi dizer que você é incrível no seu trabalho e arrasa.

Meu sorriso vacila.

— Obrigada, mas eu sinto que quem está sendo arrasada sou eu agora.

— Às vezes a vida é assim. Nem todos os planos correm como você quer. — Zahra pisa nos freios e o carrinho de golfe para. — Esse é o mais próximo que consigo chegar da localização deles sem dirigir por onde os visitantes possam me ver.

— Muito obrigada.

— Me agradeça acabando com a raça do Seth. — Ela coloca minha mochila nas minhas mãos. — Vá! Pegue os becos para evitar as multidões.

Ela não precisa me dizer duas vezes. Estou com as pernas trêmulas e os pulmões em protesto enquanto corro atrás do pontinho azul que marca a localização de Declan. Só paro de correr quando encontro Declan, Yakura e Seth conversando. Bom, é mais Seth quem está falando, e Declan parece estar a um minuto de jogá-lo dentro da fonte mais próxima a trinta metros de distância.

Os olhos do sr. Yakura pousam em mim.

— Iris!

Não consigo responder enquanto me curvo, batendo as mãos nas coxas enquanto respiro fundo algumas vezes. Minha respiração não parece melhorar, e sinto como se alguém tivesse colocado as mãos ao redor da minha garganta e não parasse de apertar.

Olho fixamente para dois sapatos escuros que param à minha frente.

— Cadê o seu inalador? — A voz de Declan parece áspera e nervosa. Isso me faz me eriçar.

— Seu inalador, Iris. — Seu tom é um pouco mais ácido.

Aponto para minha pequena mochila entre um chiado e outro. Ele é rápido em encontrar a latinha vermelha em meio a todas as tralhas de Dreamland que coletei nas últimas vinte e quatro horas.

— Tome. — Ele tira a tampa e o passa para mim.

Uso o inalador e minha respiração fica mais fácil conforme o remédio entra em meu sistema. Declan o tira da minha mão e o guarda.

Eu me levanto e olho para o sr. Yakura com um sorriso tímido. Pela maneira como seus olhos alternam entre mim e Declan, ele parece quase emocionado pela demonstração de cuidado dele.

Até que foi fofo. Isso eu admito, mas só. Embora ele esteja agindo como um completo idiota agora, sem nem olhar para mim enquanto encara o pai com a expressão fechada.

— Eu estava me perguntando onde você estava. — Yakura me puxa em um grande abraço.

Percebo Seth me olhando feio de longe, e dou um aceno rápido com a mão livre.

— Cadê sua esposa?

Ele me solta de seu abraço.

— Ela ficou no hotel. Se eu soubesse que você viria, eu a teria trazido também.

— E se formos buscá-la?

Seu rosto se ilumina.

— Tem certeza? Não quero incomodar ninguém mudando os planos.

— Bobagem. Não podemos passar o dia em Dreamland sem ela. Não seria certo.

Ele dá uma piscadinha.

— É por isso que gosto de você.

Seth me encara como se eu fosse uma inimiga que ele quer destruir, então retribuo seu olhar desafiador. É culpa dele que Declan e eu estejamos nessa posição.

E não pretendo me esquecer disso.

CAPÍTULO QUARENTA
Declan

Pensei que ter Iris comigo resolveria meus problemas, mas não. Na verdade, isso só acrescenta uma complicação extra a meu plano já fracassado.

Sua ideia de trazer a sra. Yakura junto? Ótima em teoria, mas ela é só mais uma dor de cabeça. Ela para de dez em dez metros para contemplar alguma coisa, o que só diminui nossa velocidade. E, ao diminuir nossa velocidade, isso dá a meu pai mais oportunidades para guiar a conversa. Iris tenta fazê-la seguir em frente, mas ela fica absorta por toda flor, criança e placa no caminho.

Conduzir a sra. Yakura é tão difícil quanto recolher um bando de gatos vira-latas. Não ajuda o fato de o marido dela parecer estimulá-la, com a atenção dividida entre mim, meu pai e sua esposa.

Respiro fundo mais uma vez quando o sr. Yakura se afasta com Iris e a esposa para olhar mais uma topiaria. Eles agem como se nunca tivessem visto um arbusto na vida.

— Está bem, filho?

Juro que estou a um comentário de pegá-lo pela gravata e enforcá-lo com ela.

Respire.

Tento usar minhas frases de sempre para me acalmar, mas, a cada vez que tento, parece só piorar as coisas.

— Estou *ótimo*.

Ele ri baixo.

— Você pode desistir a qualquer momento e eu assumo para garantir o negócio. Estou até disposto a dar crédito e falar bem de você na próxima reunião do conselho.

— Cala a boca.

— Estou tentando ajudar. Eu teria o maior prazer em finalizar isso e conseguir um parque novo para nós, mas bastaria um deslize meu e o negócio já era.

Meus dentes rangem.

— Não era nem para você estar aqui.

— Você deveria ter mencionado isso para sua esposa, então, antes de ela configurar um e-mail automático avisando para todo mundo onde você estava esta semana.

— Você está mentindo.

Ele sorri.

— Dê uma olhada no seu celular. Eu espero.

Pego o celular, mas me contenho. Seus truques não vão funcionar comigo.

— Não acredito em você. — Mesmo se ela tivesse enviado um e-mail como esse, não quer dizer que meu pai teria como me rastrear em Dreamland.

— Imagino que você não vai aceitar minha oferta de ajudar para acabar com isso de uma vez por todas.

— Nem por cima do meu cadáver.

— Nenhum pai quer enterrar o próprio filho, mas acho que estou disposto a abrir uma exceção.

— Não tenho tempo para essa merda. — Passo por ele e caminho na direção de Iris e os Yakura.

— Estava contando para eles sobre as estufas que nós temos na propriedade da empresa a alguns quilômetros daqui. — Iris ergue um sorriso para mim.

— Ótimo. Mas duvido que eles tenham interesse em ir lá — digo entre dentes.

Seu sorriso diminui antes de ela se recuperar.

— Então, o que os dois gostariam de ver agora?

— Montanhas-russas — a sra. Yakura diz no mesmo momento em que o marido responde:

— Nada que cause dor nas costas.

Ótimo. Preciso escolher entre não causar uma lesão permanente no sr. Yakura e agradar sua esposa.

Puta que pariu. Fantástico.

* * *

Meu pai e eu passamos a tarde disputando a atenção do sr. Yakura. Ele intervém constantemente para nos lembrar de que ainda é parte do grupo, e Yakura se deixa levar. Ele quer saber sobre nossa família, nossa história com o parque e como foi crescer com um avô que criou o maior império de contos de fada do mundo.

Sou rápido e respondo a algumas das perguntas antes que meu pai tenha a chance, embora seus anos de experiência lhe deem uma vantagem. Yakura parece contente com minhas respostas. Mas, na verdade, parece igualmente interessado no que meu pai tem a dizer. Talvez até mais.

Isso não seria um problema se ele não estivesse aqui. Um problema que minha assistente causou criando uma maldita mensagem automática que insinuava que eu estava em Dreamland. Meu pai não é nenhum idiota. Ele sabe exatamente o que uma viagem a Dreamland significa, e não tem nada a ver com visitar Rowan.

Como não acreditei nele, olhei meu e-mail. Há diversos e-mails de funcionários em que respondo automaticamente dizendo que estaria fora da cidade a trabalho em Dreamland.

Meu pai não estava mentindo, afinal. Iris fez uma cagada astronômica, e agora preciso tentar consertar o estrago que ela causou.

Como se sentisse meu mau humor, ela puxa minha manga.

— Preciso usar o banheiro.

Hesito em deixar meu pai sozinho com os Yakura, mas parece que não tenho escolha enquanto Iris me arrasta para longe. Ela nos guia na direção da área de banheiros próxima, longe da vista dos outros.

— Isso não está indo bem.

— Sério? Por que está dizendo isso? — pergunto com a voz seca.

— Não está me cheirando bem. Acho que precisamos recuar e nos recompor antes que isso exploda na nossa cara.

— Eu é que não vou fugir de uma coisa tão difícil porque não está *cheirando bem*. — Minha voz é um pouco mais ácida do que eu pretendia.

Suas sobrancelhas se franzem.

— Seu pai está tramando alguma coisa.

— Agradeço sua preocupação, mas não vim aqui para você poder perder tempo analisando meu pai, visto que ele nem estaria aqui se não fosse por sua causa.

— Como assim? — Ela recua.

— Ele me contou sobre a resposta de e-mail automática que você configurou para mim.

— E daí? Eu sempre faço isso. É uma regra da empresa...

Eu a interrompo.

— De que adianta seguir a regra da empresa se eu posso não ter uma empresa para dirigir daqui a um ano por causa disso?

Ela se crispa.

Segure a onda antes que diga algo de que possa se arrepender de verdade.

Respiro fundo e tento me recalibrar, mas, do jeito que tudo está acontecendo hoje, eu me sinto pra lá de agitado. Tudo porque meu pai ficou sabendo de minha viagem pela única pessoa em quem eu confiava para resolver isso tudo.

Agora não é a hora de tratar disso com ela.

Fecho os olhos para evitar olhar para seu rosto.

— Acho que você precisa ir embora. — Foi um erro arrastá-la para o meio disso.

— Você está de brincadeira.

— É melhor assim. Você não passa de uma distração para a qual não tenho tempo agora.

Ela fica boquiaberta.

— Uma *distração*? Tudo que fiz foi tentar ajudar você.

— Sua função é resolver problemas, não causá-los.

Ela dá um passo para trás como se eu a tivesse estapeado fisicamente.

— Não é justo.

— A vida também não. Lide com isso.

Seus olhos têm uma camada que não estava presente um minuto antes.

— Acho que você está cometendo um erro se continuar nisso hoje. Se eu fosse você, acabaria com isso, voltaria amanhã e veria se dá para se reunir com Yakura em particular. Ele é mais observador do que você imagina.

— Por mais que eu tenha valorizado sua opinião até agora, o chefe sou eu. Posso determinar se devo ou não continuar.

— Era para sermos uma equipe.

— Nós somos, mas toda equipe tem um líder, e não é você.

Ela inspira fundo. O barulho funciona como uma agulha na pressão que cresce no meu peito. Sou tomado por uma forte onda de culpa.

Seja melhor do que ele.

Estendo a mão para tocar a bochecha dela, mas ela recua.

— Não. Você não tem o direito de tocar em mim agora.

Sua rejeição trespassa minha determinação enfraquecida.

— Então é assim que vai ser? Você vai me castigar sempre que não conseguir o que quer? Qual é a próxima, recusar sexo porque eu cometi alguma besteira como comentar seu desempenho no trabalho?

Seus olhos se estreitam.

— Não é esse o meu problema e você sabe disso.

— Então qual é o seu problema?

— Você não confia em mim, não completamente. Se confiasse, teria me dado ouvidos porque eu passei dois anos ajudando você a criar esse projeto do zero. Não quero que você estrague tudo porque não está pensando racionalmente. O objetivo hoje não é vencer o seu pai nem falar mais alto do que ele. É mostrar para Yakura que você coloca a família em primeiro lugar, independentemente dos seus sentimentos pessoais, porque é o melhor para a empresa.

— Eu confiei no seu plano de merda e você *fracassou*, então não me dê sermão sobre confiança se a culpa pelo meu pai estar aqui é sua. Se você fosse tão boa no seu trabalho quanto diz, nada disso teria acontecido.

Seus olhos se arregalam e ela dá um passo para trás, mas cambaleia. Quando estendo o braço para ajudá-la, ela se assusta.

Merda.

Merda. Merda. Merda.

O arrependimento é instantâneo, como uma bala no coração. Uma coisa é descontar em meu irmão porque estou irritado, mas outra é falar com Iris dessa forma.

Diga alguma coisa.

Queria poder voltar no tempo e fazer escolhas melhores, porque a expressão no seu rosto acaba comigo. Destroça tanto minhas entranhas que chega a doer fisicamente.

— Iris, eu não devia…

Ela ri. Seu riso provoca a mesma reação que unhas em uma lousa. Estendo o braço para tocar nela de novo, e acho que ela deve estar em choque, porque deixa que eu a segure.

— Nunca pensei que seria vítima da sua raiva, mas eu devia ter imaginado que ser sua esposa não me pouparia desse tipo de tratamento. Na verdade, torna dez vezes pior.

— Falei da boca pra fora. Eu estava bravo pela situação com o meu pai e descontei em você.

Ela fica em silêncio, então a beijo. Seus braços pendem ao lado do corpo, o que só aumenta meu desespero. Quero que ela faça alguma coisa – qualquer coisa, na verdade, desde que tire esse sentimento das minhas entranhas.

— Desculpa — murmuro contra seus lábios. Algo úmido e salgado acerta meus lábios, e recuo de nosso beijo para encontrar algumas lágrimas escorrendo pelo rosto dela. Eu as seco, tentando apagar as evidências de minhas palavras, mas encontro mais atrás delas. É como tentar consertar um vazamento com fita adesiva. Nada funciona para impedir que as lágrimas escorram, e elas só me deixam mais frustrado. — Por favor, não chore.

Suas sobrancelhas se franzem enquanto ela ergue os olhos úmidos para mim.

— Você não está rindo.

— Quê?

— Você me disse que ri quando faz as pessoas chorarem. — Sua voz embarga.

Estou um caco por dentro. Ela nem parece estar olhando para mim, mas através de mim. Seus olhos úmidos servem como uma janela de sua alma, e o que encontro é devastador. Uma alma lindamente despedaçada que reflete a minha.

Você a magoou.

Não me sinto melhor do que meu pai, usando palavras como armas de raiva. Embora possam não deixar o mesmo tipo de ferida que socos, as palavras podem causar mais estrago do que qualquer coisa.

Pensar que você se esforçou tanto para não ficar como ele e acabar percebendo que é uma cópia exata.

Ela não me olha nos olhos enquanto funga.

Talvez até pior.

Pela maneira como me sinto, parece ser verdade.

Eu a puxo contra mim, dessa vez beijando o topo da cabeça dela. Mas seu suspiro habitual está ausente. Ela não derrete em mim como sempre faz, e minha preocupação só se intensifica.

— Me solta — ela diz, com a voz áspera, enquanto empurra meu peito.

Eu a solto como se ela pudesse pegar fogo se eu a segurasse por mais um segundo. A maneira como ela olha para mim... é como se pegasse as unhas e as cravasse no meu peito.

— Nós podemos resolver isso.

Ela dá um grande passo para trás e se envolve nos próprios braços como um abraço. Quero ser a pessoa que a consola, mas como posso fazê-la se sentir melhor se quem a magoou fui eu?

— Fui chamada de fracasso por muitas pessoas na vida, incluindo meu próprio pai, mas nenhuma delas parece ter causado tanta dor quanto você. Eu confiava em você.

Meu estômago revira enquanto não consigo escapar da sensação doentia que me assola.

— Desc...

Ela me corta.

— A última coisa que quero ouvir agora é um pedido de desculpas. Não consigo acreditar que vim para cá achando que você precisava da minha ajuda só para ouvir que sou culpada disso tudo. Que piada. Os únicos que têm culpa no cartório aqui são você e seu pai. Ele por ser um completo escroto e você por seguir os passos dele, descontando em mim em vez de assumir alguma responsabilidade pessoal.

Dou um passo à frente, mas ela dá um passo grande para trás.

Deixo minha mão cair ao lado do corpo.

— Não vá.

Ela balança a cabeça enquanto dá outro passo para longe de mim.

— Era para sermos uma equipe.

— Não quero estar na sua equipe. Não mais.

Um soco na cara poderia ter doído menos do que o jeito como olha para mim como se eu fosse inferior a ela.

— Vou melhorar.

— Engraçado. É o que o meu pai sempre dizia para a minha mãe também, logo depois de machucá-la de novo.

Seu golpe final me atinge exatamente como pretendido. Tento respirar fundo algumas vezes enquanto penso em alguma coisa para dizer, mas é difícil encontrar algo que valha a pena.

Ela aproveita meu estado de choque e recua para a saída escondida do parque sem olhar para trás. Fico dividido entre correr atrás dela e voltar para o grupo. Deixar Iris sozinha depois de saber como ela está chateada parece inconcebível, mas não posso exatamente deixar os Yakura nas mãos de meu pai. Não depois do quanto Iris e eu nos esforçamos para fazer isso acontecer.

Você pode lidar com Iris depois, quando tudo isso estiver resolvido.

Parece a melhor ideia, mas é difícil, para mim, voltar ao grupo. Cada passo para longe de Iris é como se estivesse atravessando areia movediça.

Você não passou dois anos de sua vida trabalhando nesse acordo para perdê-lo agora. Recomponha-se.

Volto ao grupo, ignorando o peso que aperta meu peito a cada passo para longe de Iris. Pelo bem de meu futuro, preciso guardar minhas emoções e seguir em frente. Parece simples em teoria até a sra. Yakura perguntar onde Iris está.

— Ela não estava se sentindo bem.

Os olhos de meu pai brilham, e não consigo olhar para ele sem sentir um impulso de empurrá-lo para longe de mim.

— Ah, não. Ela precisa de ajuda para voltar ao hotel? — o sr. Yakura oferece.

Faço que não.

— Ela não queria que parássemos nosso tour por causa dela.

— Tem certeza? Poderíamos...

Eu o interrompo.

— Tenho.

— Tomara que ela se sinta melhor. — A sra. Yakura sorri.

Se a cara que Iris fez é um indício da dor que sente, duvido que ela vá se sentir bem tão cedo.

E a culpa foi minha.

CAPÍTULO QUARENTA E UM
Iris

Eu imaginava que Declan me atacaria como me atacou depois que larguei tudo para ajudá-lo quando ele pediu? Não, mas a surpresa doeu quase tanto quanto as coisas que ele disse sobre mim.

Sua função é resolver problemas, não os causar.

Minha garganta se fecha. Como ele se atreve a falar de mim e da minha função desse jeito? Não acredito que passei três anos da minha vida resolvendo os problemas dele sempre que surgem só para ele me reduzir a nada no momento em que fiz uma besteira.

Isso se eu tiver feito uma besteira.

Seja como for, Declan não devia ter falado comigo daquele jeito. Ele usou minhas inseguranças contra mim até eu ficar diante dele me sentindo mais destroçada do que nunca. Já fui vítima de seus ataques verbais antes, mas nunca dessa forma. Isso foi pessoal de um jeito como nunca mais quero sentir.

Você só pode ficar brava consigo mesma. Foi você quem abriu o coração para ele.

O que é que Declan sempre me dizia?

Ah, sim.

Aprenda a usar as palavras como armas, porque elas podem ser mais fortes do que qualquer soco.

Eu me senti uma idiota por dar a ele a munição perfeita para usar contra mim. Uma lágrima escapa, e eu a seco com a manga da camisa.

Em vez de chafurdar em autopiedade durante o trajeto de ônibus de volta ao hotel, ligo para o piloto e peço para que prepare o jatinho particular para a decolagem. Posso ser um fracasso, mas ainda sou uma Kane, então Declan pode pegar um voo comercial se depender de mim se quiser voltar a Chicago no próximo dia. Não vou ficar em Dreamland nem mais uma hora depois do jeito como ele falou comigo. O parque parece pequeno demais para nós dois agora, e prefiro cair fora daqui. Pelo menos assim posso refletir sobre tudo que ele disse sem ninguém tentando me sabotar, me menosprezar nem me fazer chorar. Conhecendo meu marido, ele pode fazer todas as três coisas se eu ficar.

Fugir é minha especialidade. Ficar e enfrentar problemas que doem demais? Não mesmo.

Dane-se ele e dane-se seu negócio idiota. Mereço mais do que ele me magoar para salvar as aparências, ainda mais depois de todos os sacrifícios que fiz por ele.

O ônibus nos deixa no hotel. Não sei quanto tempo tenho até Declan voltar para o quarto, então meu pânico me força a agir. Se eu tiver sorte, o sr. Yakura vai manter Declan e seu pai discutindo contratos por horas. Talvez até *dias*.

Se bem que esse pensamento não me deixa tão feliz quanto eu imaginava. Pelo contrário, faz uma nova série de lágrimas cair enquanto pondero que Declan prefere fechar o negócio a vir atrás de mim. Depois de tudo que ele disse, era de se imaginar que fosse querer resolver a situação imediatamente se fosse mesmo importante para ele.

Estou com a cabeça tão perturbada por tudo que não consigo dizer se é egoísta ou não desejar algo diferente disso.

Ignoro minha tristeza e começo a arrumar minhas coisas. A mala toda parece prestes a estourar, mas consigo fazer tudo caber.

Jogo a chave do quarto na mesa de cabeceira, escrevo um bilhete rápido e saio sem olhar para trás. Pelo jeito, meu medo de que Declan voltaria para me buscar foi infundado porque ele nem se deu ao trabalho de aparecer. Em vez de me sentir aliviada, sou tomada por mais uma onda de desespero.

É claro que ele não apareceu. As prioridades de Declan sempre vão se alinhar à empresa, custe o que custar. Ele foi treinado desde pequeno a agir dessa forma, e eu estava disposta a ficar em segundo plano porque o amor dele vale a pena.

Valia. O amor dele *valia* a pena. Não vale mais. Eu preferia viver sem sentir que ele pegou meu coração e o partiu em um milhão de pedaços.

Você não passa de uma distração para a qual não tenho tempo agora.

Ele pediu desculpas logo em seguida.

Sim, assim como meu pai depois de dizer as coisas mais horríveis para minha mãe. Aprendi com os erros dela e não pretendo cair na mesma armadilha.

Você precisa dar o fora daqui.

Tomara que Declan consiga o negócio. Não porque eu esteja brava ou porque seja mesquinha, mas porque quero que valha a pena tudo que ele perdeu para conseguir isso – incluindo a chance de merecer meu amor.

* * *

A recepção chama um táxi para me levar ao aeroporto particular. Quando chego lá, a porta da cabine está aberta e o avião está pronto para decolar. Saio do táxi e encaro o avião. Sou atingida por uma pontada de dúvida, me questionando se deveria dar meia-volta e voltar ao hotel.

Você vai mesmo deixá-lo? E se ele precisar de você?

A voz dele volta com força.

Toda equipe tem um líder, e não é você.

Balanço a cabeça, deixando todas as dúvidas de lado.

Você não vai voltar. Não depois de ele ter falado com você daquele jeito.

Jogo os ombros para trás, subo a escada para o jatinho e me sento no lado oposto de nosso lugar habitual. A equipe do avião se limita a um único comissário de bordo, que me oferece bebidas e lanchinhos. Meu estômago revira com a ideia de comer alguma coisa agora, então recuso.

Não sei como, mas mantenho a compostura durante todo o voo. Harrison me busca no aeroporto e faz a gentileza de não me perguntar onde Declan está. Não sei se daria conta de sua pergunta sem chorar. A maneira como ele olha para mim faz com que eu me pergunte se ele sabe que alguma coisa aconteceu, mas ele fica em silêncio enquanto me ajuda com a bagagem. Ele me deixa na casa de Cal antes de partir.

Até este momento, fiquei entorpecida e apenas no modo de sobrevivência. Claro, derramei algumas lágrimas, mas não me permiti considerar de verdade tudo que Declan disse até eu bater na porta de Cal.

Ele abre.

— Ei. O que está fazendo de volta tão rápido?

Lágrimas escorrem dos meus olhos antes que eu tenha a chance de segurá-las.

— Ai, merda. — Ele me puxa para dentro de sua casa e fecha a porta.

Ele me envolve nos braços, me segurando para impedir que minhas pernas cedam. Minhas lágrimas se transformam em soluços. Ele escuta enquanto narro tudo que aconteceu hoje, só me interrompendo para fazer algumas perguntas.

Ele só fala quando termino.

— Ele é um idiota por falar toda essa merda para você. A única coisa ruim nesse dia foi a atitude dele.

Eu recuo e me crispo ao ver a marca de lágrimas em sua camisa.

— Ele disse que eu fracassei.

— Foi *ele* quem fracassou com você quando perdeu o controle daquele jeito. Ninguém devia falar com você desse jeito, muito menos ele.

Fungo.

— Ele ficou muito bravo comigo.

— Estou pouco me fodendo para como ele se sentiu. Não justifica.

Baixo a cabeça.

— Cometi um erro.

Cal pega minha mão e me puxa para o sofá. Ele desaparece antes de voltar com uma caixa de lenços, um remédio para dor de cabeça e um copo d'água.

— Obrigada. — Ergo os olhos para ele com um sorriso vacilante.

Sua testa se franze mais enquanto ele examina meu rosto.

— É o mínimo que posso fazer, considerando que fui eu que o incentivei a correr atrás de você.

— Não é culpa sua.

— Eu sabia que ele não merecia você.

Eu me encolho, lembrando o momento em que Declan disse o mesmo.

— Eu...

— Não arrume desculpas para ele. As coisas que ele disse são inaceitáveis, especialmente depois que você se abriu para ele.

Respiro fundo.

— Você se importa se eu passar a noite aqui?

— O quarto de hóspedes é todo seu pelo tempo que quiser.

Suspiro.

— Não posso me esconder aqui para sempre.

— Você pode fazer o que quiser. O Declan não é seu dono.

— Eu sei, mas preciso ser madura em relação a isso.

— Ah, como se ele pudesse falar de maturidade agora.

— Nós somos casados. Uma briga não vai mudar isso.

Ele expira profundamente.

— Não, mas pode mudar o jeito como você encara seu casamento.

— Eu sei. — Torço as mãos no colo.

Ele se senta ao meu lado no sofá.

— Vai ficar tudo bem.

— Vai? Porque definitivamente não parece. Ele nem veio atrás de mim depois de falar o que falou. Me deixou sair andando como se eu não significasse nada para ele, tudo porque um negócio é mais importante do que eu. — Uma lágrima solitária escorre pelo meu rosto antes de cair no meu colo.

— Ele fez merda. Não existe outra forma de definir.

— O que eu faço?

— *Você* não precisa fazer nada. Foi ele quem fez besteira, não o contrário. Eu sei que você está acostumada a resolver as bagunças dele, mas nem sempre vai poder resolver tudo pelo Declan.

Engulo em seco.

— E se ele não resolver?

— Então nunca nem mereceu você.

CAPÍTULO QUARENTA E DOIS
Declan

Meu pai e eu continuamos a competir pela atenção do sr. Yakura. Em vez de seguir o conselho de Iris, decido revidar com mais força, provando que sou o melhor candidato a dar vida a Dreamland Tóquio. Meu pai acompanha cada movimento. Faz promessas que nem sei se consegue cumprir, embora pareça muito confiante em sua atitude. Consigo ver que está virando uma confusão. O sr. e a sra. Yakura tentam manter os sorrisos largos e o brilho nos olhos, mas mal consigo imaginar como isso deve ser exaustivo.

Iris me alertou para acabar com essa coisa, mas não dei ouvidos.

Não. Em vez disso, passei por cima dela porque estava irritado demais para pensar com clareza. Depois de me esforçar tanto para ganhar a confiança dela, joguei tudo fora no primeiro sinal de adversidade. O único culpado sou eu. Não é minha raiva. Não é meu pai. E muito menos Iris, embora eu tenha feito ela sentir que fosse.

Uma nuvem escura de emoção me acompanha pelo resto do tour. Não consigo deixar de pensar que cometi um erro enorme continuando com a programação do dia apesar do conselho de Iris. Quanto mais o tempo passa, menos certeza tenho de que minha decisão de ficar foi a escolha certa. Minha dúvida não tem nada a ver com meu pai roubando o tempo do sr. Yakura, mas com a ideia de magoar Iris e deixar que ela tenha ido embora. O impulso é mais forte do que nunca de deixar todos para trás e procurar por ela.

Não consigo parar de pensar nas coisas que disse a ela quando estava bravo. Uma coisa foi acusá-la de ser uma distração, mas outra completamente diferente foi duvidar da capacidade dela de fazer o próprio trabalho. Eu sei que ela é capaz de tudo e mais um pouco, mas a recriminei como se ela não tivesse valor nenhum. Não tenho orgulho de ter falado que o plano dela era uma bosta. Mas nada parece pior do que ter dito que ela fracassou. Escolhi minhas palavras com raiva, sem pensar direito no impacto que poderiam causar.

É só quando voltamos à entrada do parque que o sr. Yakura me puxa de lado. Os olhos de meu pai nos acompanham enquanto nos afastamos para onde ele não consegue nos escutar.

— Declan. Está tudo bem? — Ele ergue os olhos para mim com um sorriso tão brilhante quanto sua camisa neon ridícula.

— Estou ótimo.

— Não pude deixar de notar que você está mais quieto desde que Iris foi embora. Embora eu agradeça que tenha passado o dia conosco, preferiria que estivesse com sua esposa se ela não está se sentindo bem.

Se é que você tem uma esposa para quem voltar.

— Ela queria que eu levasse isso até o fim. — Pelo menos é o que eu acho.

Seu sorriso vacila.

— Foi o que imaginei. Ela foi bem persuasiva ao telefone quando estava programando a viagem toda para nós. Quase me senti mal por convidar seu pai também, sabendo que vocês dois não se dão tão bem.

Espera, quê?

— Repita.

— Fui eu que convidei o seu pai para nos acompanhar. Por que mais você achou que ele apareceria?

— Quando isso aconteceu?

O sr. Yakura inclina a cabeça.

— No mesmo dia em que Iris ligou para agendar tudo com minha assistente. Eu queria garantir que todos pudessem estar aqui para o anúncio. Mas é uma pena que Iris não esteja aqui. Eu sei que ela se esforçou muito para organizar isso tudo e odeio a ideia de ir embora sem dizer para ela que essa decisão não teve nada a ver com ela.

Pela maneira como meu estômago revira, estou a uma confissão de vomitar. Iris não teve nada a ver com a vinda de meu pai. Claro, ela configurou o e-mail automático avisando as pessoas de que eu visitaria Dreamland, mas meu pai sabia sobre a viagem muito antes disso.

Merda.

Cometi um erro colossal. Causado por raiva e irracionalidade, tudo porque pensei que poderia culpar todos os outros pelo meu fracasso exceto *eu*.

— Por que o senhor faria isso?

— Eu estava curioso para saber como você e seu pai trabalhavam juntos. Parece que minhas teorias estavam corretas.

Ele e meu pai que se fodam. Se o sr. Yakura quiser trabalhar com ele, que seja. Se quiser trabalhar comigo, ótimo, embora eu não tenha mais tanta certeza se quero trabalhar com ele. Não pela forma como ele me manipulou. Prefiro trabalhar com pessoas honestas que não tentam me manipular.

Ele ergue as mãos.

— Eu sei que essa notícia chateia você. Juro que não tive a intenção de ofender. Meu objetivo era apenas entender melhor a dinâmica familiar antes de tomar a decisão de trabalhar com um de vocês.

— E deixe-me adivinhar: o senhor *não quer*.

Seus lábios se pressionam.

— Não é que eu não queira, mas sua relação com seu pai é complexa. Posso ver que há muita animosidade entre vocês, embora os dois tentem fingir que não. Ficou mais aparente depois que Iris foi embora.

Se eu tivesse dado ouvidos a ela em vez de a criticado...

Respiro fundo algumas vezes para acalmar meus pensamentos.

Você é idiota pra caralho, Declan. Um idiota imbecil que afastou a única pessoa que estava do seu lado porque queria provar que tinha o necessário para finalizar um negócio.

— O senhor veio até aqui com a intenção de assinar um contrato?

— Vim com a mente aberta. Minha esposa e eu estávamos torcendo por você, mas vimos que ainda tem muito a superar. Você é jovem, Declan. Jovem, ambicioso e dedicado o bastante para ter o necessário para ser um líder algum dia. Ninguém está ignorando isso, embora eu tenha certeza de que possa parecer que sim pela minha decisão.

Minha têmpora lateja pela pressão crescente no fundo do meu crânio.

— Entendo.

— Duvido que queira ouvir isso de mim, mas, se não se importar, quero lhe dar um conselho, de CEO para futuro CEO.

Respiro fundo para não estourar.

— Diga.

Ele solta um suspiro, como se realmente estivesse com receio de eu dizer não.

— Sua força nunca vai superar seu maior medo. Pegue o seu pai como exemplo: ele tem medo de perder o poder, por isso faz de tudo para estragar o sucesso do próprio filho só para se sentir forte e relevante. Esse será o fim dele algum dia, eu lhe garanto. Então, aprenda com ele e com os erros dele antes que seja tarde demais para você. Aceite seus medos e cresça com eles ou passe o resto da vida lutando contra eles o tempo todo.

Tento me impedir de falar, mas perco a capacidade de controlar as palavras.

— Qual é o meu?

Ele ri.

— Faça um exame de consciência e procure você mesmo. Não posso lhe dar todas as respostas. Esse é o verdadeiro sentido da vida.

A sra. Yakura chama o nome dele, que olha por sobre o ombro e ergue um dedo.

— Uma última coisa. — Ele se volta para mim.

Como se essa conversa pudesse ficar pior.

— Quê?

— Volte e fale comigo quando achar que é o momento certo. Se as notícias de fofoca que a minha esposa lê estiverem corretas, talvez seja melhor que seja logo. — Ele pisca.

Não faço ideia do que ele sabe, mas posso ver por seus olhos que ele desconfia de alguma coisa.

— Vá cuidar da sua esposa. Diga a ela que sinto muito e espero que ela entenda. — Ele me abre um último sorriso antes de ele e a esposa saírem do parque.

Eu os observo desaparecerem atrás dos portões, por isso não noto quando meu pai chega por trás de mim.

— Como é a sensação de perder uma coisa pela qual você trabalhou por dois anos?

— Não tão triste como você deve se sentir voltando para uma casa vazia, sabendo que só tem sua própria desgraça para lhe fazer companhia. Vejo você na segunda-feira.

Escuto seus sapatos atrás de mim.

— Aonde vai?

— Não tenho mais o que fazer por aqui. Tentei e perdi. Se me der licença, preciso pegar minha esposa e cair fora.

Ele segura meu braço e eu me livro de suas mãos.

— Não encoste em mim — digo, fervendo de raiva.

— Ainda não acabamos aqui.

— Se estiver esperando alguma grande reação da minha parte, não vai conseguir. Não mais.

— Sério? Acho que vou ter que esperar até segunda, quando tiver que apresentar seu fracasso para a diretoria.

Dou de ombros.

— Não importa o que você pensa sobre mim. Metade deles acha você um bosta e mesmo assim puxa seu saco por causa do sobrenome. Desde que eu tenha minha herança, as opiniões deles sobre mim não valem merda nenhuma.

— E você considera isso provar o seu valor? Faz você parecer uma opção ridícula de CEO.

— Talvez, mas isso não importa, não é? O vovô deixou isso claro.

— Vou lutar contra você a cada passo do caminho.

— Você pode até tentar, mas não estou planejando revidar. Estou farto. Você é uma causa perdida com a qual me recuso a gastar mais energia. Prefiro redirecioná-la ao que é importante, como minha família, meus filhos e meus irmãos. Você fez sua escolha de ser um miserável de merda, mas isso não quer dizer que eu precise escolher o mesmo. — Saio andando antes de dizer algo mais.

O sr. Yakura queria que eu considerasse meu maior medo, e estou olhando bem na cara dele.

Não quero ficar igual ao meu pai.

Passei a vida toda me esforçando para ser melhor do que ele a ponto de seguir seus passos para usurpá-lo. Gastei tempo demais tentando destruí-lo quando deveria ter me concentrado no que é importante.

Não planejo cometer o mesmo erro. Não mais.

***

Volto ao hotel pensando que encontraria Iris no quarto, mas o encontro sem nenhuma das coisas dela. Será que ela pediu outro quarto porque queria me evitar? Eu entenderia depois do que falei. Mas, se ela pensa que vai dormir em outro lugar, está enganada.

Todos os casais brigam. Nós podemos superar isso. Mas primeiro preciso que ela me escute.

Olho minhas mensagens, mas nenhuma é de Iris. Meu coração bate mais forte no peito quando ligo para seu celular e cai diretamente na caixa postal.

— Merda. — Jogo o celular na cama, e ele quica em um pedaço de papel que estava camuflado no edredom. Estou quase com medo demais para virá-lo, mas me recomponho. A mensagem é meu pior pesadelo.

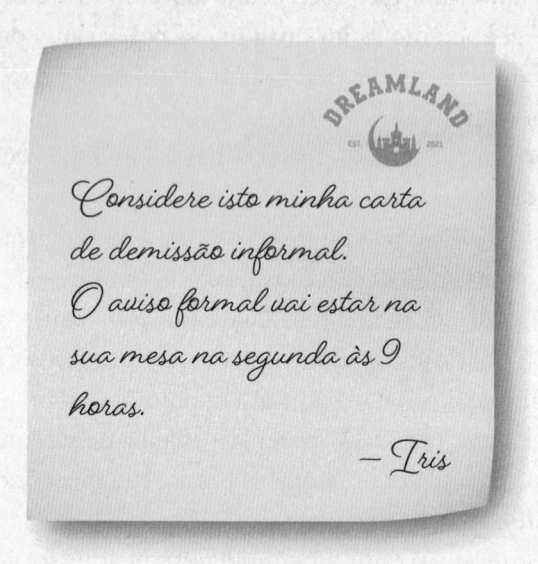

> *Considere isto minha carta de demissão informal.*
> *O aviso formal vai estar na sua mesa na segunda às 9 horas.*
>
> *— Iris*

Amasso o papel antes de jogá-lo na lixeira. Não vou deixar que ela se demita porque tivemos uma briga sobre trabalho, por mais que ela queira. Minhas palavras foram duras e desnecessárias e passaram dos limites, mas isso não quer dizer que ela pode se demitir sem me dar a chance de me redimir.

Primeiro você precisa encontrá-la.

— Merda.

CAPÍTULO QUARENTA E TRÊS
Declan

Não consigo encontrar Iris em nenhum lugar do hotel. O único outro lugar além do parque a que penso que ela iria é a casa de Rowan.

Respiro fundo e bato na porta. A luz sobre mim se acende antes de a porta se abrir, revelando Zahra do outro lado. Ela parece alegre e animada como sempre — como se tirasse sua energia diretamente do sol. Não sei como meu irmão aguenta.

— Você viu a Iris? — Não perco tempo com cumprimentos.

— Hmm, não era para ela estar com você?

Dou meia-volta e desço os degraus, sem querer perder mais tempo.

— Ei! Espera! — Zahra corre atrás de mim.

Aperto o passo.

— Pare!

Não paro.

O som de chinelos batendo no chão faz meus dentes rangerem. Ignoro Zahra chamando atrás de mim, mas sou detido pelo meu irmão enquanto ele volta de sua corrida.

Ele tira um fone de ouvido enquanto me olha feio.

— O que está fazendo aqui?

Zahra para ao meu lado, recuperando o fôlego.

— Alguém já falou que você tem pernas muito compridas?

— Por que você estava correndo atrás do meu irmão?

— Porque eu queria conversar com ele, mas ele não queria ser alcançado.

Rowan ergue uma sobrancelha para mim.

— Pode me explicar por que está fugindo da minha namorada?

Respiro fundo.

— Não tenho tempo para conversar. Já perdi tempo demais.

— Então arranje tempo.

— Estou tentando encontrar a Iris.

— Boa sorte com isso.

Dou um passo à frente.

— Você sabe onde ela está?

— Eu conto se você fizer o que a Zahra pediu e der alguns minutos do seu tempo para ela. É o mínimo que pode fazer depois de ser um babaca comigo hoje, não acha?

Meu maxilar se cerra.

— Tá. Diga. — Baixo os olhos para Zahra.

— Podemos entrar primeiro? Preciso de um copo d'água.

Meu pavio curto se esgota quando os sigo para dentro da casa em que passei a maior parte das minhas férias de infância. As lembranças me atingem quando contemplo o balanço da minha mãe, ainda no mesmo lugar anos depois.

— É meu lugar favorito da casa toda. — Zahra me abre um pequeno sorriso.

É claro que é.

Eu a ignoro enquanto atravesso a porta de entrada. O lugar não mudou além de uma nova camada de tinta e móveis mais modernos. Ainda há um batente perto da cozinha que tem nossas marcas de altura ao logo dos anos; eu era o mais alto.

— É bem esquisito voltar aqui depois de tanto tempo, né? — Rowan se recosta no balcão da cozinha, me observando enquanto contemplo tudo.

— Como você suporta viver aqui?

— Me faz lembrar dos bons tempos.

— Fale por você.

Os cantos dos seus lábios se erguem em uma resposta silenciosa.

— Gostaria de beber alguma coisa? — Zahra coloca a cabeça dentro da geladeira.

— Pode ser água.

Ela me serve um copo antes de servir um para si mesma.

— Então, alguém poderia me dizer por que estou sendo mantido como refém emocional aqui?

Rowan olha para Zahra e ela se limita a sorrir.

— Eu menti quando disse que tinha alguma coisa para falar para você. Só estava torcendo para enrolar você por tempo suficiente até o Rowan voltar para vocês dois poderem resolver isso de uma vez por todas.

Rowan balança a cabeça e olha para o teto.

— Você só me enche o saco.

— Eu sei, mas você me ama por isso. — Ela dá um beijo na bochecha dele antes de desaparecer na escada.

— Ela é esperta.

— Ela é intrometida, isso sim. Ela odeia quando nós brigamos, ainda mais quando é por causa da minha decisão de ficar aqui.

— Você contou sobre hoje?

— Eu conto *tudo* para ela.

Tomo um gole de água.

— Interessante. — É seguro afirmar que Zahra deve pensar que sou o maior escroto aqui.

Ele pega um copo e o enche de água até a borda.

— Como foi o tour?

— Por que está perguntando?

— Porque eu me importo.

— Mesmo depois de eu ter atacado você?

Ele suspira.

— O amor não é condicional. Eu sei que o pai nos fez acreditar nisso, mas só porque fico bravo com você e vice-versa não significa que eu não ame você ou não me preocupe com você. Mesmo que você aja como um idiota na maior parte do tempo.

— Quem diria que Dreamland deixaria você tão sentimental?

— Dreamland e as pessoas do parque. — Ele sorri de um jeito sincero que reflete em seus olhos, e não me lembro da última vez que o vi tão feliz. Talvez nunca.

Ninguém pode controlar a paixão, e por acaso ele a encontrou no último lugar em que eu imaginava. É hora de eu aceitar isso e seguir em frente pelo bem de nós dois. Eu o estava castigando por buscar o que o faz se sentir pleno, tudo porque sentia como se ele tivesse me traído. Eu me apeguei à ideia de que ele me abandonou como todos me abandonam para lidar sozinho com meu pai e todas as expectativas que vêm com a empresa. Em vez de apoiá-lo, usei sua felicidade contra ele assim como meu pai fez inúmeras vezes ao longo de nossas vidas.

Você não é melhor do que ele.

É uma sensação amarga saber que o homem que passei a vida toda odiando é o mesmo que estou me tornando devagar.

Não é tarde demais para começar a tomar decisões melhores.

Sinto a boca seca, por mais que eu beba água.

— Eu cometi alguns erros.

Rowan pisca, mas fica em silêncio.

— Falei coisas das quais não me orgulho. Fiz ameaças, menosprezei você, te afastei porque você tomou uma decisão que não me agradou. Como seu irmão mais velho, acho que eu deveria dar o exemplo. Ser mais maduro. Fazer escolhas melhores. Me manter forte, por mais que estivesse apanhando. Mas tudo que fiz foi mostrar para você como não agir. Em vez de deixar que você se tornasse independente, eu estava tentando enfiar você de volta em um molde em que você não se encaixa mais. Foi egoísta da minha parte. Me desculpa.

— Uau. — Ele me encara.

Não há muito mais a dizer. De agora em diante, planejo ser melhor. Fim.

Eu me levanto.

— É melhor eu ir.

Rowan pega as chaves de um pote no balcão.

— Deixa que eu te levo até o aeroporto.

— Aeroporto?

Ele ri baixo.

— A Iris pegou o jatinho de volta a Chicago.

— Ela *o quê*?

— Parece que você vai pegar um voo comercial hoje. É melhor comprar passagem antes que perca a chance.

— Ainda estou tentando entender o fato de que a Iris está em Chicago agora.

Por que ela ficaria? Você nunca deu um bom motivo depois do jeito como falou com ela.

Engulo em seco o nó na garganta.

— Fiz merda.

— Nada que rastejar aos pés dela não resolva.

— Rastejar?

— Entre no carro e eu te explico. — Seu sorriso é preocupante.

Ah, merda. Essa vai ser uma viagem interessante.

* * *

Essa história de rastejar inclui mencionar para a Iris que peguei um voo comercial pela primeira vez em uma década só para poder chegar até ela logo? Porque, se incluir, a poltrona do meio da classe econômica que fui obrigado a comprar de última hora valeu cada minuto excruciante, considerando que eu estava entre uma criancinha que não parava de falar e uma mãe com um bebê chorando no colo.

Meus ouvidos ainda estão zumbindo quando volto à nossa casa. Harrison abre a porta e eu saio. Só penso em perguntar a ele sobre Iris quando entro na casa escura e silenciosa.

— Iris? — chamo ao passar pelos corredores cheios de plantas.

Ninguém responde. Vasculho a casa toda duas vezes antes de chegar à conclusão de que ela não está ali.

— Merda. — Pego o celular e ligo para Iris. Como era de se esperar, ela não atende.

Ligo para o número de Cal em seguida, mas ele não atende.

> **Eu:** Iris está com você?

Ele não responde imediatamente, e não tenho interesse em esperar sentado. Vale mais pegar o carro e ir até a casa dele enquanto espero.

Menos de trinta minutos depois, estaciono na frente de seu prédio e decido ligar para ele de novo. Ele finalmente atende, mas sua voz é mais áspera que o normal.

— O que você quer?

Dá para ver que Iris já falou com ele.

— Cadê a Iris?

Uma porta se fecha ao fundo.

— Ela está dormindo.

— Na sua casa? — Meus dentes rangem.

— Acho que não importa muito para ela, desde que não seja na sua.

— Coloque a Iris na linha.

— Ela não quer falar com você agora.

— Quero ouvir isso dela.

— Cara, só me escute. Tire a noite para se acalmar. Vocês dois estão nervosos demais para resolver isso agora.

— Foda-se. — Encerro a ligação. Não vou deixar Cal me dizer como lidar com minha esposa. Eles podem ser amigos, mas sou o marido dela. O lugar dela é em nossa casa, por mais que ela possa estar se sentindo chateada agora. Casais discutem a relação. Não precisam da mediação de terceiros para resolver os próprios problemas.

O porteiro de Cal abre a porta para mim. Aperto o botão do elevador e espero, batendo o sapato no chão até a porta se abrir. O caminho até a cobertura é rápido.

Bato o punho na porta de Cal.

— Abra.

— Puta que pariu. — Eu o escuto xingar antes de a porta se abrir.

— Vá embora — ele grita enquanto fecha a porta.

Eu a bloqueio com o pé e a abro.

— Cadê ela?

Ele me empurra, e eu cambaleio para trás.

Pestanejo. Cal *me* empurrou? Ele não encosta em ninguém, muito menos usa a força quando está irritado. A única vez em que o vi fazer algo assim foi no gelo durante os jogos de hóquei do ensino médio, e fazia parte do esporte.

Ele enfia o dedo no meu peito.

— Ela não quer olhar na sua cara agora.

— E daí? Você sabe o que é melhor pra ela?

— Um de nós tem que saber, já que está na cara que você não sabe. Eu sabia que você não era capaz de cuidar dela. Sabia e mesmo assim ajudei você, pensando que você talvez estivesse mesmo começando a mudar. Que talvez a amasse de verdade.

— Eu a amo, sim. Não que eu deva explicações a você.

— Não, Declan. Está claro que você não ama se a chamou de fracassada como todos os outros merdas decepcionantes na vida dela.

— Cala a boca, porra.

— Por que eu calaria? Você nunca cala.

Meu maxilar se cerra.

— Eu cometi um erro.

— Um erro? — Ele ri. — Você menosprezou a sua esposa até ela se sentir tão imprestável quanto você. Você a fez se sentir pequena, inútil e insignificante, tudo porque se importa mais com o seu trabalho do que com a pessoa que você diz amar. Então tudo que posso dizer é parabéns, Declan. Você passou a vida toda nos protegendo do nosso pai para se tornar exatamente igual a ele.

— Vai se foder. — Mordo a língua e sinto gosto de sangue.

Ele me saúda com o dedo do meio antes de bater a porta na minha cara.

***

Parece não haver nada pior do que voltar para casa sem Iris. A derrota aperta meus ombros, fazendo cada passo parecer mais difícil do que o anterior. Eu me arrasto para dentro da casa escura, tão silenciosa quanto um túmulo. O que antes me trazia conforto só me enche de pavor agora, ainda mais sabendo o que fiz para merecer isso. Não consigo evitar repetir as palavras do meu irmão para preencher o silêncio.

Você a chamou de fracassada como todos os outros merdas decepcionantes na vida dela.

Você menosprezou a sua esposa até ela se sentir tão imprestável quanto você.

Você passou a vida toda nos protegendo do nosso pai para se tornar exatamente igual a ele.

É a última que mais me machuca. Ouvir o que Cal pensa de mim...

Isso me faz querer me indignar. Não pelos sacrifícios que fiz, mas porque ele está certo. Se eu não me controlar, vou me tornar exatamente como meu pai. Ele também não começou a vida como um canalha sem coração. Foi preciso tempo e mágoa para chegar a um lugar sombrio mais rápido do que a maioria.

Você pode ser diferente. Não é tarde demais.

Expiro profundamente enquanto me dirijo à cozinha. Depois daquele voo infernal e da conversa com meu irmão, não tenho energia para cozinhar nada, mas meu estômago roncando exige algum tipo de nutrição.

Vasculho a despensa, revirando itens diferentes até me decidir pelo favorito de Iris.

Macarrão de caixinha.

A pressão no meu peito se intensifica enquanto considero todas as vezes que ela cozinhou para mim ao longo das semanas. Podia não ser nada gourmet, mas eu não ligava desde que ela me fizesse companhia.

Companhia que não tenho mais porque a afastei.

Coloco dois jogos americanos sem parar para pensar. Levo dez minutos até me dar conta do erro, e minha garganta aperta a ponto de ser difícil respirar. Tento comer, mas tudo tem gosto de papelão para mim

Minhas entranhas se reviram mais e mais enquanto deixo meu prato de macarrão pela metade na pia e subo a escada. Não importa aonde eu vá, não tenho como fugir de meus erros. Nem meu maldito quarto é seguro. As lembranças de Iris me atacam no momento em que entro, com seu perfume ainda pairando no ar.

O elástico de cabelo dela na cômoda. Um sapato aleatório abandonado em um canto durante uma transa. Um porta-retrato de nós no dia do nosso casamento, com ela sorrindo para mim enquanto olho feio para a câmera.

Aperto o peito, desejando que a dor passe. Minhas mãos tremem e respiro fundo algumas vezes, tentando conter o ataque de ansiedade antes que ele comece.

Você nunca a mereceu.

Não. Eu não a merecia mas queria mesmo assim.

Sinto falta de minha esposa. O lugar dela é ao meu lado, reclamando que gosto de ficar de conchinha embora ela no fundo adore. Eu faria de tudo para ouvir seu resmungo sobre o despertador de manhã ou o beijo mal-humorado quando saio da cama para treinar.

Deito embaixo do edredom depois do banho e fico olhando para o teto, cercado pelo cheiro do sabonete líquido de coco de Iris. Nenhuma posição parece confortável sem ela.

Você está na merda.

Eu me viro pela terceira vez e encaro o cacto que ela comprou para mim dois anos atrás.

Não me espete.

Vou tentar. Por ela.

CAPÍTULO QUARENTA E QUATRO
Declan

Chego à porta de Cal às oito horas com um copo de café na mão, pronto para conversar com Iris. Dormi mal e estou acordado à base de muita cafeína depois de uma noite me virando de um lado para o outro.

Meu irmão abre a porta usando terno e gravata, o que é raro para ele, considerando que ele nem trabalho tem.

— Aonde você vai?

— Trabalhar. — Ele fecha a porta e a tranca.

— Desde quando você tem emprego?

— Desde que você precisava de um assistente.

Fico boquiaberto.

— Quê?

— A Iris não vai trabalhar hoje.

— Até parece. O aviso prévio dela de duas semanas nem começou.

Ele ri.

— Talvez você devesse olhar seu e-mail.

Franzo a testa enquanto pego o celular e passo os olhos em minha caixa de entrada.

— Você está de brincadeira.

— Não. Ela vai tirar férias de duas semanas, começando hoje.

— Não, não vai.

Ele tem a pachorra de sorrir.

— Você vai me dar uma carona para o trabalho ou não?

— Por que está curtindo isso?

— Porque é bom ver alguém finalmente colocar você no lugar. Achou mesmo que poderia falar com ela do jeito que falou e esperar que ela fosse trabalhar por duas semanas?

Meus molares rangem.

— Quero conversar com ela.

— Ela vai falar com você quando estiver pronta.

— Então acho que sou eu que vou falar. — Roubo a chave da mão dele e destranco a porta antes que ele tenha a chance de apanhá-las.

— Dec...

Bato a porta na cara do meu irmão e fecho o trinco antes que ele tenha a chance de entrar.

— Abra essa porta! — Ele bate o punho na madeira.

Jogo as chaves dele na mesa lateral antes de seguir a música na direção da cozinha. Os olhos de Iris encontram os meus de imediato.

— O que está fazendo aqui?

— Trouxe café para você. — Dou um passo à frente para passar o copo para ela.

Ela o encara como se pudesse ser venenoso.

— Você veio aqui para me trazer *café*?

— Não. Vim aqui para conversar com você. O café é só um suborno pelo seu tempo.

— Não quero seus subornos. Não mais.

— Tá. Talvez depois. — Eu o coloco na bancada.

— Posso saber como você entrou aqui?

— Roubei as chaves do Cal e o tranquei do lado de fora.

— Declan...

— Sinto sua falta.

— Faz menos de vinte e quatro horas que você me viu pela última vez.

— O gene do vício é forte na minha família. Tenha pena do seu marido.

Ela fecha a cara com minha piada. Eu me recuso a perder a esperança, embora a maneira como ela me olha me faça questionar isso por um momento.

— Sinto muito sua falta, não sei o que fazer. A casa fica silenciosa demais sem você, e o banheiro fica limpo demais. Nem o macarrão tem o mesmo gosto sem você cozinhando.

— Fazer macarrão não é cozinhar, segundo você.

— Vamos para casa. Vou cozinhar todo dia pelo resto da nossa vida se você concordar em nunca mais ir embora.

Seus olhos se fecham.

— Não.

Aproveito que a guarda dela está baixa e vou até ela. Seu queixo se encaixa perfeitamente na palma da minha mão, e eu acaricio sua bochecha com o polegar.

— Por favor. Fico destruído sem você.

Ela ergue os olhos para mim.

— Não estou pronta.

— Como assim *não está pronta*? — O enjoo no meu estômago volta mais forte do que nunca enquanto ela recua do meu abraço. Não a detenho, embora todas as células do meu corpo estejam me empurrando na direção dela como um ímã.

— Preciso de tempo para pensar.

— O que há para pensar?

— Em você. Em mim. Em *nós*.

— O que tem nós?

— Se existia ou não um *nós,* para começo de conversa.

Meu peito fica apertado pela confissão dela. Em vez de chafurdar na dor que inflama dentro de mim como uma infecção, escolho ignorar essa sensação.

— Você assinou um contrato.

— Nosso acordo nunca disse nada sobre estar em uma relação de verdade. Você mesmo disse que isso era um jogo.

— Isso não é a porra de jogo nenhum, e você sabe disso. — A ideia de ela pensar desse jeito me faz querer me enfurecer, mas me contenho. Já causei estragos demais até agora.

Ela balança a cabeça.

— Não sei mais no que acreditar.

— E daí? Você só quer que as coisas voltem a ser como eram antes de nos apaixonarmos?

Seus olhos desviam, e está claramente estampado em seu rosto. É exatamente o que ela pensou.

Dou um riso amargurado.

— Pode tirar o tempo que quiser, mas nada vai mudar o fato de que eu e você somos inevitáveis.

Preciso de um grau absurdo de autocontrole para me afastar dela, mas nada de bom vai acontecer se eu continuar insistindo. Ela quer tempo, e pretendo dar isso a ela. Desde que aconteça de acordo com minhas regras.

* * *

Cal entrega a carta de demissão oficial de Iris às nove horas, exatamente como ela prometeu. Depois de tudo que fiz para evitar que isso acontecesse, ela vai embora mesmo assim.

Tudo por sua causa.

Cal para diante de mim.

Ergo os olhos da carta.

— Pois não?

— Você vai assinar?

Aperto a carta de demissão com os dois punhos.

— Pretendo.

Ele ergue uma sobrancelha e aponta para o papel.

— Pode voltar para sua mesa agora.

— E perder todo esse conflito interno e angústia? Você acha que sou o quê?

— Um homem morto.

Ele sorri.

— Ver você sofrer passando por isso tudo é divertido demais para ignorar, ainda mais considerando como deixou a Iris infeliz.

— Você pode, por favor, me deixar em paz? Não estou no clima.

Suas sobrancelhas se erguem, e percebo que saí do personagem. Eu *pedi* para ele sair.

Desde que cheguei ao escritório, tenho tido uma constante dor no peito. Não há reuniões ou trabalho agitado suficientes que tirem minha mente da conversa que tive com Iris hoje cedo.

Passei pela mesa de Cal por instinto, quase esperando que ela estivesse lá, mas me lembrei de que ela não vai voltar. Estou tão acostumado a tê-la por perto que não sei como vou lidar com sua ausência.

— É melhor assim. — Meu irmão puxa a cadeira habitual de Iris, mas aponto para a outra.

Ele me lança um olhar antes de se sentar na cadeira ao lado da de Iris.

— Ela não vai voltar. Guardar a cadeira dela não vai mudar isso.

— Ela ainda é minha esposa. A cadeira é dela independentemente da situação profissional dela, então use a outra.

— Ela ainda é sua esposa mesmo?

— Saia — digo, fervendo de raiva.

Ele encolhe os ombros.

— Só estou perguntando.

— Não, você está puxando briga.

— Talvez eu esteja. Pelo menos assim *nós* podemos resolver isso. Não gosto de trabalhar com toda essa tensão no ar.

— Não há nada para resolver. Isso é entre mim e ela, seja lá qual for a impressão que você tenha.

— Ela veio falar comigo *chorando*, Declan. Não vou varrer isso para debaixo do tapete porque você decidiu um pouco tarde demais que tomou a decisão errada e a quer de volta.

Meus punhos se cerram no colo.

— Não vou conversar sobre isso com você.

— Então assine o papel e eu saio.

Pego uma caneta-tinteiro para assinar a carta de demissão, mas me contenho. Minha mão paira sobre o espaço de assinatura em branco.

Cal limpa a garganta.

— Se você realmente a ama, isso precisa ser feito.

— Mesmo que pareça errado?

— É claro que parece errado. Vocês dois são codependentes um do outro há tempo demais.

— Ao menos todas as clínicas de reabilitação que paguei para você ensinaram alguma coisa. — Ainda que não o tenham impedido de voltar a beber, ele aprendeu uma coisa ou outra sobre maus hábitos.

Ele me aponta o dedo do meio.

— Esse trabalho não deveria ser o que mantém vocês dois juntos, assim como não deveria ser o motivo que mantém vocês dois separados. Então, se quiser uma chance de ter um bom casamento, precisa abrir mão dela como funcionária.

Encosto a caneta no papel e assino meu nome ao lado do dela.

— Pronto. — Empurro a folha antes que tenha a chance de destruí-la.

— Vai ficar tudo bem.

— Definitivamente não é o que parece. Sinto que a estou perdendo antes mesmo de ter a chance de tê-la para mim — retruco.

Seu rosto se suaviza.

— Não é tarde demais para recuperá-la.

— Como você sabe?

— Porque, por algum motivo, ela ama você, apesar de todas as razões pelas quais não deveria.

— Ela nunca me disse isso.

— Quê?

— Ela nunca me disse que me amava. — Baixo a voz.

— Não quer dizer que ela *não possa* dizer ainda. — Ele sai da minha sala com a carta de demissão de Iris assinada.

Pego o celular antes que consiga me conter. Não vou recuar de meu acordo de dar espaço a Iris, mas isso não quer dizer que eu precise ficar em silêncio enquanto faço isso.

Abro nossa conversa e mando uma mensagem com uma única palavra para expressar como me sinto.

Eu: *Litost.*[13]

Incluo uma foto de sua cadeira vazia para expressar meu sofrimento com a lembrança de como sou solitário sem ela.

Ela não responde. Não pensei que responderia, mas faz meu peito doer mesmo assim.

Tento voltar ao trabalho, mas minha mente não para de voltar a nossa relação. Meu cérebro não consegue se concentrar em nada do meu trabalho real, por mais que eu me esforce. Em vez de insistir, desligo o computador e passo o resto do dia pensando em como exatamente posso recuperar Iris.

As palavras de Cal parecem ecoar na minha cabeça.

Ela ama você, apesar de todas as razões pelas quais não deveria.

Mas e se eu der todas as razões pelas quais ela deveria?

---

13. Substantivo, tcheco: um estado de agonia e tormento.

CAPÍTULO QUARENTA E CINCO

Iris

Passo meu primeiro dia de férias fazendo absolutamente nada. Era para ser incrível e tudo que eu sonhava que seria, mas não consigo superar o fato de que pedi demissão. E, em um grande sentido, sinto que larguei Declan também.

Fico olhando fixamente para o teto pelo que parecem horas tentando decidir o que fazer. O impulso de perguntar a Cal como estão as coisas é quase tão forte quanto o desejo de responder à mensagem de Declan. Como posso não responder depois que ele me mandou uma foto de minha cadeira e uma palavra que se traduz para algo próximo de *angústia*?

Não sei o que fazer com todas as sensações que me atingem de uma única vez. Embora eu sinta raiva de Declan pelo jeito como agiu em Dreamland, eu me sinto igualmente culpada por saber que está sofrendo por mim. Não sou o tipo de pessoa que guarda ressentimentos. Eles me deixam nauseada, irritadiça e ansiosa a ponto de precisar de um Xanax.

Tento me distrair atualizando meu currículo. É melhor eu fazer alguma coisa útil em vez de me afundar em sentimentos, embora a tarefa seja emocionalmente mais desgastante do que eu pensava enquanto reviso meu histórico profissional como assistente de Declan. Paro de descer a tela na parte menos favorita de meu currículo, intitulada Formação acadêmica. Ela continua vazia, com apenas uma menção a um diploma de ensino médio que conquistei.

A vergonha que costumo sentir por saber que nunca fui à faculdade não existe mais, o que me choca. Passei anos evitando conversas com outros funcionários sobre meus diplomas e minhas qualificações. O acanhamento pela falta de experiência me atormentava, então trabalhei para mostrar a todos que não era um fracasso.

As palavras de Declan me magoaram por uma infinidade de motivos, mas talvez o maior deles seja um que não tem nada a ver com ele.

Porque, no fundo, sou sim um fracasso, mas não no sentido que as pessoas presumem.

Fracassei em enfrentar meus medos. Em vez disso, passei anos vinculando meu valor a meu cargo e, agora que não o tenho, me sinto perdida. Posterguei a ida para a faculdade e não quis arriscar. E, mesmo quando assumi um risco e me candidatei para o departamento de RH, ainda assim foi tentando ficar dentro de minha zona de conforto.

Evitei ir à faculdade porque tinha medo de fracassar. E, em vez de enfrentar esse medo, caí na rotina. A mesma em que estou desde que me formei no ensino médio aos dezenove anos. A mesma que vai seguir acontecendo enquanto eu continuar permitindo que as inseguranças do passado governem minhas decisões atuais.

Você não é mais aquela menina. Não precisa provar seu valor a ninguém além de si mesma.

Essa é a questão. Estou finalmente pronta para provar que as únicas limitações que tenho são as que eu mesma me imponho.

Fecho o navegador e abro um novo para poder buscar universidades na região. Se a Iris do passado pudesse me ver agora, teria um ataque cardíaco. Nunca pensei que me candidataria de livre e espontânea vontade para uma formação universitária.

Você acha que isso daria um ataque cardíaco nela? Você se casou com seu chefe por uma herança que nem sua é.

Empurro os pensamentos sobre Declan para o lado. Para conseguir fazer alguma coisa de útil hoje, a última coisa que devo fazer é pensar nele, por mais que queira.

Abro um arquivo novo no Excel e começo uma lista de prós e contras focada em faculdades, programas e mensalidades. Depois disso, crio uma lista de tarefas de coisas que preciso fazer antes de poder me candidatar, incluindo estudar para os exames.

Quando Cal chega em casa depois de seu primeiro dia de trabalho, de uma coisa estou certa: vou voltar para a faculdade.

* * *

Meu celular vibra com uma mensagem nova. Eu o puxo na bancada e desbloqueio a tela para ver que é de Declan.

> **Declan:** *Saudade.*[14]

Chega uma foto da ilha em nossa cozinha. Meu jogo americano está colocado ao lado do dele como se eu pudesse aparecer a qualquer momento para fazer companhia a ele enquanto come seu macarrão. Essa é a terceira noite seguida em que ele me manda uma foto parecida, todas com uma palavra diferente na mesma temática.

Falta. Tristeza. Remorso.

Talvez Declan não seja o único que sinta *saudade*. Pela maneira como meu peito aperta enquanto encaro sua mensagem, sou tomada pelo impulso de ir para casa.

Casa.

Merda. Desde quando comecei a sentir que a casa dele era *nossa*?

Desde que você começou a se apaixonar por ele.

Sinto um nó na garganta, e me esforço para respirar fundo.

— Qual é o problema? — Cal entra na cozinha.

— Nada.

— Declan mandou outra mensagem?

Suspiro.

— Sim.

— Você já respondeu?

— Não. — Embora eu quisesse. Quero muito, de verdade, mas a parte racional do meu cérebro me segura, fazendo perguntas que me contêm.

E se ele fizer besteira de novo?

E se só estiver correndo atrás de você porque quer ganhar a herança dele?

E se eu decidir me apaixonar por ele apesar de todos os sinais de alerta, sabendo que ele pode me machucar de novo?

Minha cabeça é uma confusão de perguntas que não têm respostas de verdade.

— Você quer conversar com ele?

Evito contato visual enquanto respondo.

— Não.

— Você sente falta dele. — Ele afirma isso como um fato.

---

14. Na edição original norte-americana, a palavra está escrita em português. (N.T.)

— É claro que sinto. Sinto tanta falta que me dá dor de barriga porque também me sinto culpada por querer estar com ele.

— Então por que você não fala com ele?

— Porque confiei em meu coração antes e olha só no que deu. Agora estou duvidando de *tudo*. Se é isso que é amor, então não quero, porque dói pra caralho. — Meus olhos se enchem de lágrimas.

Cal me dá um abraço.

— Vai ficar tudo bem.

— Como você pode ter tanta certeza? — Seu peito abafa minha resposta.

— Porque, se o Declan ama você como você o ama, ele não vai parar até consertar as coisas.

***

Depois de minha crise do dia anterior, decido visitar a pessoa que mais me entende. Talvez minha mãe possa me ajudar a analisar melhor as emoções que me atormentam. Embora não saiba a história toda sobre meu casamento, ela sabe o bastante sobre relacionamentos para me ajudar a entender o meu.

Sua sala de aula não muda há anos. Ainda tem cheiro de tinta velha com um toque de cola, e me faz lembrar de tardes passadas colorindo enquanto ela lecionava seu programa extracurricular.

— Olha, que surpresa. — Ela retribui meu abraço com um bem apertado.

— Queria ver você.

— O que aconteceu? — Ela me lança o mesmo olhar de sempre quando algo está se passando.

— Nada...

Ela ri enquanto dá um tapinha em uma das carteiras da sala de aula.

— Sente aqui. — Ela me passa um papel em branco e uma caixa de lápis de cor.

É assim que as coisas sempre aconteciam entre nós. *Colorir e confessar*, como ela chamava, afinal ela sempre me fazia ceder mais cedo ou mais tarde.

— Por mais que eu adore que você tenha passado para me ver, não consigo deixar de perguntar o motivo.

— Preciso de uma justificativa para vir visitar a minha mãe?

— Considerando que você não visita a minha sala há três anos, sim, precisa.

Suspiro.

— Tão ruim assim?

Baixo a cabeça enquanto olho fixamente para minhas mãos.

— Declan e eu tivemos uma briga na semana passada.

— Ah. Foi o que imaginei.

— As coisas ficaram muito fortes e sinceras, se é que você me entende.

As poucas rugas ao redor de seus olhos se apertam.

— Ele disse algumas coisas que magoaram você.

Dou uma versão resumida de nossa briga, me concentrando sobretudo em nossos problemas de trabalho e como isso afetava nossa vida pessoal.

— Não consigo deixar de me perguntar... — Perco a voz enquanto considero como expressar minha preocupação.

— Se ele pode acabar como o pai — ela completa por mim.

— Isso.

Ela coloca a mão sobre a minha, me fazendo parar de colorir.

— É um medo normal depois de tudo que você presenciou entre seu pai e eu, mas você precisa entender que os casais brigam mesmo. Faz parte de qualquer relacionamento saudável. Não quer dizer que a outra pessoa deva menosprezar você ou machucá-la intencionalmente, mas as pessoas cometem erros. Essa não vai ser a primeira nem a última vez que o Declan fala alguma coisa da boca para fora no calor do momento. Mas, se ele estiver arrependido, e arrependido *de verdade*, você precisa aprender a perdoá-lo.

— Falar é fácil.

Ela aperta minha mão.

— Aprender a perdoar é tão importante quanto pedir perdão.

CAPÍTULO QUARENTA E SEIS
Declan

Como sempre, mando uma mensagem para Iris pela manhã. Anexo uma foto de nós no Jardim Botânico com uma palavra que descreve a falta que sinto dela.

Eu: *Sehnsucht.*[15]

Encaro a tela do celular por mais tempo do que deveria, esperando uma resposta que nunca chega. Meu coração aperta no peito a cada mensagem ignorada.

Você pode ficar chateado ou seguir em frente com o plano.

Respiro fundo, desligo o computador e tranco o escritório.

— Aonde você vai? — Cal ergue os olhos da tela.

— Vou tirar o resto do dia de folga.

— Quê?

— Por favor, cancele todos os meus compromissos pelo resto do dia. Não vou estar disponível.

— Todos os *oito* compromissos?

— Isso é um problema?

— Não, mas...

— Ótimo. Vejo você amanhã. — Sigo para a saída antes de parar para olhar para trás para meu irmão, que ainda está boquiaberto. — Obrigado por me ajudar. Eu sei que você não precisava, mas agradeço por ter substituído a Iris mesmo assim.

— Estou fazendo isso pela Iris. Não por você.

— Eu sei, e esse *é o motivo* pelo qual eu valorizo ainda mais. — Saio do escritório com a cabeça erguida e pronto para colocar meu plano em ação.

* * *

---

15. Substantivo, alemão: falta, desejo, anseio ou necessidade.

Harrison e eu rodamos toda Chicago enquanto busco um abrigo após o outro atrás do cachorro perfeito. Iris foi bem específica sobre seus requisitos, e não pretendo estragar tudo. Meu entusiasmo diminui a cada abrigo de que volto de mãos vazias, e lá pelo décimo estou perdendo a esperança.

— Talvez possamos tentar de novo amanhã, senhor. — Harrison segura a porta aberta para mim.

Solto um suspiro pesado. Essa é uma parte importante do meu plano, e já estou falhando. Será que é tão difícil assim encontrar um cachorro grande e peludo que siga Iris por toda parte?

Praticamente impossível, pelo visto.

Abro o celular e olho o próximo abrigo na lista.

— Vamos tentar mais um e terminar por hoje.

Harrison me leva até o último. Não é a melhor parte da cidade, então não planejo ficar por muito tempo, já que Harrison e o Maybach podem não estar aqui quando eu voltar.

Um sino toca sobre mim quando entro no prédio. A única funcionária no local não tira os olhos de uma revista.

— Oi. — Paro diante do balcão.

Ela sopra uma bola de chiclete antes de estourar.

— Estamos fechados.

Olho para a placa na entrada.

— Vocês ainda estão abertos por mais trinta minutos, então vamos tentar de novo.

Seus olhos se arregalam antes de se estreitar, como se ela me reconhecesse de algum lugar, mas não conseguisse identificar de onde.

— Como eu posso ajudar?

— Estou procurando um cachorro grande e peludo com ansiedade de separação.

— Isso é estranhamente específico.

— Nem me fale. Vocês têm algum cachorro que se encaixe nessa descrição?

— Hmm... não que eu saiba.

Meu último pingo de esperança se esvai. Vou me recompor e tentar de novo amanhã depois que tiver uma boa noite de descanso. Não que eu consiga dormir muito bem com Iris do outro lado de Chicago, dormindo no apartamento de meu irmão.

Bato a mão no balcão.

— Entendi. Obrigado pelo seu tempo, então.

— Quer dar uma olhada lá no fundo por via das dúvidas?

Abro a boca para dizer não, mas mudo de ideia.

Você já veio até aqui. Não custa nada dar uma olhada.

— Está bem. Mostre o caminho.

Ela me leva até o cômodo dos fundos. Gaiolas cobrem as paredes, cheias de cachorros e outros animais esperando por um novo lar. Alguns se encolhem na gaiola quando passo por eles, enquanto outros chiam ou latem em minha direção.

— Viu algum de que gostou?

— Não. — São todos pequenos demais, bem cuidados demais ou assustadores demais para serem considerados apropriados.

Um cachorro late na gaiola mais distante.

— O que é aquilo?

— Aquele cercado é reservado para o cachorro que está sendo preparado para eutanásia. Ele deve estar um pouco ansioso por estar separado de todos os outros.

— Vocês planejam matá-lo?

— Não temos espaço nem dinheiro para abrigar todos, então quando eles atingem um certo tempo à espera de adoção... sabe?

Jesus. Dou um passo na direção da última gaiola. Dois olhos escuros se erguem para mim, quase invisíveis de trás dos pelos brancos e cinza que o cobrem.

— Que raça é essa? Urso-polar?

Ela se aproxima e olha a plaquinha.

— O pessoal acha que é old english sheepdog. Difícil saber sem um teste de DNA.

Ele parece meio velho. Com base na placa, sua data estimada de nascimento foi há mais de quatro anos. É praticamente um ancião em anos de cachorro.

— Pode soltá-lo?

— Tem certeza? Ele é um pouco... inquieto. — Pela maneira como os olhos dela se voltam ao redor do cômodo, parece que ela precisa de um taser para lidar com um cachorro.

— Abra.

Ela encolhe os ombros antes de destrancar a gaiola. O cachorro sai correndo feito uma bala antes de trombar em mim. Tento me segurar, mas acabo caindo de bunda no chão enquanto o cachorro lambe minha cara toda do queixo até o cabelo. É absolutamente repulsivo, mas não consigo deixar de rir quando ele repete o gesto do outro lado, sem deixar nenhuma área sem lamber.

— Ele vai ser abatido amanhã?

— Logo cedo.

O cachorro choraminga como se conseguisse entender a conversa. Ele se senta no meu colo como se fosse um cachorro pequeno, mas esmaga meu pau sob seu peso.

Eu o empurro para o lado e me levanto.

— Ninguém quis adotá-lo?

— Não. — Ela volta a olhar para a placa dele. — Ah, olhe. Ele sofre de problemas de abandono e não gosta de ser deixado sozinho por mais do que algumas horas. Se for, ele pode destruir seu sofá preferido ou fazer xixi no seu tapete.

Ótimo. Mistério resolvido.

Ele ergue os olhos para mim como uma promessa silenciosa de se comportar. Estou achando difícil acreditar porque ele está babando nos meus sapatos como se quisesse transformá-los em seu novo brinquedo favorito.

— Acho que é o mais próximo que vou ter de problemas de separação.

— Então você vai levá-lo?

— Sim. Traz a papelada para eu assinar.

Agora sou o pai de um cachorro carente que muito provavelmente vai destruir minha casa antes que Iris tenha a chance de voltar.

Perfeito. Simplesmente perfeito.

***

No dia seguinte, chego ao trabalho com o cachorro que ainda não foi batizado. Depois que ele destruiu meu sapato favorito enquanto saí para correr ontem à noite, não dá para deixá-lo perto de coisas caras. Trazê-lo para o escritório é uma solução temporária. Que eu preciso resolver em breve, depois que encontrar uma creche de cães adequada para treiná-lo.

— O que é isso? — Cal para perto da porta da minha sala.

— Um cachorro. — Não tiro os olhos do computador.

O cachorro late em resposta. Ele tenta se soltar de sua coleira presa em minha mesa, mas não consegue.

— Isso eu entendi, mas por que ele está aqui? Na sua sala?

— Ele tem problemas de abandono.

O cachorro late de novo para concordar.

— Ele é seu? — Cal dá um passo hesitante na direção dele.

— E de Iris.

— Diga que você não adotou um cachorro para ela porque achou que isso a faria feliz.

— Certo. Não vou dizer.

Ele esfrega o rosto.

— Merda.

— Se vai julgar o meu plano, é melhor voltar ao trabalho. Já estou estressado demais. — Entre procurar novos funcionários para ocupar o cargo de Iris e pensar no resto do meu plano, estou sobrecarregado.

— Qual é o seu plano?

Meus olhos se estreitam.

— Por que você se importa?

— Porque sou seu irmão e me sinto obrigado a te ajudar antes que você faça alguma coisa drástica.

— Tem alguma coisa considerada mais imprudente do que adotar um cachorro?

— Eu é que não quero descobrir. — Ele acaricia a cabeça do cachorro.

Eu o encaro.

— Pensei que estivesse bravo comigo.

— Estou, mas quero o melhor para a Iris, mesmo que seja você.

— Muito obrigado pelo elogio enviesado, babaca.

Ele encolhe os ombros.

— Como se você precisasse de uma injeção de autoestima.

— Considerando que minha esposa não quer nada comigo, toda ajuda é bem-vinda.

— Quem diria que se apaixonar deixaria você tão ridículo?

— Se você acha isso ridículo, espere só para ver a próxima parte do plano.

CAPÍTULO QUARENTA E SETE

Iris

— Estamos chegando?

Quando Cal me chamou para resolver umas coisas com ele, pensei que quisesse dizer uma volta rápida ao mercado. Faz tempo que passamos do mercado e de qualquer sinal de civilização.

— Sim. — Ele bate no volante no ritmo da música que sai do rádio.

— Parece que estamos dando voltas há horas.

Ele ri.

— Faz meia hora. No *máximo*.

Um raio corta o céu.

— Vai chover logo.

— Que conveniente — ele responde com a voz seca.

— Vai me dizer o que planejou ou vai seguir com o elemento surpresa aqui?

— Não sou eu que vou surpreender você.

— *Quê?*

Ele para o carro e destrava as portas.

— Saia.

— Está de brincadeira?

— Infelizmente não. Mas tenho certeza de que você gostaria que eu estivesse.

Não mexo um músculo. Cal sai do carro e dá a volta pelo capô para abrir minha porta.

— Vamos.

— Estamos no meio do nada.

— Pare de ser dramática. Passamos por um Starbucks há dez minutos.

— Por que estamos aqui? — Estou chocada demais para fazer qualquer coisa além de sair do carro atrás dele.

— Só dê um segundo para ele.

— Diga que você não armou pra mim. — Olho ao redor, tentando encontrar esse *ele* de quem Cal está falando.

Meu comentário não é respondido enquanto Cal entra no carro e faz uma curva em U abrupta para longe de mim. Seus pneus cantam enquanto ele acelera pela estrada, me deixando tossindo com a fumaça do carro.

— Mas que porra? — Tiro o celular da bolsa e ligo para o número dele. O babaca me manda direto para a caixa postal.

Começo a falar no momento em que ouço o bipe para deixar uma mensagem.

— É melhor que você tenha um bom motivo para me largar assim...

Meu sermão é interrompido por um carro descendo a rua. Já vi documentários de crime suficientes para saber que nada de bom vem de pedir carona a estranhos. Olho o perímetro ao redor em busca de um lugar onde me esconder, mas estou cercada por terreno plano e pedaços de lixo.

— Porra. Cal, vou matar você hoje à noite enquanto você dorme. De um jeito ou de outro.

Quando o carro se aproxima, percebo que nem um carro é, mas uma minivan branca. Que é parecida demais com as vans de assassinos em série das quais falam para as mulheres ficarem longe. Meu coração bate forte no peito, lutando para escapar.

Cruzo os dedos e sussurro:

— Por favor, não seja um assassino. Por favor, não seja um assassino...

Eu me assusto com o som de uma buzina seguida por um latido alto.

— Precisa de uma carona?

Meus olhos se arregalam ao ouvir a voz de Declan.

— Puta que pariu. — Mordo a língua e um gosto metálico enche minha boca imediatamente.

Acho que isso está mesmo acontecendo.

Declan sai do veículo usando seu melhor terno.

— Tenho um lugar para ir, então, se precisa de uma carona, vai ter que entrar. — Ele se recosta no capô do carro como se essa não fosse a situação mais estranha da história.

Abro a boca para perguntar por que Cal armou essa para mim, mas sou interrompida pelo estrondo de um trovão.

Ele ergue uma sobrancelha.

— Então, vamos ou vai querer ser eletrocutada?

Entro no lado do passageiro e abro a porta.

— Me deixe no Starbucks descendo a estrada.

— Vou no sentido oposto.

— Dê a volta. — Eu me sento antes de a chuva cair sobre nós.

Ele não responde enquanto tranca minha porta com um sorrisinho.

— O que... — Minha resposta é interrompida por um latido de cachorro.

Dou uma olhada no banco de trás e encontro um cachorro enorme amarrado a uma espécie de assento para cães. Ele é coberto de pelos das patas à cabeça, e mal consigo distinguir seus olhos sob a franja gigante. Estou surpresa que caiba no banco de trás de tão grande que é.

— De quem é esse cachorro? — pergunto quando ele abre sua porta.

— Nosso.

— Nosso?!

O cachorro late em resposta.

Não vou nem falar sobre esse comentário. Em vez disso, busco o endereço do Starbucks mais próximo no celular.

— Me deixe aqui.

Ele ignora completamente meu mapa enquanto vira no sentido oposto.

— Declan!

— Eu sei que não mereço, mas me dê oito minutos de seu tempo.

Sou levada de volta à lembrança da última vez que ele me pediu oito minutos, mas em vez disso me deu oito palavras.

Estou me apaixonando por você, Iris Elizabeth Kane.

A lembrança me deixa complacente o bastante para ficar em silêncio enquanto ele nos guia pela estrada. Nuvens cinza se derramam sobre nós. A chuva cai no para-brisa, e Declan é forçado a ligar os limpadores para enxergar bem.

O cachorro choraminga com o som do trovão.

— O que fez você adotar um cachorro?

— Você disse que queria um.

Fico boquiaberta, e nenhuma palavra sai.

— Precisei passar por onze abrigos até encontrar um que se encaixasse nas suas exigências exatas, mas acabei conseguindo. Tomara que você goste dele, porque nunca que ele vai voltar para aquele lugar horrível. Eles o teriam sacrificado se não fosse por mim.

Uma risada me escapa antes que eu consiga contê-la. Quando inventei a história do cachorro, nunca pensei que Declan realmente sairia e encontraria um para mim. Muito menos que adotaria um do tamanho de um urso.

— Por que você faria isso? — Minha voz embarga enquanto minha firmeza cede.

— Por que não? Você queria, então fiz acontecer.

— E a minivan?

— Pensei que poderíamos já ter uma pronta para todas as crianças que você quer ter um dia.

Minha visão fica enevoada.

— Você não pode estar falando sério.

— Estou, e pretendo demonstrar para você. — Ele fica em silêncio enquanto pisa no acelerador.

O resto do trajeto é esburacado. Fico grata quando Declan para a van antes que eu vomite de enjoo pela viagem. Ele estaciona na frente de uma grande casa de fazenda com as janelas fechadas por tábuas e um alpendre que parece prestes a desabar. Ele sai sem guarda-chuva, então eu quase poderia esquecer que está *chovendo*.

Ele não parece nem um pouco incomodado com ela enquanto abre a porta e estende a mão.

— Venha comigo.

Ergo os olhos para ele.

— Está chovendo.

— Eu sei. Essa é meio que a intenção. — Ele pega minha mão e me puxa para fora do carro.

Gotas de chuva caem na minha pele. Declan me guia para fora do carro, embora não cheguemos muito longe antes de ele parar na frente do alpendre desgastado. A água molha seu cabelo, sua pele e suas roupas. Não acho que eu esteja muito melhor do que ele pelo jeito como minha camiseta está colada no corpo. Fico tentada a procurar abrigo no alpendre, mas a madeira parece torta e deteriorada por anos de negligência.

— Que lugar é este?

— Um segundo.

— Claro, vou esperar até pegar pneumonia.

Sua mão que aperta a minha vira e gira meu conjunto de anéis até os dois escaparem.

Um aperto insuportável no meu peito se intensifica quando olho para meu dedo sem aliança.

— Espera...

Declan tira uma caixa de alianças do paletó e se ajoelha. Seu rosto continua uma tela em branco, completamente desprovido de qualquer emoção visível enquanto olha para mim.

Meu coração bate forte no peito enquanto ele segura minha mão esquerda.

— O que você está fazendo?

— Pedindo você em casamento no meio de uma tempestade em um terno Tom Ford.

Ai. Meu. Deus.

Não pode ser. Ele não pode estar recriando a história que inventei. *Certo?*

Errado. Ele abre a caixa de aliança, e eu contenho uma exclamação. Mesmo sem o sol refletindo nelas, consigo ver que ele comprou o anel de esmeralda mais lindo que já vi.

— Iris.

— Oi? — Levo os olhos do anel até ele.

Sua mão segurando a minha *treme*, e eu sei que isso não tem nada a ver com a chuva. Dou um aperto tranquilizador. Ele murmura alguma coisa que parece *lá vamos nós*, e meu peito se aperta com sua demonstração de vulnerabilidade.

— *Ya'aburnee*.[16] Quer dizer *você me enterra*. Uma tradução aproximada da ideia de que quero deixar este mundo antes de você porque não consigo imaginar ter que passar um dia sem você. Se essa última semana é uma prévia desse tipo de vida, posso garantir que não é uma vida que vale a pena viver. Você é minha esposa e minha melhor amiga. A futura mãe dos meus filhos e o lugar em que realmente me sinto *em casa*. Você é a mulher com quem quero passar o resto da vida, não porque assinou um contrato, mas porque me ama o suficiente para ficar mesmo sem um.

"Quero ser o tipo de homem que é digno de uma mulher como você, se é que isso é possível. Juro que vou me esforçar todos os dias para garantir que não se arrependa de ter se casado com alguém tão triste como eu. Porque, quando estou com você, não sou nem um pouco triste. Você me faz feliz de um jeito que me deixa com medo de piscar e tudo desaparecer."

---

16. Em árabe: "Você me enterra".

A vulnerabilidade de suas palavras toca todas as cordas do meu coração.

— Vou dar a você tudo que quiser, tudo mesmo, se me der uma chance de fazer você tão feliz quanto você me faz. Um cachorro. Uma família. Um *lar*. Quero tudo. Esses são meus termos e condições, é pegar ou largar, porque não estou aberto a negociações.

— Só você poderia fazer um pedido de casamento parecer uma aquisição de empresa e sair impune.

— Casa comigo — ele ordena, com um sorriso que me faz aceitar praticamente qualquer coisa.

— Eu já *sou* casada com você. — Minhas lágrimas se misturam com as gotas da chuva, e não sei ao certo onde começam umas e terminam as outras.

— Casa comigo de verdade dessa vez. Sem contrato. Sem herança. Sem expectativas além de que você me ama apesar de todos os motivos para não amar.

Ele não diz mais nada enquanto ergue os olhos para mim. As emoções perpassam seu rosto como um anel de humor, alternando entre felicidade e medo. A chuva forte se transforma devagar em um chuvisco leve enquanto o encaro.

Casar com ele de novo significa confiar meu coração a ele sabendo que ele pode parti-lo. Significa dar a ele a chance de aprender com seus erros e se tornar um homem melhor a partir deles. O casamento não é fácil, mas a vida também não, e não consigo me imaginar fazendo nem uma coisa nem outra sem Declan. Por sorte, não preciso tentar.

— Sim. — A resposta sai em um sussurro, então falo mais firme: — Sim. Quero me casar com você.

Minhas pernas tremem diante do sorriso no rosto dele enquanto coloca a aliança nova no meu dedo. Os diamantes que cercam a pedra verde cintilam como raios de sol, brilhando quando o sol finalmente brilha sobre nós.

— Esses foram os trinta segundos mais agonizantes da minha vida.

Eu rio.

— É o que você merece depois de tudo pelo que me fez passar.

Ele se levanta e me puxa para seus braços. Seus lábios encostam nos meus, tirando minha capacidade de respirar enquanto me beija com todo o seu amor. O abraço de Declan é como voltar para casa. Meus pés formigam e meu peito aquece, e fico completamente emocionada quando seus lábios encostam nos meus com delicadeza como um pedido de desculpas silencioso.

Nosso beijo continua pelo que parecem horas. Quando nos separamos, nós dois estamos completamente ensopados, embora a chuva já tenha parado de vez.

A maneira como ele olha para mim faz outro calafrio percorrer minha espinha. Dou um passo para trás, sabendo o que um olhar como esse quer dizer.

Limpo a garganta.

— Vai me dizer o que estamos fazendo aqui no meio do nada?

— Mostrando nossa casa nova para você.

— Nossa o *quê* nova? — Encaro a casa. Uso o termo em sentido amplo, porque o lugar parece estar abandonado há anos.

— Deixa eu te mostrar uma coisa. — Ele aperta minha mão enquanto damos a volta pela casa.

— Não. Pode. Ser. — Eu o encaro.

Ele sorri.

— Você gostou?

Dou um passo na direção de uma estufa deslumbrante. Ao contrário da casa atrás de nós, a estufa parece ter sido cuidada por alguém recentemente. O vidro impecável cintila, me dando uma boa ideia do espaço vazio lá dentro.

Eu precisaria comprar centenas de plantas para enchê-la. Talvez até mil. Declan me puxa junto ao peito para poder pousar o queixo no meu ombro.

— Pensei em deixar você escolher um lugar, mas, quando meu corretor me mostrou esse anúncio, sabia que era o ideal. Vim aqui no mesmo dia para dar uma olhada e fazer uma oferta.

— Por quê? — digo com a voz rouca.

— Porque não há nada que eu queira mais do que transformar uma casa em um lar com você.

Declan precisa vir com uma placa de alerta, porque estou sujeita a desfalecer sempre que ele está por perto.

— É linda.

Seus braços me apertam.

— Quer dar uma olhada?

— Podemos?

Ele sorri enquanto se afasta de mim e abre a porta. Passo os cinco minutos seguintes explorando o lugar, catalogando todo o espaço vazio que eu teria.

— Acho que estou no paraíso. — Traço um dedo por uma mesa vazia esperando para ser coberta de vasos.

— Então imagino que tenha gostado? — Sua voz confiante não combina com o olhar hesitante em seus olhos.

Ele está nervoso.

Declan ansioso é meu Declan favorito, porque é a versão dele que ninguém mais conhece. Ele se esforça tanto para esconder isso de todos, mas, perto de mim, não vê mal em baixar a guarda. Sinto um calor e um formigamento no peito por saber que ele confia em mim o suficiente para revelar essa parte dele. Porque, para alguém como ele, que cresceu pensando que emoções eram fraquezas, isso provavelmente deve significar muito mais do que eu poderia imaginar.

Vou até ele e coloco as mãos ao redor do seu pescoço.

— Eu amei muito.

— Que bom. Porque, se o meu pedido de casamento não desse certo, essa era minha segunda melhor opção para convencer você a se casar comigo.

Bato em seu peito molhado.

— Você não pode comprar o amor das pessoas assim.

Seus olhos *brilham*.

— Não quero o amor de outras pessoas. Quero o *seu*.

— Você já tem.

Ele pisca.

Fico na ponta dos pés para que meus lábios parem diante dos seus.

— *Daisuki*. — Encosto a boca na dele, e ele solta um suspiro trêmulo. — *Szeretlek*. — Ele geme quando aprofundo o beijo, mas recuo esbaforida um minuto depois. — *Ich liebe dich*. — Repito as mesmas palavras que ele sussurrou enquanto fazia amor comigo.

Seus olhos se fecham como se ele estivesse tendo uma sobrecarga sensorial.

— Eu te amo — completo em nossa língua, só para deixar a mensagem clara porque é muito provável que eu tenha assassinado a pronúncia de todas as palavras.

— Diga de novo. — Seus olhos escurecendo pairam sobre minha boca.

— Eu. Te. Amo.

Ele beija o topo da minha testa. A dor estampada em seu rosto me devasta, sabendo que ele passou trinta e seis anos da própria vida acreditando ser indigno de amor – tudo por causa de um pai abusivo de merda.

Envolvo sua bochecha com a mão.

— Sempre vou te amar. Hoje. Amanhã. Pra sempre.

— Você diz isso agora... — Sua voz se perde enquanto seus olhos se afastam.

Meu peito se aperta.

— E vou dizer todos os dias até você finalmente acreditar.

— Pode levar uma eternidade.

Traço a aliança de casamento com a ponta do dedo.

— Que bom que tudo que temos é tempo.

EPÍLOGO
Iris

UM ANO DEPOIS

— Ele está ocupado? — Paro na frente da mesa do assistente de Declan.

— Pode entrar. — Ele balança a cabeça com um sorriso antes de voltar a atenção para a tela do computador.

Vou até a porta do escritório de Declan e bato na madeira como já fiz centenas de vezes. Seu resmungo grave atravessa a porta, e eu a abro antes que ele tenha a chance de reclamar.

— Já falei para não me atrap... — Sua voz baixa quando nossos olhos se encontram. Sua cara fechada se transforma rapidamente no sorriso característico que deixa meus joelhos fracos.

Minhas pernas tremem e quase torço o tornozelo antes de me endireitar.

Ele se levanta e me ajuda a me sentar na cadeira antes que eu faça algo infeliz como cair de cara no carpete. O jeito como ele está agindo desde que anunciei que estava grávida me faz sentir como se ele não fosse descansar até eu estar permanentemente protegida em plástico-bolha.

— Falei para você parar de usar essas armadilhas mortais há semanas. — Desde que Declan leu uma história de terror sobre uma mulher grávida e sapato de salto, não esquece esse assunto. Tenho medo de voltar para casa um dia e encontrar o closet vazio e a lareira queimando todos os meus bens preciosos.

— Quero aproveitar meus sapatos enquanto ainda consigo vê-los. — Dou uma batidinha na minha barriguinha de gestante.

— São perigosos.

— Uso salto desde que aprendi a andar e descobri o guarda-roupa da minha mãe. Não me insulte assim.

Ele aperta os lábios no topo da minha cabeça.

— Como vai minha garota favorita?

Quase o corrijo, mas me contenho.

Não estrague a surpresa.

— Acordei sem correr para o banheiro, então conto hoje como um sucesso digno de celebração. — Coloco o saco para viagem do nosso restaurante italiano favorito em cima da mesa de Declan.

Ele ri enquanto se senta na cadeira à minha frente.

— O que o médico disse sobre o seu enjoo matinal?

— Ele me garantiu que a náusea constante é temporária e que deve melhorar logo se eu tiver sorte. Ele disse *se*, não *quando*. Se!

— Para que chamar de enjoo matinal se dura o dia todo?

— Porque a propaganda enganosa faz maravilhas com mulheres ingênuas como eu.

Declan ri baixo. Meu coração bate mais forte no peito quando ele pega o saco de papel.

Ele para antes de abrir, e quase solto um resmungo.

Baixe a bola, senão ele vai desconfiar.

Planejar uma surpresa pelas costas de Declan é trabalho duro. Ele faz questão de ir a todas as consultas médicas, então tive que fazer minha mágica com seu assistente para organizar uma agenda incontornável. O coitado do Jeff teve que lidar com a raiva dele a manhã toda.

Vou garantir que ele ganhe um bônus legal por seu sacrifício.

— Mais alguma novidade?

Faço que não com a cabeça.

— Não. Está tudo bem, mas já ganhei cinco quilos.

Seu sorriso se alarga. Meus olhos se estreitam, o que só o faz dar risada.

— Bom saber que estou alimentando você bem.

— Me alimentando? Você está me mimando, isso sim. — Declan chega em casa na hora do jantar toda noite só para me preparar uma refeição balanceada. No começo pensei que seria um caso isolado, mas ele tem feito questão de estar em casa lá pelas sete todos os dias.

— Acostume-se.

— Por quanto tempo? — Depois que ele se tornar CEO, duvido que tenha tempo para pequenas tradições como essa.

— Por tempo indeterminado.

Fico encarando.

— Mesmo quando você for CEO?

— Especialmente quando eu for CEO. Você mantém minha sanidade.

— Que ideia terrível, considerando que eu chorei durante um comercial de supermercado na semana passada.

Ele encolhe os ombros.

— Para ser justo, era um comercial muito bom.

Baixo a cabeça enquanto rio. Quando volto a me erguer para tomar ar, o olhar de Declan está concentrado em mim como um holofote.

— Quê?

Seus olhos brilhantes refletem o sorriso em seu rosto.

— Sinto falta de ter você por aqui.

Meu peito se aperta e sou tomada por uma onda avassaladora de afeto.

— Jeff é bom no que faz.

— Jeff não é *você*.

Eu me levanto e dou a volta em sua mesa. Ele rola a cadeira para trás e me puxa para seu colo. Suas mãos me envolvem, uma delas pousando na minha barriga.

O olhar contente em seu rosto faz algo maluco com minha frequência cardíaca. Ele se inclina para a frente para me beijar, mas o ronco do meu estômago o faz hesitar.

Suas sobrancelhas se franzem.

— Você já comeu?

Faço uma careta.

— Não.

Ele me tira do seu colo antes de me ajudar a voltar para minha cadeira. Em vez de voltar à cadeira dele, ele pega o saco de comida para viagem e o abre.

— Isso não é saudável.

Reviro os olhos.

— Desculpa por estar a fim de comemorar.

— Comemorar o que... — Sua voz se perde enquanto tira uma pequena suculenta do saco. O vaso branco está gravado com letras pretas que dizem: *Sou o pai babão de uma menininha.*

— Achei que você poderia deixar na sua mesa de cabeceira ao lado da outra.

Ele se volta para mim com os olhos arregalados.

— Vamos ter uma menina?

Faço que sim com um sorriso.

— Descobri hoje.

Declan me puxa para seus braços e me beija intensamente. Seus braços se apertam ao redor do meu corpo, me envolvendo enquanto ele devora minha boca. Sinto meu peito quase arder pelo amor que ele me demonstra. Ele só para de me beijar quando o ronco do meu estômago nos faz lembrar da terceira pessoa na sala que está faminta.

Ele me afasta. Abro a boca para reclamar, mas me seguro quando Declan se ajoelha na minha frente.

Ele beija minha barriga, e quase derreto pela doçura da situação toda. Meus olhos se enchem de lágrimas. Uma delas escapa e escorre pelo meu rosto.

— Eu sei que você vai me dar trabalho, bebê Kane, mas vai valer todos os fios brancos da minha cabeça. Isso eu posso garantir.

EPÍLOGO ESTENDIDO
Declan

— Lembra do que eu te falei.

— A gente tem que ficar quieto. — Minha filha encosta o dedo no lábio antes de rir baixo. Ilona não faz a mínima ideia de como usar uma voz baixa, mas não chamo a atenção dela. Afinal, ela só tem cinco anos.

Olho para sua roupa descombinada dos pés à cabeça.

— Cadê seu cartaz?

Seus lábios pequeninos se abrem enquanto ela inspira fundo.

— Esqueci. — Ela volta às pressas pelo corredor. Suas tranças balançam atrás dela, fazendo as miçangas de borboleta nas pontas saltarem.

Pelos barulhos que saem de seu quarto, parece que tem uma guerra acontecendo lá dentro. Resisto ao impulso de ver se está tudo bem. Iris diz que preciso parar de ser um pai helicóptero porque ela precisa começar a crescer.

Crescer é o caralho. Quero que ela continue com cinco anos para sempre.

— Peguei! — ela grita enquanto sai correndo do quarto.

— *Shh*. — Aperto o dedo nos lábios.

Ela ri baixo, e o som é como beber luz do sol pura. Seus sapatinhos batem nas tábuas do assoalho enquanto ela volta em minha direção.

— Posso dar uma olhada? — Faço uma cara séria e aponto para o cartaz dela.

Ela ergue o cartaz de ponta-cabeça, então o viro do lado certo.

fEliz fRomATuRA.

Está quase.

— Hmm. — Coço o queixo.

Ela olha para mim com seus grandes olhos castanhos cheios de insegurança.

— Você acha que a mamãe vai gostar?

Eu me inclino para a frente e dou um beijo na sua bochecha rechonchuda.

— Acho que ela vai *amar*.

— Eba! — ela diz entre um grito e um sussurro, e parte do meu coração se derrete ao ver isso.

— Vem. Vamos levar para a mamãe. — Estendo a mão.

Ela olha para minha mão antes de ir correndo até a porta do nosso quarto sem nem me esperar.

— Ilo...

Tarde demais. Ela entra no quarto com tudo.

— SERPRESA!

Chego rápido, sem querer que ela fique empolgada demais e acabe machucando Iris.

Nossa filha pula na cama, fazendo o pó dourado de seu cartaz voar por todo nosso edredom branco. Odeio glitter, mas criar uma filha obcecada por educação artística me faz inalar aquilo como um viciado faria com cocaína.

Iris parece pensar o mesmo que eu enquanto ergue os olhos com um sorriso.

— Vocês podem me explicar o que está acontecendo aqui?

Mesmo depois de anos de casados, Iris tem o poder de me incapacitar com um simples sorriso. Sou tomado pelo desejo assim que a vejo.

Depois de um susto no pronto-socorro no mês passado, Iris está de cama pelo resto da gravidez. A mudança foi difícil para ela. Ela passou de conseguir ir à escola e ajudar a criar Ilona a ficar presa na cama. E, embora não admita, sei que ainda está triste por não ter conseguido ir à cerimônia de abertura de Dreamland Tóquio na semana passada.

Por isso a festa. Eu não poderia deixar seus anos de trabalho árduo passarem em branco. Ela pode ter levado mais tempo do que a maioria para se formar na faculdade, mas temos uma filha saudável e mais dois a caminho graças aos sacrifícios que ela fez para colocar a família em primeiro lugar.

— Papai planejou uma festa de formatura para você!

— Uma *o quê*?

— Uma festa de formatura. — Paro ao lado de Iris na cama e dou um beijo suave nos lábios dela.

— Eca!

Iris ri.

— Tem certeza de que está pronto para os gêmeos?

— Claro. Ainda temos uma minivan para encher.

Ela balança a cabeça com um sorriso.

— Nesse ritmo, podemos precisar de um ônibus.

— Podemos providenciar isso.

Ela ri antes de levar um susto quando tiro o edredom de cima dela.

— Pare de me distrair. Temos convidados lá embaixo que estão esperando para ver você.

— Espera! Quer dizer agora?

— Sim. Vamos.

Ela olha para a própria roupa, horrorizada.

— Não posso deixar todos me verem assim.

— Você está ótima.

— *Psst*. Papai? — Ilona me chama.

— Sim, amor? — Abaixo para que ela coloque as mãos em forma de concha ao redor da minha orelha.

— Você esqueceu o chapéu. — Ela fala no volume máximo, perdendo completamente o sentido de cochichar.

Iris abafa o riso com a palma da mão.

Merda. O chapéu.

— Um segundo. — Desço a escada correndo e pego o capelo de formatura de Iris na mesa da sala de jantar sem dar de cara com ninguém. Quando volto para o quarto, Iris colocou um vestido casual e Ilona desapareceu.

— O que você está fazendo andando por aí?

— Estou de repouso, não respirando por aparelhos. É bom me exercitar um pouco todo dia.

Coloco o capelo no alto da cabeça dela antes de me abaixar para carregá-la nos braços.

Seus olhos reviram.

— Você é tão dramático.

— Prefiro o termo *superprotetor*. — Eu a carrego para fora do quarto e escada abaixo. O som de pessoas conversando fica mais alto quando entramos na sala.

— Surpresa! — todos gritam.

Ollie late antes de botar a língua para fora. Mal consigo ver seu chapeuzinho de formatura com todos os pelos que cobrem sua cabeça.

— Ai, meu Deus. — Iris cobre a boca.

Nossas famílias estão enchendo a sala. A mãe de Iris me ajudou a decorar o lugar com serpentinas, balões e confetes suficientes para deixar minha filha feliz.

Iris envolve minha bochecha, e eu baixo os olhos para ela.

— Obrigada por planejar isso. — Seus olhos cintilam.

— Você merece. É minha culpa que você engravidou, afinal.

Ela ergue a cabeça para trás de tanto rir.

— Você e aquele jatinho particular maldito. Não teríamos esses problemas se pegássemos voos comerciais.

— Quer apostar?

Ela me dá um tapa no peito com mais uma risadinha antes de eu deixá-la no sofá.

Depois que todos estão com uma taça de sidra de maçã espumante na mão, chamo Ilona para fazermos nossos discursos.

Ela não quis me contar o que planejou para Iris, mas imaginei que seria algo curto e fofo.

Eu deveria ter imaginado que não seria bem assim.

Ela aperta a mão no peito

— Juro fidelidade à bandeira...

Iris gargalha enquanto todos olham ao redor com a cara confusa antes de começarem a recitar o Juramento à Bandeira junto com ela. Quando é minha vez de falar, metade do grupo já está com a cara vermelha ou lágrimas nos olhos de tanto segurar o riso.

Ilona ergue os olhos para mim.

— Fiz direitinho, papai?

— Bom trabalho, amor. Vai ser difícil bater essa.

Ela me abre o sorriso mais brilhante de todos antes de voltar correndo na direção dos primos.

Embora eu não fique mais tão nervoso de falar em público desde que me tornei CEO, ainda assim sinto uma pontada no peito quando Iris olha para mim.

Ergo minha taça.

— Parabéns por essa grande conquista. Nunca duvidei da sua capacidade de ser uma mãe, uma esposa e uma estudante incrível, embora eu saiba que você tenha duvidado. Mas você perseverou apesar das dúvidas e conquistou seu diploma para ajudar outros como você. Não existe ninguém que mereça mais esse diploma do que você, ainda mais considerando os sacrifícios que fez para atingir esse objetivo. Você é a pessoa mais forte e batalhadora com quem já tive o prazer de trabalhar, e fico grato que os nossos filhos tenham um exemplo para se inspirar.

Ela seca os olhos.

Completo com uma palavra apenas para ela.

— *Gunnen*.[17]

— Que diacho de língua é essa? — vovó grita em algum lugar na multidão.

— Holandês ou alemão, se fosse para eu chutar.

— Por que é que ele falaria isso?

Iris sorri.

— Porque o nosso amor é assim.

---

17. Substantivo, holandês: encontrar felicidade no sucesso de outra pessoa de tanto que você a ama.

OBRIGADA!

Se você gostou de *Termos e condições para o amor*, por favor deixe uma avaliação! Qualquer avaliação, ainda que curta, ajuda a divulgar meus livros para outros leitores.

Entre no meu grupo de leitores do Facebook Bandini Babes para saber das novidades sobre o que escrevo e sobre livros em geral.

Escaneie o código para entrar no grupo.

AGRADECIMENTOS

Assim como Declan teve Iris, tenho a sorte de ter a melhor equipe me apoiando com o lançamento de *Termos e condições para o amor*. Obrigada do fundo do meu coração.

Aos meus leitores: obrigada. Sem seu carinho por *Amor nas entrelinhas*, este segundo volume nunca teria se concretizado. Agradeço a cada pessoa que leu, avaliou e elogiou meus livros para os amigos, parentes e seguidores. Seu amor por meus personagens e pelo meu jeito de contar histórias mudou minha vida da melhor maneira possível. Fiquem à vontade para me mandar e-mails ou mensagens diretas quando quiserem. Leio todos.

Mãe, obrigada por sempre me lembrar de regar minhas plantas enquanto escrevia este livro. Agradeço sua dedicação a ajudá-las a sobreviver enquanto eu estava enfurnada na caverna de escrita.

Sr. Smith, você pode não ser um bilionário, mas eu te amo mesmo assim.

DP, você deve estar se perguntando o que é que está acontecendo enquanto lê este agradecimento no meio de uma livraria. Surpresa! Eu escrevo livros românticos. Mas não se sinta obrigado a comprar este exemplar.

Erica, agradecer a você só por editar este livro seria um eufemismo extremo. Sua amizade, seu encorajamento e seu apoio durante um dos anos mais difíceis da minha vida significaram tudo para mim. Obrigada por tornar meus dias mais felizes.

Becca, obrigada por acreditar em mim e na minha história mesmo quando eu esqueci de fazer o mesmo. Você me incentiva a ser minha melhor versão possível como autora, e estou ansiosa para continuar a crescer com você.

Mary, uma de minhas primeiras amigas literárias e a pessoa para quem mais mando mensagens no mundo (desculpa, sr. Smith), obrigada. Seu talento fala por si, e posso elogiar seu design gráfico arrasador por horas, mas vou guardar isso para uma mensagem de voz.

Kendra, obrigada por me ajudar a elevar o nível deste livro. Você é realmente uma joia na comunidade literária, e fico grata por ter seu apoio. Desde me mandar opções de música a divulgar meus livros, mal posso expressar a gratidão que sinto por tudo que você fez por mim.

Elizabeth T, obrigada por ser parte deste projeto como minha leitora sensível. Seu feedback e nossa troca de ideias me ajudaram muito a dar vida a Iris e sua família.

Minhas leitoras beta (Amy, Mary, Nura, Mia, Elizabeth, Kendra), agradeço a cada uma de vocês por me ajudarem a dar vida a esta história. Obrigada por aturarem meus prazos apertados, minha síndrome de impostora e minhas perguntas e revisões constantes.

Jos, suas mensagens de texto e de voz sempre me fazem sorrir, e fico muito grata por ter você em minha vida. Obrigada por suportar meus péssimos hábitos de troca de mensagens.

Meus Bandini Babes, obrigada por fazerem meu grupo parecer uma segunda casa para mim. Adoro saber o nome, o piloto preferido e o namorado literário de cada um de vocês.

A toda a equipe da Valentine PR, obrigada por me ajudarem a tornar este lançamento possível.

Àqueles dois versos de "Illicit Affairs", de Taylor Swift, sobre uma língua secreta, obrigada por existirem. Vocês ajudaram a inspirar o jogo de palavras de Declan e Iris.

LEIA TAMBÉM...

Rowan é um homem de negócios cuja principal preocupação é assegurar sua herança bilionária. No entanto, seu avô – que foi o responsável pela criação do império da família – deixou uma condição diferente para cada um dos três netos. A de Rowan é que ele assuma as rédeas do parque de diversões Dreamland e revitalize o ambiente com ideias inovadoras.

Zahra, uma funcionária do parque, acredita fielmente no impacto positivo que Dreamland tem na vida das pessoas e sempre busca manter uma atitude positiva e bem-humorada.

Mas sua vida acaba virando de cabeça para baixo quando, após uma noite de bebedeira, ela submete um projeto ao comitê da empresa – no documento, ela não poupa críticas à atração mais cara do parque. Mas o que deveria ser motivo para uma demissão por justa causa acaba se tornando uma proposta para o seu emprego dos sonhos: fazer parte do time de criação de Dreamland, ter de trabalhar com o chefe mais difícil do mundo... Rowan Kane.

Zahra e Rowan vêm de mundos muito diferentes, e a vida real está bem longe de ser um conto de fadas. Será que ela conseguirá ensinar ao herdeiro bilionário que dinheiro não é tudo e que, no meio do caos, há espaço para o amor?

**ELE TEM UM CORAÇÃO DE GELO...
MAS, POR ELA, INCENDIARIA O MUNDO**

AMOR
corrompido

Twisted Love

ANA HUANG

essência

Alex Volkov é um demônio abençoado com um rosto angelical e amaldiçoado por um passado do qual não consegue escapar.

A única coisa que o motiva é o desejo de vingança em razão de ter presenciado a tragédia que o assombra desde a infância. Não existe espaço na sua vida para o amor.

Mas quando ele é obrigado a tomar conta da irmã de seu melhor amigo, Alex sente algo de diferente em seu peito:

Uma rachadura.

Algo amolecendo.

Uma chama que pode virar seu mundo de cabeça para baixo.

Ava Chen é uma garota de espírito livre encurralada por pesadelos de uma infância da qual não se lembra.

Apesar de seu passado obscuro, ela nunca deixou de enxergar a beleza em tudo... inclusive no coração de um homem frio que não deveria desejar.

O melhor amigo de seu irmão.

Seu vizinho.

Seu redentor e sua perdição.

O amor entre os dois nunca deveria ter acontecido, mas, quando acontece, revela segredos que podem destruir ambos... e tudo o que amam.

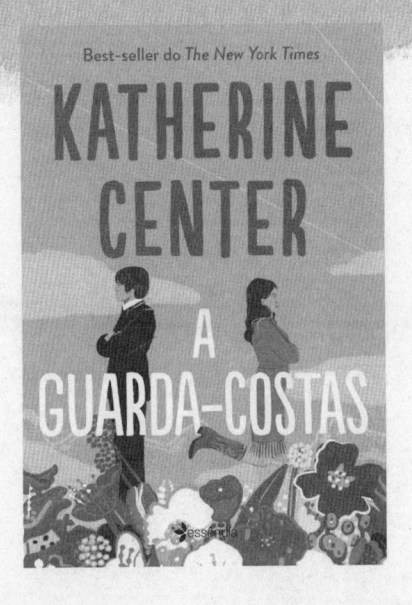

Hannah Brooks parece mais uma professora de jardim de infância do que alguém que poderia te matar com um saca-rolhas. Ou com uma caneta esferográfica. Ou com um guardanapo de pano. Mas a verdade é que ela é uma Agente de Proteção Executiva (também conhecida como "guarda-costas") contratada para proteger um astro de Hollywood que está sofrendo nas mãos de uma stalker de meia-idade obcecada por ele – e por corgis.

Jack Stapleton era um dos atores mais conhecidos do mundo, mas largou o estrelato depois de uma tragédia familiar e agora leva uma vida praticamente anônima. Quando sua mãe adoece e ele precisa visitá-la, Jack se vê obrigado a contratar uma guarda-costas pra não colocar sua família em risco. No entanto, ele tem um pedido peculiar... Para evitar que sua mãe se preocupe, ele quer que Hannah finja ser sua namorada.

Apesar de ser uma mulher centrada e objetiva, Hannah começa a confundir o que é vida real e o que é fingimento. E é aí que está o grande problema. Porque, para ela, cuidar da segurança de Jack é fácil. Mas proteger seu próprio coração? Essa vai ser a tarefa mais difícil de sua vida.

Editora Planeta Brasil | 20 ANOS

Acreditamos nos livros

Este livro foi composto em Adobe Garamond Pro e
Mr Eaves XL San OT e impresso pela Geográfica para
a Editora Planeta do Brasil em julho de 2023.